Telis Marin

nuovissimo PROGETTO italiano

italiano

2

Corso di lingua
e civiltà italiana

B1 - B2
Libro dello studente

EDILINGUA

I edizione: luglio 2020

ISBN: 978-88-99358-75-4 Libro dello studente (+ DVD)
ISBN: 978-88-99358-97-6 Edizione per insegnanti (+ DVD)

Redazione:
Antonio Bidetti, Daniele Ciolfi, Anna Gallo,
Sonia Manfrecola, Laura Piccolo

Foto: Shutterstock, Telis Marin
Foto copertina: Telis Marin
Impaginazione e progetto grafico:
Edilingua
Illustrazioni:
Lorenzo Sabbatini, Massimo Valenti
Registrazioni audio e produzione video:
Autori Multimediali, Milano

© **Copyright edizioni Edilingua**
Sede legale
Via Giuseppe Lazzati, 185 00166 Roma
Tel. +39 06 96727307
Fax +39 06 94443138
info@edilingua.it
www.edilingua.it

Deposito e Centro di distribuzione
Via Moroianni, 65 12133 Atene
Tel. +30 210 5733900
Fax +30 210 5758903

Telis Marin dopo una laurea in Italianistica ha conseguito il Master Itals (Didattica dell'italiano) presso l'Università Ca' Foscari di Venezia e ha maturato la sua esperienza didattica insegnando presso varie scuole d'italiano. È direttore di Edilingua e autore di diversi testi per l'insegnamento della lingua italiana: *Nuovo e Nuovissimo Progetto italiano 1, 2, 3* (Libro dello studente), *Via del Corso A1, A2, B1, B2* (Libro dello studente), *Progetto italiano Junior 1, 2, 3* (Libro di classe), *La Prova Orale 1, Primo Ascolto, Ascolto Medio, Ascolto Avanzato, Nuovo Vocabolario Visuale, Via del Corso Video*. Inoltre, è coautore di *Nuovo e Nuovissimo Progetto italiano Video, Progetto italiano Junior Video* e *La nuova Prova orale 2*. Ha tenuto numerosi workshop sulla didattica in tutto il mondo.

Gli autori e l'editore sentono il bisogno di ringraziare i tanti colleghi che, con le loro preziose osservazioni, hanno contribuito al miglioramento di questa nuova edizione.

Un sincero ringraziamento, inoltre, va agli amici insegnanti che, visionando e provando il materiale in classe, ne hanno indicato la forma definitiva.

Infine, un pensiero particolare va ai redattori e ai grafici della casa editrice per l'impegno profuso.

a mia figlia
Telis Marin

Ogni azione umana ha un impatto sull'ambiente. A Edilingua siamo convinti che il futuro del nostro Pianeta dipende anche da ognuno di noi. "**La Terra ha bisogno del tuo aiuto**" è una piccola ma costante campagna di sensibilizzazione rivolta agli studenti: ogni nostro libro vuole essere un invito alla riflessione, uno stimolo al risparmio energetico e alla riduzione delle emissioni di CO_2. Ulteriori informazioni sul nostro sito (in "chi siamo").

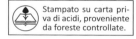

Stampato su carta priva di acidi, proveniente da foreste controllate.

Gli autori apprezzerebbero, da parte dei colleghi, eventuali suggerimenti, segnalazioni e commenti sull'opera (da inviare a redazione@edilingua.it)

Premessa

Nuovissimo Progetto italiano è l'edizione completamente aggiornata di un moderno corso d'italiano per stranieri. Si rivolge a studenti adulti e giovani adulti e copre tutti i livelli del Quadro Comune Europeo.

Le caratteristiche principali del corso sono:

- l'equilibrio tra elementi comunicativi e grammaticali;
- l'approccio induttivo;
- il lavoro sistematico sulle 4 abilità;
- la progressione veloce;

- la presentazione della realtà socioculturale dell'Italia di oggi;
- i numerosi materiali extra, cartacei e digitali;
- la facilità nell'uso.

Il fatto che **Nuovo Progetto italiano**, ovvero l'edizione precedente di quella che avete in mano, sia il corso più venduto al mondo, ci ha permesso di raccogliere i commenti di centinaia di insegnanti che operano in vari contesti didattici. Questo prezioso feedback e la nostra diretta esperienza in aula ci hanno permesso di valutare e decidere le modifiche da apportare, al fine di presentare un corso aggiornato didatticamente e nei contenuti. Nello stesso tempo abbiamo rispettato la filosofia dell'edizione precedente, apprezzata da tanti colleghi che sono "cresciuti" professionalmente usando il manuale in classe.

In *Nuovissimo Progetto italiano 2*:

- tutti i dialoghi sono stati revisionati, sono meno lunghi, più spontanei, più vicini alla lingua parlata;
- alcune attività sono diventate più induttive e più coinvolgenti;
- la progressione rimane veloce;
- c'è una maggiore continuità tra le unità, grazie alla presenza nelle diverse situazioni di personaggi fissi, gli stessi degli episodi video;
- gli episodi video e il Quiz "Lo so io", sono stati girati ex novo, con nuovi attori e location, su testi aggiornati;
- gli episodi video sono meglio integrati nella struttura del corso, in quanto completano o anticipano il dialogo introduttivo;
- molti dei brani audio autentici sono stati sostituiti, tutti gli altri brani audio sono stati revisionati e registrati da attori professionisti;
- la sezione "Per cominciare" presenta una maggiore varietà di tecniche didattiche;
- alcune tabelle grammaticali sono state alleggerite o spostate nel nuovo Approfondimento grammaticale;

- alcuni fenomeni grammaticali vengono presentati in maniera più induttiva e semplice;
- le pagine di civiltà sono state aggiornate e i testi sono più brevi;
- c'è stata un'accurata revisione del lessico, seguendo un approccio a spirale sia tra le unità che tra Libro e Quaderno;
- oltre ai giochi già presenti, è stata inserita una breve attività ludica per unità;
- la revisione dei contenuti da parte degli studenti diventa più divertente grazie al Gioco di società e ai nuovi giochi digitali sulla piattaforma i-d-e-e;
- la grafica è stata aggiornata con nuove foto e illustrazioni e le pagine risultano meno dense;
- l'Edizione per insegnanti (con chiavi) e la Guida didattica (anche digitale) facilitano e arricchiscono il lavoro dell'insegnante;
- nel Quaderno, interamente a colori, diverse attività sono ora più varie con abbinamenti, riordini e scelte multiple al posto di attività con domande aperte.

La struttura delle unità (per maggiori suggerimenti si veda la Guida per l'insegnante)

- La sezione "Per cominciare" ha lo scopo di creare negli studenti l'indispensabile motivazione iniziale attraverso varie tecniche di riflessione e coinvolgimento emotivo, di attivazione delle preconoscenze, di preascolto e ascolto, introducendo l'argomento della prima sezione o dell'intera unità.
- Successivamente si legge e si ascolta il brano registrato e si verificano le ipotesi formulate e le risposte date nelle attività precedenti. Questo tentativo di capire il contesto porta ad una comprensione globale dei nuovi elementi.
- In seguito, rileggendo il dialogo l'allievo comincia a fare delle ipotesi sull'uso di questi nuovi elementi. Lavora sul significato e scopre le strutture.
- A questo punto gli allievi riflettono sul nuovo fenomeno grammaticale rispondendo a semplici domande e completando la tabella riassuntiva con le forme mancanti. Dopo, provano ad applicare le nuove regole esercitandosi su semplici attività orali. Un piccolo rimando indica gli esercizi disponibili sul Quaderno degli esercizi. Svolgendoli su i-d-e-e.it si ha anche la correzione automatica.

- Le funzioni comunicative vengono presentate attraverso brevi dialoghi e poi sintetizzate in tabelle facilmente consultabili. I role-play che seguono hanno come obiettivo l'uso dei nuovi elementi e un'espressione spontanea che porterà all'autonomia linguistica desiderata. Ogni intervento da parte dell'insegnante dovrebbe mirare ad animare il dialogo e non all'accuratezza linguistica. Su quest'ultima si potrebbe intervenire in una seconda fase e in modo impersonale.

- I testi di "Conosciamo l'Italia" possono essere utilizzati, in qualsiasi fase della lezione o come compito a casa come brevi prove per la comprensione scritta, per presentare nuovo vocabolario e, ovviamente, vari aspetti della realtà italiana moderna.

- L'unità si chiude con la pagina dell'Autovalutazione che comprende brevi attività sugli elementi comunicativi e lessicali dell'unità stessa, così come di quella precedente. Gli allievi hanno a disposizione le chiavi, ma non sulla stessa pagina, e dovrebbero essere incoraggiati a svolgere queste attività come una revisione autonoma.

- L'episodio video e le rispettive attività sono un divertente ripasso dei contenuti comunicativi, lessicali e grammaticali dell'unità. Gli episodi video e il Quiz "Lo so io" sono disponibili anche su i-d-e-e.it.

I materiali extra

Nuovissimo Progetto italiano 2 è completato da una serie di innovative risorse supplementari.

- **i-d-e-e**: un'innovativa piattaforma che comprende tutti gli esercizi del Quaderno in forma interattiva e una serie di risorse extra e strumenti per studenti e insegnanti.

- **E-book**: il libro dello studente in formato digitale per dispositivi Android, iOS e Windows (su blinklearning.com).

- **Software per la Lavagna Interattiva Multimediale**: semplice, funzionale e completo. Basta un proiettore per rendere la lezione più motivante e collaborativa. Disponibile anche su i-d-e-e.it, nell'ambiente insegnanti.

- **DVD** allegato al Libro dello studente e disponibile su i-d-e-e.it. Il DVD offre una sit-com didattica che può essere guardata o durante l'unità o in piena autonomia. Seguendo la stessa progressione lessicale e grammaticale del Libro dello studente, il videocorso (episodi e quiz) completa i dialoghi e gli argomenti dell'unità.

- **2 CD audio** allegati al Quaderno degli esercizi e disponibili su i-d-e-e.it. I brani audio, registrati da attori professionisti, sono naturali e spontanei, molti dei brani autentici sono stati sostituiti con altri più aggiornati.

- **Undici Racconti** (anche in formato e-book): brevi letture graduate ispirate alle situazioni del Libro dello studente.

- **Giochi digitali**: diverse tipologie per ripassare i contenuti di ogni unità, disponibili gratuitamente su i-d-e-e.it.

- **Gioco di società**: con quattro diverse tipologie di gioco per ripassare e consolidare quanto appreso in maniera divertente.

- **Glossario interattivo**: applicazione gratuita per dispositivi iOS e Android per imparare e consolidare il lessico in maniera efficace e divertente.

Tanti altri materiali sono gratuitamente disponibili sul sito di Edilingua: la *Guida digitale*, con preziosi suggerimenti e tanti materiali fotocopiabili; i *Test di progresso*; i *Glossari in varie lingue*; le *Attività extra e ludiche*; i *Progetti*, uno per unità, per una didattica cooperativa e orientata all'azione (*task based learning*); le *Attività online*, cui rimanda un apposito simbolo alla fine di ogni unità e propongono, attraverso siti sicuri e controllati periodicamente, motivanti esercitazioni che accompagnano lo studente alla scoperta di un'immagine più viva e dinamica della cultura e della società italiana.

Buon lavoro
Telis Marin

Legenda dei simboli

 Ascoltate la traccia n. 12 del CD audio

 Produzione orale libera

 Attività in coppia

 Attività di gruppo

 Situazione comunicativa

 Produzione scritta (60-80 parole)

 Attività ludica

 Fate le Attività video a pagina 183

 Mini progetti (*task*)

 Fate l'esercizio 14 a pagina 14 del *Quaderno*

 Giochi dell'unità su i-d-e-e.it

 Andate su www.edilingua.it e fate le attività online

Prima di... cominciare

Comprensione e comunicazione

CD 1

1 a Ascoltate e abbinate le frasi alle funzioni comunicative.

4	a. dare indicazioni stradali	3	e. ordinare al ristorante
6	b. esprimere accordo		f. esprimere rammarico/disappunto
7	c. invitare	2	g. accettare un aiuto
1	d. chiedere un parere	5	h. chiedere un favore

b Ascoltate di nuovo per verificare le vostre risposte e scrivete due frasi con due espressioni a scelta tra quelle appena ascoltate.

....

....

....

Grammatica

2 Completate le frasi con i verbi al tempo e al modo opportuni.

1. Quando ....*studiavo*........ (studiare) all'università, i fine settimana organizzavo sempre delle gite.
2. ....*Sarei venuto*........ (venire) volentieri con voi al mare, ma dovevo per forza andare in ufficio.
3. Per favore Paolo, ...*dammi*........ (darmi) una mano a spostare questo divano!
4. Quando sono arrivato alla fermata, l'autobus ....*era partito*........ (partire) da poco.
5. Se ....*bevo*........ (bere) il caffè la sera, poi non riesco a dormire.
6. Se passo l'esame, ...*sarai*........ (essere) il primo a saperlo: mi hai aiutato così tanto!
7. Oggi comincia il corso di lingua cinese, ieri ....*è cominciato*........ (cominciare) il corso di lingua spagnola e Francesco, alla fine, ...*si è iscritto*........ (iscriversi) a quest'ultimo.
8. Il film che ....*abbiamo visto*........ (vedere) ieri mi ricorda un libro con una trama simile.

Produzione orale

3 Lavorate in coppia. Mare, montagna, lago, città d'arte...? Albergo, campeggio, casa di amici...? Raccontate dove e come avete trascorso le ultime vacanze.
Poi ognuno riferisce alla classe cosa ha fatto il compagno.

Bogliasco, Genova

EDILINGUA

5

Comunicazione

4 Cosa direste nelle seguenti situazioni? Rispondete oralmente.

1 Spiega a un tuo compagno come andare da Piazza del Quirinale (punto A) alla Fontana di Trevi (punto B), oppure a Palazzo Colonna (punto C).

2 Sei in un ristorantino a Roma. Cosa ordini?

3 Entri in un negozio di abbigliamento per comprare un paio di jans e una maglietta. Cosa dici al commesso/alla commessa?

4 Telefona a un tuo amico per invitarlo al cinema. Informalo sugli orari, su cosa andate a vedere e perché ne vale la pena.

Produzione scritta

5 Scrivete un'email al/alla vostro/a insegnante per raccontare in breve cosa vi è piaciuto di più e cosa di meno (dal punto di vista dei contenuti linguistici, dei compagni di studio ecc.) del precedente corso di italiano.

Lessico

6 a Trovate le 11 parole riferite al mondo del cinema e della televisione.

b Abbinate le parole alle immagini.

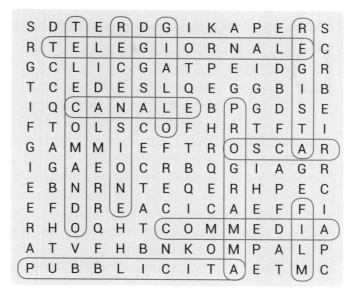

S	D	T	E	R	D	G	I	K	A	P	E	R	S
R	T	E	L	E	G	I	O	R	N	A	L	E	C
G	C	L	I	C	G	A	T	P	E	I	D	G	R
T	C	E	D	E	S	L	Q	E	G	G	B	I	B
I	Q	C	A	N	A	L	E	B	P	G	D	S	E
F	T	O	L	S	C	O	F	H	R	T	F	T	I
G	A	M	M	I	E	F	T	R	O	S	C	A	R
I	G	A	E	O	C	R	B	Q	G	I	A	G	R
E	B	N	R	N	T	E	Q	E	R	H	P	E	C
E	F	D	R	E	A	C	I	C	A	E	F	F	I
R	H	O	Q	H	T	C	O	M	M	E	D	I	A
A	T	V	F	H	B	N	K	O	M	P	A	L	P
P	U	B	B	L	I	C	I	T	A	E	T	M	C

1 d

2 a

5 n

4 b

3 g

6 f

7 i

10 m

11 h

8 c

9 l

12 e

a. Natale ❖ b. forchetta ❖ c. valigia ❖ d. fioraio ❖ e. pasticceria ❖ f. rivista ❖ g. orologio
h. concerto ❖ i. cornetto ❖ l. scarpe ❖ m. mercato ❖ n. lattina

7 Completate il testo con i pronomi e le preposizioni.

Dicono che gli amici si vedono nelle difficoltà, [...] io dico, invece, che gli amici ....*li*.... (1) vedi nella fortuna, quando le cose ti vanno bene [...]. Allora lo vedi, l'amico. Se ti è veramente amico, lui è contento ...*della*.. (2) tua fortuna, come tua madre, come tua moglie. Ma, se non ....*ti*.... (3) è veramente amico, l'invidia gli entra nel cuore e lo consuma in modo che presto o tardi non resiste più e te lo lascia vedere. Eh, è molto più difficile non essere invidioso dell'amico fortunato che generoso ...*con*.... (4) quello sfortunato. [...]

Quand'è che le cose mi sono cominciate ....*ad*.... (5) andar bene? Posso dirlo con precisione, dal momento che mio suocero, il padre di mia moglie, ha deciso ....*di*.... (6) aiutarmi e così ho potuto aprire una macelleria in quelle parti nuove, vicino a via Angelo Emo. Ora quand'è che Arturo ha cominciato ad avere, almeno quando stava con ...*me*.... (7), quel viso falso, quel sorriso non since-ro, quella voce poco naturale che pareva sempre dire le cose a mezza bocca [...]? proprio verso la stessa epoca. Dopo aver lavorato ....*in*.... (8) segreto tutta l'estate per sistemare la macelleria, uno di quei giorni ....*gli*.... (9) ho detto: – Ahò, Arturo, ho una sorpresa per te. [...] vieni con me e lo saprai. Arriviamo in via Angelo Emo, ...*gli*.... (10) indico il mio negozio con l'insegna "Luigi Proietti, Macel-leria" e faccio: – Che ne dici?

Lui guarda e risponde: – Ah, questa era la sorpresa –, a denti stretti.

[...] Ora, chiunque [...] avrebbe esclamato: "Oh quanto è bello... Gigi hai una macelleria che è proprio un sogno... sono felice ...*per*.... (11) te". Chiunque, ma non Arturo. [...]

Ci sono rimasto male e ho insistito, stupidamente: – Macellerie come queste ......*a*...... (12) Roma ce ne sono poche.

E lui: – Bisognerà vedere come andrà in seguito.

adattato da Quant'è caro, Racconti Romani, Alberto Moravia

8 Cosa direste in queste situazioni?
Rispondete per iscritto e/o oralmente.

Comunicazione

1. Entri in un bar per ordinare un panino e una bibita. Che cosa chiedi al barista?

2. Sei alla Stazione Termini. Devi andare a Milano per lavoro, ritornerai il giorno dopo. Cosa dici all'impiegata della biglietteria?

3. Descrivi la tua casa o il tuo ap-partamento e come hai arreda-to/ammobiliato il soggiorno.

4. Com'è oggi il tempo? Quale stagione preferisci? Parlane.

es. 1-11
p. 5

Esami... niente stress! Unità 1

Per cominciare...

1 Abbinate i simboli alle materie scolastiche, come nell'esempio.

1.
Matematica

2.
Fisica

3.
Storia

4.
Scienze naturali

5.
Musica

6.
Geografia

7.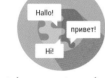
Lingua straniera

8.
Italiano

9.
Chimica

- 5 a. Musica
- 3 b. Storia
- 1 c. Matematica
- 2 d. Fisica
- 6 e. Geografia
- 9 f. Chimica
- 8 g. Italiano
- 7 h. Lingua straniera
- 4 i. Scienze naturali (Biologia)

2 Scambiatevi idee: quali di queste materie ritenete più interessanti? Quali più difficili?

3 Ascoltate una o più volte il dialogo e indicate le frasi pronunciate da Gianna e Lorenzo.

- [ ] 1. Che dice lo studio?
- [X] 2. Questa volta faccio sul serio.
- [ ] 3. Ma certo, Lorenzo!
- [ ] 4. Allora sei proprio preparato!
- [X] 5. Ma tu hai frequentato?
- [X] 6. Me li darà Federico domani.
- [ ] 7. Che secchiona Valeria!
- [X] 8. Gli appunti ve li dà, vero?
- [X] 9. A che ora è l'appello?
- [ ] 10. Non siamo andati a festeggiare.

In questa unità impariamo...	• a fare i complimenti • a rassicurare • a esprimere incertezza • a scusarci e a rispondere alle scuse • a esprimere sorpresa • a parlare dei propri studi	• i pronomi combinati • i pronomi combinati nei tempi composti • aggettivi, pronomi e avverbi interrogativi • l'ordinamento scolastico in Italia • alcune curiosità sulle università italiane

A   Sei pronto per l'esame?

1 Leggete e ascoltate il dialogo per verificare le vostre risposte all'attività precedente.

Lorenzo: Pronto? Oh, ciao Gianna.

Gianna: Ciao Lorenzo! Come va con lo studio? Sei pronto per l'esame di letteratura?

Lorenzo: Beh, quasi..., ma entro venerdì dovrei esserlo.

Gianna: Non credevo che avresti studiato così tanto, sai.

Lorenzo: Te l'ho detto, questa volta faccio sul serio, quest'esame lo devo superare.

Gianna: Bravo Lorenzo!

Lorenzo: Ma sì! Pensa che ieri sera sono uscito e sono tornato presto, prima delle 2...

Gianna: Ah, ecco, sei proprio deciso!

Lorenzo: Comunque, non è facile, eh, sono 400 pagine!

Gianna: Caspita! Ma tu hai frequentato?

Lorenzo: Mah, veramente non tanto. Per fortuna ho appena trovato gli appunti giusti, me li darà Federico domani.

Gianna: Federico chi? Quello che dicevi che non studia, che è peggio di te?

Lorenzo: Sì, esatto.

Gianna: E hai chiesto gli appunti proprio a lui?

Lorenzo: Sì, perché gli appunti non sono suoi, glieli manda proprio oggi Valeria.

Gianna: E chi è?

Lorenzo: Un'antipatica... pensa che supera quasi tutti gli esami con 30 e lode!

Gianna: Ed è antipatica per questo?

Lorenzo: Ma no, il problema è che se ne vanta... una secchiona che non hai idea!

Gianna: Secchiona, però gli appunti ve li dà, vero?

Lorenzo: Non a me, a Fede.

Gianna: E solo questi appunti bastano?

Lorenzo: Eh, magari! No, devo capire anche quali parti del libro leggere, mica posso studiare tutto!

Gianna: Dai, non ti preoccupare, andrà tutto bene! A che ora è l'appello?

Lorenzo: Venerdì pomeriggio, alle 6.

Gianna: Ah, se vuoi dopo il lavoro ti passo a prendere.

Lorenzo: Bene, così poi andiamo a festeggiare!

Gianna: Ok, ma tu pensa prima a passare l'esame... e poi festeggiamo.

2 Leggete di nuovo e rispondete alle domande.

1. Lorenzo considera l'esame facile o difficile? Perché? *Difficile perché deve studiare 400 pagine*

2. Chi è Federico? *Un compagno di università*

3. Perché, secondo Lorenzo, Valeria è antipatica? *Perché si vanta di superare gli esami con trenta e lode*

4. Che cosa vorrebbe fare Lorenzo dopo l'esame?
   Vorrebbe andare a festeggiare con Gianna

3 Abbinate le due colonne. Cosa dice Gianna per...

1. ...fare i complimenti a Lorenzo   ☐ 4   a. *Mah!*
2. ...esprimere sorpresa   ☐ 3   b. *Non ti preoccupare!*
3. ...rassicurare Lorenzo   ☐ 1   c. *Bravo!*
4. ...esprimere incertezza, scetticismo   ☐ 2   d. *Caspita!*

4 Il giorno dopo Lorenzo incontra all'università una sua amica. Completate il loro dialogo con le espressioni dell'attività 3 (spazi rossi) e le parole sotto (spazi grigi), come negli esempi.

> *lo sai* | *te li presta* | *la chiami* | *Me li darà* | *te le passo* | *Mi porterà*

Beatrice: Che faccia allegra oggi!

Lorenzo: Eh sì, finalmente ho trovato gli appunti di letteratura che cercavo.

Beatrice: _____*Bravo*_____ (1)! Chi _____*te li presta*_____ (2)?

Lorenzo: _____*Me li darà*_____ (3) oggi Federico. Sono quelli di Valeria. Ma _____*lo sai*_____ (4) che anche questa volta ha preso 30 e lode?

Beatrice: _____*Caspita*_____ (5)! Comunque, li darai anche a me, no?

Lorenzo: Veramente Federico non mi può dare tutto. _____*Mi porterà*_____ (6) solo le pagine sul Romanticismo. Quelle certo che _____*te le passo*_____ (7). Anzi, faccio una copia anche per te.

Beatrice: Benissimo! Dici che bastano solo questi appunti?

Lorenzo: _____*Mah*_____ (8)! Speriamo di sì.

Beatrice: Comunque, _____*non ti preoccupare*_____ (9), se necessario chiediamo anche a Sabrina. Lei ha frequentato tutte le lezioni.

Lorenzo: Ottima idea. Anzi, perché non _____*la chiami*_____ (10) oggi stesso e glielo chiedi?

 5 Scrivete sul vostro quaderno un breve riassunto del dialogo introduttivo.

40-50

6 Nel dialogo di pagina 10 ci sono vari esempi di pronomi combinati (pronomi indiretti + pronomi diretti). Trovate e scrivete i pronomi accanto alle frasi in basso. Che cosa osservate?

1. Ho detto questo a te. = (ti + lo)   ▶   *te lo*
2. (Federico) darà gli appunti a me. = (mi + li)   ▶   *me li*
3. (Valeria) manda gli appunti a lui. = (gli + li)   ▶   *glieli*
4. (Valeria) dà gli appunti a voi. = (vi + li)   ▶   *ve li*

7 Avete notato come si trasformano i pronomi indiretti quando si uniscono ai pronomi diretti? Adesso, sempre in coppia, completate la tabella e la regola.

I pronomi combinati

Marta, mi mandi il link sul cellulare?	(*mi + lo*)	→	Me lo mandi sul cellulare?
Ti porto le foto stasera.	(*ti + le*)	→	*Te le* porto stasera.
Do io a Stefania la mia macchina.	(*le + la*)	→	Gliela do io.
Ci puoi raccontare la trama del film?	(*ci + la*)	→	*Ce la* puoi raccontare?
Vi consiglio il tiramisù.	(*vi + lo*)	→	*Ve lo* consiglio.
Domani darò questi libri a Gianni e Luca.	(*gli + li*)	→	Glieli darò domani.
Mi vuoi parlare dei tuoi progetti?	(*mi + ne*)	→	Me ne vuoi parlare?

Nella formazione dei pronomi combinati,
i pronomi indiretti (*mi, ti, ci, vi*) cambiano la *-i* in *-e* : me, te, *ce* , *ve* ;
i pronomi indiretti alla terza persona (*gli, le, gli*) si uniscono al pronome *diretto* (*lo, la, li, le*) e si trasformano in una sola parola: *glielo, gliela, glieli, gliele*.

Nell'Approfondimento grammaticale, a pagina 205, potete consultare le tabelle complete dei pronomi diretti, indiretti e combinati, anche con i verbi modali.

8 Rispondete alle domande come nell'esempio. Usate il pronome combinato.

Mi dai il tuo numero di telefono?

Sì, *te lo do subito.*

1. Oggi ti offro io il caffè, va bene?
   D'accordo, ma domani *te lo offro io!*

2. Quando ci fate vedere la vostra nuova casa?
   Quando finiamo i lavori, *ve la facciamo...*

3. Giulia sta organizzando una festa per Luca?
   Sì, *gliela sta organizzando...*

4. Tua nonna ti preparava spesso le lasagne?
   No, non *me le preparava mai.*

5. Regalerai a Sara un anello d'oro?
   Sì, *glielo regalo per...*

es. 1-8
p. 9

B   Scusami!

 1 Ascoltate e abbinate i mini dialoghi ai disegni. Attenzione: ci sono due vignette in più!

 2 Ascoltate di nuovo e completate la tabella.

Scusarsi	Rispondere alle scuse
Scusami per il ritardo! Mi dispiace! *Mi scusi*, signora! (formale) *Mi scuso* per il comportamento...! Ti / Le chiedo scusa! Perdonami! / Mi perdoni!	*Non importa*! *Figurati*! / Si figuri! *Prego*! Non *fa niente*! / Di niente! Va bene, non ti preoccupare! / non si preoccupi! Non c'è problema!

 3 Sei *A*, scusati con *B* nelle seguenti situazioni:

- al bar per sbaglio bevi il caffè di un altro cliente
- hai dimenticato il compleanno del/della tuo/a amico/a
- hai perso il libro che il/la tuo/a amico/a ti aveva prestato
- cammini distratto e vai addosso a un/una passante
- sull'autobus sei distratto/a e non lasci il posto a sedere a una donna incinta/persona anziana

Sei *B*, rispondi ad *A*.

 es. 9
 p. 12

C Questa volta andrà meglio.

1 a Leggete e completate con le espressioni a destra il dialogo tra Lorenzo e la professoressa durante l'esame di letteratura italiana.

> gliel'ha data | me li ha fatti | me l'ha detto
> ve ne ho parlato | glielo avrebbe dovuto dire

Prof.ssa Levi: Allora, signor Sorrentino, questa è la seconda volta che sostiene l'esame, vero?

Lorenzo: Sì, la seconda.

Prof.ssa Levi: Bene, sono sicura che questa volta andrà meglio. Dunque... iniziamo dai poeti minori del Settecento.

Lorenzo: Certo, poeti minori... minori... Mi scusi ma questo capitolo purtroppo non l'ho studiato, non sapevo che...

Prof.ssa Levi: Ma come non l'ha studiato? Eppure _ve ne ho parlato_ (1): abbiamo dedicato due lezioni!

Lorenzo: Davvero? Non _me l'ha detto_ (2) nessuno!

Prof.ssa Levi: Ma chi _glielo avrebbe dovuto dire_ (3), signor Sorrentino? Lei dov'era? Ha frequentato o no?

Lorenzo: Come no? Certo, avrò perso una lezione o due...

Prof.ssa Levi: Ho capito... Andiamo avanti: Pirandello.

Lorenzo: Sì, Pirandello... Luigi Pirandello... è uno scrittore...

Prof.ssa Levi: Questo è poco ma sicuro. Ora mi dirà che nessuno le ha detto che era nel programma.

Lorenzo: In realtà io su Pirandello non ho trovato niente nel libro! E poi negli appunti che mi hanno...

Prof.ssa Levi: Che le hanno dato? Comunque, vedo che non ha neppure il libro giusto, questo qui l'abbiamo usato fino al semestre scorso. Ma questa informazione non _gliel'ha data_ (4) nessuno...

Lorenzo: Veramente?! Ecco perché negli appunti c'era scritto "pagina 470" e non la trovavo. E questi due capitoli non _me li ha fatti_ (5) notare nessuno...

Prof.ssa Levi: Signor Sorrentino, mi dispiace, credo proprio che ci dobbiamo rivedere quando sarà più preparato o meglio... più informato. Arrivederci!

Lorenzo: Arrivederla!

b Leggete di nuovo e indicate le affermazioni corrette.

1. Lorenzo sostiene l'esame con la professoressa Levi:
   - ☐ a. per la prima volta
   - ☒ b. per la seconda volta
   - ☐ c. per la terza volta

2. Lorenzo non ha risposto alle domande della professoressa Levi perché:
   - ☐ a. erano veramente difficili
   - ☒ b. non si è preparato bene
   - ☐ c. non le ha capite

3. Lorenzo ha sostenuto l'esame con la professoressa Levi studiando:
   - ☐ a. su un libro della stessa professoressa
   - ☐ b. su un'opera di Luigi Pirandello
   - ☒ c. su un libro del precedente programma d'esame

4. La professoressa Levi ha mandato via Lorenzo perché:
   - ☐ a. non frequentava le sue lezioni
   - ☒ b. non aveva studiato
   - ☐ c. non aveva il libro

2 Osservate i verbi che avete inserito nel dialogo e completate la tabella, con la desinenza dei participi passati, e la regola in basso.

I pronomi combinati nei tempi composti

- Carla, ti ho presentato le mie amiche?
- No, non me le hai presentate.

- Quando ti hanno portato questi dolci?
- Me li hanno portat_i_ ieri dalla Sicilia.

- Chi ha detto a Valeria che non ho superato l'esame?
- Gliel'ha detto suo fratello.

- Chi vi ha regalato questa bicicletta?
- Ce l'ha regalat_a_ mio cugino.

- Giulio, quanti messaggi di auguri ti sono arrivati oggi?
- Me ne sono arrivati tantissimi!

- Quante mail hai spedito alla tua professoressa?
- Gliene ho spedit_e_ tre.

Quando abbiamo un pronome combinato, il participio passato __concorda__ / non concorda con il pronome diretto che lo precede.

3 Trasformate le frasi sostituendo le parole in verde con un pronome combinato, come nell'esempio.

Marisa vorrebbe andare dai suoi a Madrid. Ti ha detto questa cosa? → *Te l'ha detto?*

1. Carletto voleva un gelato e io ho comprato il gelato a Carletto. → *gliel'ho comprato*

2. Anna e Marco avevano bisogno di una macchina così noi abbiamo comprato loro una macchina. → *gliela abbiamo comprata*

3. Luigi, se vuoi venire un mese da noi al mare, ci puoi dire che vuoi venire.
   → *ce lo puoi dire*

4. Quando studiavi a Roma, quanti soldi spendevi ogni mese? I tuoi ti mandavano molti soldi?
   → *te ne mandavano molti*

5. La professoressa è proprio brava: ha spiegato a noi i pronomi combinati così bene che non abbiamo nessuna difficoltà con i pronomi combinati. → *ce li ha spiegati*

es. 10-13 p. 12

D È incredibile!

1 Ascoltate il dialogo tra due sorelle che si rivedono dopo un mese e indicate le espressioni di sorpresa presenti.

2 Ascoltate di nuovo e verificate le vostre risposte. Secondo voi, qual è la notizia più importante?

Esprimere sorpresa

[X] Ma va!	[ ] Chi l'avrebbe mai detto?
[ ] Scherzi?	
[X] Davvero?!	[ ] Caspita!
[ ] Dici sul serio!?	[X] Incredibile!
	[X] Non è vero!
[X] Possibile?!	[ ] Stai scherzando?
[ ] Impossibile!	[X] Non ci credo!

3 A coppie, formulate delle domande con le notizie che seguono e rispondete usando le espressioni viste nell'attività precedente. Dove necessario potete usare *"hai saputo che...?"*, *"hai sentito che...?"*, *"lo sai che...?"* ecc.

1. La vostra squadra ha perso di nuovo.

2. Una vostra conoscente si è finalmente laureata.

3. Ieri vicino a Milano c'è stato un incidente ferroviario.

4. I treni faranno sciopero per una settimana.

5. Avete vinto due biglietti omaggio per il concerto di Diodato.

40-60 **4** Scrivete due mini dialoghi sviluppando queste due situazioni, poi recitateli davanti alla classe.

1. All'aeroporto:
   A Ti rendi conto che non hai il passaporto con te e lo comunichi a *B*.

   B Sgridi *A*, ma improvvisamente noti che hai dimenticato il cellulare a casa.

2. Concerto annullato:
   A Telefoni a *B* per comunicargli che il concerto di Fedez è stato annullato. Sei arrabbiato perché il biglietto è costato molto.

   B Sei dispiaciuto, ma non troppo perché il tuo biglietto per il concerto lo avevi avuto in omaggio.

es. 14 p. 14

E Quante domande!

1 Osservate le immagini e completate lo schema in basso con gli interrogativi che introducono una domanda. Potete aggiungerne altri?

di cosa / di che cosa	cosa
come	quanti / quanto
perché	quali
che cosa	chi

2 Completate le domande con gli interrogativi del punto precedente.

1. _____*Che cosa*_____ hai regalato a tuo fratello per il suo compleanno?

2. Per _____*quale*_____ motivo impari l'italiano?

3. _____*Chi*_____ era al telefono?

4. Da _____*cosa*_____ dipende se vieni o no?

5. _____*Qual*_____ è stato il momento più importante della tua vita?

6. Da _____*quanto*_____ studi l'italiano?

3 Intervistate un vostro compagno sul tema "scuola e/o università" e scrivete delle domande per conoscere la sua esperienza. Usate gli interrogativi.

Quante ore studiavi ogni giorno?

Chi era l'insegnante più simpatico/a?

Qual era la tua materia preferita?

4 Gli "esami di maturità" segnano la fine del percorso scolastico e un momento importante nella vita degli studenti italiani. Leggete la trama dei seguenti film e abbinate i testi alle immagini corrispondenti.

1. [d]

Notte prima degli esami. Un gruppo di diciottenni si prepara a sostenere l'esame di maturità. Luca, il protagonista, l'ultimo giorno di scuola trova il coraggio di dire al suo professore di lettere quello che veramente pensa di lui. Scoprirà presto però che il professore non solo fa parte della commissione d'esame ma è anche il padre della ragazza della quale Luca si è innamorato. Una storia divertente e sempre attuale, con tanti piccoli personaggi e capace di coinvolgere più generazioni. Una bella colonna sonora.

2. [c]

Immaturi. Sei ex compagni di liceo si ritrovano di nuovo insieme, 38enni, ognuno con la sua vita e le sue esperienze, quando una raccomandata del Ministe-ro della Pubblica Istruzione annulla il loro esame di maturità e li obbliga a rifarlo, pena l'annullamento dei titoli conseguiti successivamente. L'incubo di tutti i maturandi diventa realtà. Una commedia spiritosa e ben riuscita.

3. [b]

Che ne sarà di noi. Gli esami di maturità sono finalmente finiti e per Matteo, Paolo e Manuel è arrivato il momento di festeggiare. I tre ragazzi si regalano un viaggio in Grecia, a Santorini, dove si accorgono di non sapere nulla della vita e dove non tutto va come vorrebbero. Tra imprevisti, avventure e nuove conoscenze, faranno scelte diverse e più autentiche rispetto a quelle che i loro genitori avevano progetta-to per loro.

4. [a]

L'estate addosso. Un film di Gabriele Muccino che ha come protagonista Marco, un ragazzo che ha da poco sostenuto l'esame di maturità. Dopo un incidente con lo scooter e un risarcimento a più zeri, Marco decide di partire per un viaggio estivo a San Francisco. Qui stringe amicizia con i due ragazzi che lo ospitano e una ragazza; tra i 4 si crea un clima speciale che li porterà a riconsiderare la loro vita da una prospettiva differente. *L'estate addosso* è il racconto del viaggio, che può essere quello dopo la maturità, che gli studenti vivono come un momento di passaggio dalla spensierata giovinezza all'età adulta fatta di responsabilità e preoccupazioni.

adattato da *www.mymovies.it*

a

b

c

d

5 Rispondete alle domande.

1. Perché in *Immaturi* i protagonisti devono sostenere gli esami di maturità un'altra volta?
2. Che cosa fa di sbagliato Luca in *Notte prima degli esami*?
3. In quale posto decidono di passare le vacanze Matteo, Paolo e Manuel in *Che ne sarà di noi*?
4. Chi è il protagonista di *L'estate addosso* e che cosa gli succede?

 6 In coppia scegliete l'interrogativo corretto.

1. Io ho visto Carla ieri mattina, tu quanto/quando l'hai sentita?
2. Di dove/cosa è Mauro?
3. Perché/Come siete partiti senza salutare?
4. Ho saputo che sei stato negli Stati Uniti, quando/quanto hai speso per il viaggio?
5. Chi/Che te l'ha detto? Non è vero!
6. Come/Quale strada prendiamo per arrivare prima?

 7 Attività ludica. Formate due squadre. A turno, ciascuna squadra pensa a una persona famosa di oggi o del passato. La squadra avversaria fa delle domande per scoprire di chi si tratta, utilizzando una sola volta questi interrogativi:

Dove	Quanto	Quando	Che	Cosa	Come

Perché	Quale	Di cosa	Chi

Naturalmente, le risposte non possono rivelare direttamente l'identità del personaggio da indovinare. Vince chi scopre il personaggio misterioso con meno domande.

es. 15-18 p. 15

F Vocabolario e abilità

1 Completate le frasi con le parole date.

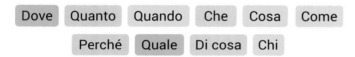

dipartimento ❖ iscrizione ❖ frequenza ❖ prove
esami di ammissione ❖ mensa

1. In alcune facoltà la _____*frequenza*_____ è obbligatoria.
2. In Italia l'ingresso in molte università è libero, non sono previsti _____*esami di ammissione*_____
3. Nella Facoltà di Lettere e Filosofia c'è il _____*dipartimento*_____ di Italianistica.
4. Gli esami spesso prevedono sia _____*prove*_____ scritte che orali.
5. Anche alle università statali bisogna pagare le tasse di _____*iscrizione*_____
6. Gli studenti universitari mangiano spesso alla _____*mensa*_____

2 In quale facoltà bisogna laurearsi per diventare...? In coppia, prima completate le professioni e poi abbinatele, come nell'esempio, alle facoltà.
Attenzione: abbiamo due facoltà in più!

1. Medicina — d
2. Odontoiatria — b
3. Ingegneria
4. Giurisprudenza — a
5. Architettura — e
6. Psicologia — c
7. Lingue
8. Lettere — f

a avvocatessa

d dentista

p sicologa

c hirurgo

a rchitetto

insegnante di storia

es. 19-20 p. 16

3 Ascolto Quaderno degli esercizi (p. 17)

4 Situazioni

1. *A* è uno studente interessato ad una vacanza-studio in Italia: a pagina 195 troverà alcuni spunti per fare delle domande; *B* lavora negli uffici dove organizzano questo tipo di vacanze-studio e a pagina 199 troverà materiale informativo per rispondere ad *A*.

2. Pensi di andare a studiare in un'altra città, rispetto a quella dove abiti, poiché lì la facoltà che hai scelto è considerata una delle migliori. Il problema è che il/la tuo/a ragazzo/a (*B*) non ne vuole sapere. Tu (*A*) cerchi di spiegargli/le che non si deve preoccupare e che la distanza non mette a rischio la vostra relazione.

 80-120
5 Scriviamo

Scrivi una lettera a un amico italiano per annunciargli la tua intenzione di andare a studiare a Milano e gli spieghi i motivi di questa scelta: alto livello dell'università e della facoltà, amore per l'Italia e così via. Infine, chiedi informazioni sulla vita studentesca in Italia.

es. 21-22 p. 17 p. 183 Test finale

La scuola...

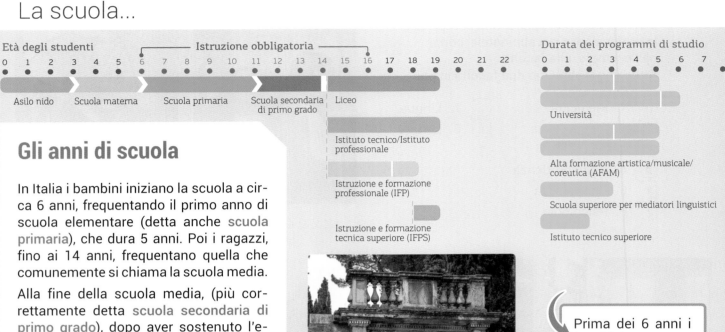

Età degli studenti																						
0	1	2	3	4	5	6	7	8	9	10	11	12	13	14	15	16	17	18	19	20	21	22

Istruzione obbligatoria

Asilo nido — Scuola materna — Scuola primaria — Scuola secondaria di primo grado — Liceo

Istituto tecnico/Istituto professionale

Istruzione e formazione professionale (IFP)

Istruzione e formazione tecnica superiore (IFPS)

Durata dei programmi di studio

0	1	2	3	4	5	6	7	8

Università

Alta formazione artistica/musicale/coreutica (AFAM)

Scuola superiore per mediatori linguistici

Istituto tecnico superiore

Gli anni di scuola

In Italia i bambini iniziano la scuola a circa 6 anni, frequentando il primo anno di scuola elementare (detta anche scuola primaria), che dura 5 anni. Poi i ragazzi, fino ai 14 anni, frequentano quella che comunemente si chiama la scuola media.

Alla fine della scuola media, (più correttamente detta scuola secondaria di primo grado), dopo aver sostenuto l'esame di licenza media, i ragazzi si iscrivono alla scuola secondaria di secondo grado, o più semplicemente scuola superiore (licei, istituti tecnici, istituti professionali), in base alle loro preferenze. Quest'ultimo percorso di studi ha una durata di 4 o 5 anni e termina con l'esame di maturità (o formalmente "esame di Stato"). Ottenuto il diploma di maturità, gli studenti decidono se proseguire gli studi iscrivendosi ad una facoltà universitaria o se iniziare a lavorare.

Con scuola dell'obbligo indichiamo il periodo (10 anni) in cui tutti i bambini devono andare obbligatoriamente a scuola: dai 6 ai 16 anni, fino al secondo anno di scuola superiore.

> Prima dei 6 anni i bambini possono frequentare l'asilo nido (fino ai 3 anni) e poi la scuola materna, dai 3 ai 6 anni.

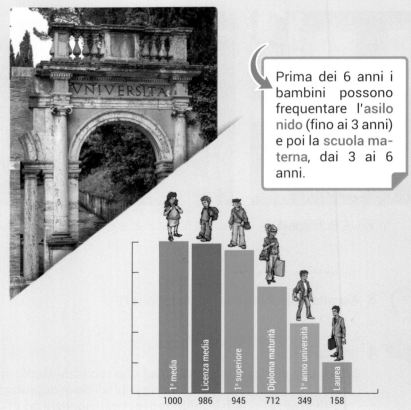

1ª media	Licenza media	1ª superiore	Diploma maturità	1° anno università	Laurea
1000	986	945	712	349	158

Il metodo Montessori

Maria Montessori (1870-1952), medico, pedagogista ed educatrice, è nota per il metodo educativo, adottato in moltissime scuole del mondo, che porta il suo nome.

Montessori ha sempre sostenuto l'importanza di includere i bambini e le bambine con problemi psichici nelle classi scolastiche e di stimolare la creatività e la libertà di tutti gli alunni.

I suoi obiettivi erano inoltre eliminare l'analfabetismo e promuovere l'idea di uguaglianza tra gli uomini. È stata anche candidata al premio Nobel per la pace.

...e l'università in Italia

In Italia, tutti gli studenti diplomati possono iscriversi all'università. Per alcune facoltà, dipende anche dall'ateneo scelto, devono sostenere un test di ingresso. La maggior parte delle facoltà universitarie sono organizzate in tre cicli:

- I (primo) ciclo per la *laurea triennale*, dura 3 anni;
- II (secondo) ciclo per la *laurea magistrale*, dura altri 2 anni. Alcune facoltà, come Giurisprudenza, offrono la possibilità di completare i 5 anni universitari in un unico ciclo, mentre altre, come Medicina, hanno durata di 6 anni;
- III (terzo) ciclo per i corsi di studio come i Dottorati di ricerca* e le Scuole di specializzazione*.

Alla fine dei primi due cicli di studi, gli studenti devono consegnare una tesi, uno studio, una ricerca fatta sotto la guida di un docente. Solo dopo quest'ultimo lavoro ottengono la laurea. Purtroppo, la percentuale dei laureati in Italia non è alta ed è inferiore alla media europea.

La maggior parte delle università italiane sono pubbliche, molte sono antichissime e prestigiose. Anche le università pubbliche sono a pagamento, ma le tasse* sono proporzionate al reddito delle famiglie degli studenti.

Ognuno ha i suoi tempi...
Se gli studenti non riescono a laurearsi in tempo, cioè secondo la durata prevista dal corso di studi, allora vanno "fuori corso", proprio come Lorenzo!

Lo sai che...?

...l'Università di Bologna, fondata nel 1088, è l'università più antica del mondo occidentale.

...l'Università degli Studi di Roma "La Sapienza" è la più grande d'Europa.

...Bettisia Gozzadini, una nobile di Bologna, è stata la prima donna al mondo a laurearsi. Ha ottenuto la laurea in Giurisprudenza nel 1236, all'Università di Bologna.

...l'Italia ha il primato del numero di università più antiche al mondo: ben 21 fondate prima del 1500!

---

 1 Parliamo

- Come funziona il sistema scolastico nel vostro Paese?
- A quanti anni gli studenti prendono il diploma di maturità in Italia? E nel vostro Paese?
- Dicono che gli anni più belli sono quelli passati tra i banchi di scuola. Voi che ricordi avete del periodo scolastico, dei vostri compagni e dei vostri insegnanti? Ricordate un episodio in particolare?
- Qual è l'università più antica del vostro Paese? Sapete per caso in quale periodo è stata fondata?

Glossario. *dottorato di ricerca:* periodo, dopo la laurea, di studio e ricerca presso l'università; *scuola di specializzazione:* periodo di studio e lezioni per ottenere un titolo professionale specifico dopo la laurea; *tassa:* soldi pagati all'università, a un ente pubblico, in cambio di un servizio.

 2 In gruppi. Scegliete una di queste università storiche italiane. Fate una ricerca online e create un volantino informativo su un'università da mostrare ai vostri compagni. Poi votate il volantino più interessante.

Università di Bologna Alma Studiorum ❖ *Università di Napoli Federico II*
Università degli Studi di Padova ❖ *Università degli Studi di Roma La Sapienza*
Università degli Studi di Catania ❖ *Università degli Studi di Firenze*

Attività online

Che cosa ricordi dell'unità 1?

1 *Sai...?* Abbina le due colonne.

1. esprimere sorpresa
2. rispondere alle scuse
3. scusarsi
4. esprimere incertezza
5. fare i complimenti

2 a. *Non importa Stefania! Non è successo niente.*
5 b. *Bravo! Sei stato proprio in gamba!*
3 c. *Le chiedo scusa, signora Pavone.*
1 d. *Caspita, ma c'è tantissima gente!*
4 e. *Mah! Al tuo posto forse avrei fatto lo stesso.*

2 Abbina le frasi.

1. Sei al liceo?
2. Quando è l'appello d'esame?
3. Me l'ha detto lui!
4. Di dov'è Alberto?
5. Me lo riporti domani, vero?

3 a. Incredibile!
5 b. Sì, non ti preoccupare!
4 c. È di Milano.
1 d. Sì, in quinta superiore.
2 e. A fine mese, il 28.

3 Completa.

1. I bambini cominciano la scuola elementare all'età di: *6 anni*
2. L'esame alla fine delle scuole superiori: *esame di maturità (esame di Stato)*
3. Ci + lo: *ce lo*
4. Le + li + ha regalato: *glieli ha regalati*
5. Tre interrogativi: *quale, chi, che cosa*

4 Scopri le otto parole nascoste relative alla scuola e all'università, in orizzontale e in verticale.

Controlla le soluzioni a pagina 194.
Sei soddisfatto/a?

S	E	C	E	L	L	F	E	O	W	A	V
V	U	V	A	L	I	S	U	O	L	O	M
I	N	G	E	G	N	E	R	I	A	T	A
N	D	C	B	C	G	B	U	S	U	R	D
S	R	H	S	R	U	E	C	O	R	S	O
E	I	O	T	F	E	B	I	A	E	G	U
G	M	Q	U	A	T	C	C	H	A	R	E
N	M	D	D	S	F	S	K	D	A	K	Q
A	P	P	E	L	L	O	P	A	L	P	U
N	I	P	N	L	I	T	S	X	G	P	E
T	M	A	T	E	R	I	A	I	R	I	P
E	U	O	E	T	A	A	C	Z	Z	B	O

Per cominciare...

 1 In coppia, abbinate le parole alle foto.

5 c

1 a

2 d

3 e

4 b

a. carta di credito
b. sportello bancario
c. assegno
d. contanti
e. sportello bancomat

2 Leggete la pubblicità e rispondete alle domande.

1. Secondo te, a chi si rivolge questa pubblicità?
2. Che cosa pubblicizza?
3. Qual è per te il maggiore vantaggio?

Cari studenti il conto studiato **PER CHI STUDIA**!

$$carta\ prepagata \times \left\{ \left[\left(\frac{home}{banking} + \frac{phone}{banking} \right) \times \frac{assegni}{gratuiti} \right] + \left[\frac{operazioni}{gratuite} \times \frac{bancomat}{gratuito} \right] \right\} = \frac{costo}{zero}$$

6 CD 1

3 Ascoltate il dialogo e indicate l'affermazione giusta.

1. Gianna chiama un amico che lavora
   - [x] a. in banca.
   - [ ] b. all'università.

2. Gianna deve scrivere un articolo sui
   - [x] a. servizi bancari.
   - [ ] b. servizi per gli studenti.

3. *Conto aperto* è un prodotto bancario
   - [ ] a. solo per studenti universitari.
   - [x] b. per studenti e disoccupati.

In questa unità impariamo...	
• diversi modi per formulare una domanda • a scrivere una email / lettera formale • le formule di apertura e di chiusura • a prepararci ad un colloquio di lavoro • a scrivere una lettera di presentazione • a scrivere un Curriculum Vitae	• *i pronomi relativi* (che, il quale, cui) • chi come pronome relativo • *pronomi doppi* • *stare + gerundio* • *stare per + infinito* • cosa ha rappresentato il miracolo economico per l'Italia • alcune curiosità sul Made in Italy

A   Amici su cui contare

1 Ascoltate di nuovo e verificate le vostre risposte all'attività precedente.

Gianna: Pronto, ciao Carlo, sono Gianna.

Carlo: Oh, ciao Gianna, come stai?

Gianna: Bene, e tu? Senti, è un buon momento per quella mini intervista di cui parlavamo?

Carlo: Certo, a quest'ora sono più tranquillo. Allora, ricordami, che cosa volevi sapere?

Gianna: Dunque, dovrei scrivere un articolo sui nuovi servizi bancari, no? E ho pensato subito a te.

Carlo: Certo. Cosa ti interessa in particolare?

Gianna: Allora... se non sbaglio, voi avete un conto per studenti e disoccupati, vero?

Carlo: Esatto. È un nuovo prodotto che è veramente vantaggioso e che offre solo la nostra banca.

Gianna: Ehehe, hai già cominciato a fare pubblicità?

Carlo: No, non è pubblicità, te l'ho detto... si tratta di un conto che conviene davvero.

Gianna: Perché? In cosa consiste?

Carlo: Beh, lo puoi aprire in un minuto da casa e i costi non superano i 5 euro all'anno!

Gianna: Hmm, interessante! E poi?

Carlo: Poi a casa ti arriva un bancomat con il quale puoi non solo prelevare soldi ovunque, ma anche avere sconti in più di tremila negozi, cinema, teatri, tra cui la Scala.

Gianna: Addirittura? Che bello!

Carlo: Vedi? Infine, con questo conto, che noi chiamiamo "aperto", puoi chiedere, sempre online, piccoli prestiti fino a mille euro a un tasso d'interesse molto basso.

Gianna: Ma guarda che questo conto interesserebbe anche a me! Però hai detto che è solo per disoccupati e studenti, giusto? Potrebbe andare bene per Lorenzo, te lo ricordi no?

Carlo: Come no! Ma è disoccupato o studente?

Gianna: Tutti e due...

 2 Rispondete alle domande.

1. Perché l'amico di Gianna dice che non fa pubblicità?

2. Quali sono i vantaggi del conto esposti da Carlo?

3. Perché il conto si chiama "aperto"?

1. Perché il conto è veramente conveniente
2. Tutto avviene online, quindi un grande risparmio di tempo, e poi permette di avere lo sconto in tanti locali e negozi
3. Perché puoi fare tutte le operazioni online, in qualsiasi momento

3 Leggete il dialogo tra Lorenzo e l'operatrice della banca e indicate il pronome corretto.

operatrice bancaria: Pronto sono Rita, come posso esserle utile?

Lorenzo: Buongiorno Rita, sono Lorenzo. Sto cercando di aprire online il nuovo conto che / a cui (1) pubblicizzate...

operatrice: Il conto business?

Lorenzo: Magari!... No, il conto che / per cui (2) avete per gli studenti, quello che / tra cui (3) offre tanti vantaggi.

operatrice: Ah... il *Conto aperto*! Per aprirlo è necessario...

Lorenzo: Guardi... ho seguito tutte le istruzioni, che / a cui (4) spiegano passo passo cosa fare, ma non riesco a completare la procedura online.

operatrice: Non si preoccupi... se mi dice i servizi che / a cui (5) è interessato ci penso io...

Lorenzo: Oh, meno male. Grazie!

 4 Aiutate Lorenzo a scrivere un breve messaggio a Gianna. Potete iniziare come nell'esempio a destra. Nel messaggio:

- la ringrazia per avergli consigliato il *Conto aperto*
- le dice che non è riuscito a completare la procedura online
- le spiega come lo ha aperto alla fine

> Gianna,
> il "Conto aperto" che mi hai consigliato è veramente utile, grazie mille.
> ...
> Ci vediamo stasera, ciao.

5 Rileggete le seguenti frasi tratte dal dialogo A1 e scrivete a cosa si riferiscono i pronomi.

	che si riferisce a
Questo conto, che è veramente vantaggioso, è un nuovo prodotto.	► *il conto*
Si tratta di un conto che conviene davvero.	► *il conto*
Con questo conto, che noi chiamiamo "aperto", puoi chiedere un piccolo prestito.	► *il conto*

Il pronome relativo *che*

1. Questo conto, **che** è veramente vantaggioso, è un nuovo prodotto.
   Questo conto è un nuovo prodotto. Questo conto è veramente vantaggioso. (*soggetto*)

2. Con questo conto, **che** noi chiamiamo "aperto", puoi chiedere un piccolo prestito.
   Con questo conto puoi chiedere un piccolo prestito. Noi chiamiamo "aperto" questo conto. (*oggetto*)

Il pronome relativo *che* è invariabile e si riferisce al soggetto (esempio 1) o al complemento oggetto (esempio 2).

Il pronome relativo *il quale*

Questo conto, il quale è veramente vantaggioso, è un nuovo prodotto.
Il pronome relativo *il quale* è variabile (*il quale, la quale, i quali, le quali*) e può sostituire il relativo *che* quando ha la funzione di soggetto.

Ho incontrato la ragazza di Michele **che** lavora in banca.	*Chi lavora in banca, Michele o la sua ragazza?*
Ho incontrato la ragazza di Michele, **la quale** lavora in banca. →	*se è la sua ragazza a lavorare in banca*
Ho incontrato la ragazza di Michele, **il quale** lavora in banca. →	*se è Michele stesso a lavorare in banca*
Il pronome relativo *il quale* permette di rendere più chiara la frase, di evitare ambiguità, specificando il genere e il numero.	

6 A coppie, mettete in ordine le parole per formare le frasi. Cominciate con la parola evidenziata.

1. università | in | tv | insegna | **Il** | che | parla | è | professore, | mio | un | signore | all'
   Il signore che parla in tv è un mio professore, insegna all'università.

2. mese | da | credito | un | è | hai | scaduta | di | **La** | che | carta
   La carta di credito che hai è scaduta da un mese.

3. che | **Mario** | ha | già | letto | mi | libro | avevo | regalato | un
   Mario mi ha regalato un libro che avevo già letto.

4. **Il** | lontano | è | ho | stipendio | casa, | che | ma | è | lavoro | buono | da | lo | trovato
   Il lavoro che ho trovato è lontano da casa, ma lo stipendio è buono.

5. costa | di | comprare | che | un | soldi | vorrei | sacco | **L'auto**
   L'auto che vorrei comprare costa un sacco di soldi.

6. dà | molti | prodotto | gratuiti | **"Conto aperto"** | ti | è | un | servizi | che
   "Conto aperto" è un prodotto che ti dà molti servizi gratuiti.

7 Nel dialogo A1 abbiamo visto questa frase: "Poi a casa ti arriva un bancomat *con il quale* puoi non solo prelevare soldi ovunque, ma anche avere sconti in più di tremila negozi, cinema, teatri, tra cui la Scala". Completa la tabella con: *a cui, in cui, con cui*.

Il pronome relativo *cui*

Sono uscito **con** Luigi. →	Il ragazzo _con cui_ sono uscito è Luigi.
Ho venduto la bicicletta **a** Gianna. →	Gianna, _a cui_ ho venduto la bicicletta, è una cara amica.
Sono nata **in** una città bellissima. →	La città _in cui_ sono nata è bellissima anche se un po' caotica.

Il pronome relativo *cui* è invariabile e, di solito, è preceduto da una preposizione semplice.
Anche il pronome relativo *cui* può essere sostituito da *il quale*, accompagnato da una preposizione articolata.

Il ragazzo **con cui** sono uscito è Luigi. →	Il ragazzo **con il quale** sono uscito è Luigi.
Gianna, **a cui** ho venduto la bicicletta, è un cara amica. →	Gianna, **alla quale** ho venduto la bicicletta, ...

Per ulteriori esempi e chiarimenti consultare l'Approfondimento grammaticale a pagina 207.

8 Leggete un brano tratto da *Undici racconti*, letture semplificate ispirate a questo nostro libro, e completate il testo con *che* o *cui* preceduto da una preposizione semplice.

Non so a voi, ma a me le banche piacciono. [...] Silenziose e luminose, le banche mi danno sempre un gran senso di pace, di ordine. E poi, il cassiere ....*che*.... (1) conta i soldi con le sue mani veloci ed esperte, mani da bancario, ...*che*.... (2) toccano tutto con attenzione [...], battono sui tasti del computer quasi senza far rumore.

[...] Andare in banca mi fa sentire bene: in banca mi sento anche io qualcuno, una persona ......*che*...... (3) sa dove andare, ...*che*.... (4) ha cose da fare, impegni, appuntamenti, cose così, ...*che*.... (5) danno senso alla vita, cose ...*per cui*... (6) vale la pena vivere.

[...] Non mi piacciono le banche con le guardie fuori [...] No, a me piacciono le banche semplici, dove apri la porta e subito il responsabile ti sorride e ti chiede "Desidera signore?" [...] E il cassiere ......*che*...... (7) ha quell'espressione rispettosa negli occhi, magari una goccia di sudore sulla fronte, perché non è certo facile lavorare con una pistola davanti. No, non pensate male, io uso solo una pistola giocattolo, ...*con cui*... (8) giocavo quando ero bambino.

[...] Dite che sono pazzo? No, sono solo un rapinatore sfortunato. Perché sfortunato? Beh, come definireste l'ultima rapina che ho fatto, alla Banca Commerciale? Perfetta, certo, studiata in ogni minimo particolare, tranne uno: non mi ricordavo proprio che era la stessa banca ...*in cui*... (9) aveva trovato lavoro la mia ragazza, Ludovica. Quando mi ha visto, con la pistola ......*che*...... (10) conosce bene perché ci gioca spesso il suo nipotino Alex, di quattro anni, mi ha guardato con un'aria stupita e incredula: "Giovanni! Ma che ci fai qui?"

[...] Per fortuna nel carcere non mi trattano troppo male e Ludovica mi viene a trovare ogni mercoledì. Dopo la chiusura della banca.

es. 1-11
p. 20

B Perché...?

1 Lavorate in coppia. Immaginate di chiedere spiegazioni nelle seguenti situazioni. Cosa chiedereste a queste persone? Confrontate le vostre risposte.

a. Paola ha preso un altro mutuo dalla banca. Le chiedi:
   Come mai hai preso un altro mutuo?

b. Hai saputo che Alessandro ha litigato con Beatrice. Gli chiedi:
   Alessandro per quale motivo hai litigato con Beatrice?

c. Carla odia il francese e non studia mai. Le chiedi:
   Scusa Carla, ma perché non studi mai il francese?

d. Matteo è sempre al verde, non ha mai soldi con sé. Gli chiedi:
   Matteo perché mai sei sempre senza soldi?

e. Gli esercizi di italiano sono difficili, ma Irene non ti aiuta. Le chiedi:
   Irene perché non mi aiuti con gli esercizi di italiano?

2 Adesso ascoltate le domande e scrivete la lettera corrispondente nelle foto per collegarle alle situazioni dell'attività precedente. Chi aveva pensato a delle domande simili?

7
CD 1

3 Riascoltate le domande e scrivete le espressioni che possiamo usare per *chiedere il perché*, come nell'esempio.

Chiedere il perché

Come mai...?
Per quale motivo...?
Ma perché...?
Perché mai...?
Perché no?

4 Sei *A*, prima annuncia a *B* quanto segue e poi rispondi alle sue domande:

a. hai deciso di lasciare il tuo lavoro
b. hai deciso di non usare più carte di credito
c. hai bisogno di 5 mila euro
d. hai deciso di chiudere il tuo conto bancario
e. hai deciso di trasferirti all'estero

Sei *B*, chiedi delle spiegazioni ad *A* sulle sue scelte, usa una volta sola le espressioni viste in tabella.

es. 12
p. 24

C Egregio direttore...

1 Marisa è un'insegnante di lingua italiana. Secondo voi, quali informazioni può dare al direttore di una scuola di lingue in cui cercano un'insegnante di lingua italiana?

2 Leggete questa email e indicate quali delle informazioni sono presenti o meno.

- [X] 1. L'annuncio è apparso sul sito della scuola.
- [ ] 2. Marisa è un'insegnante di italiano e storia.
- [ ] 3. Marisa, con l'email, invia anche il CV.
- [X] 4. Marisa scrive al direttore di una scuola di lingue.
- [X] 5. Marisa ha insegnato a studenti adolescenti.
- [ ] 6. Marisa insegna da dieci anni.
- [ ] 7. Attualmente Marisa non vive in Italia.
- [X] 8. Marisa parla delle sue qualità personali e professionali.
- [ ] 9. A Marisa piace lavorare da sola.
- [X] 10. Marisa si propone per un colloquio di lavoro.

Nuovo Messaggio

A: direttore@istitutointernazionalelingue.com

Oggetto: candidatura insegnante lingua italiana

Egregio Direttore,

in risposta all'annuncio apparso sul vostro sito per un posto di insegnante di lingua italiana, desidero presentarmi e sottoporre alla Sua attenzione la mia candidatura.

Ho già compilato il modulo online e ho allegato i vari documenti, tra cui il mio curriculum vitae. Come potrà vedere sono laureata in Lingue e ho maturato un'esperienza didattica di 5 anni prima all'estero e poi in Italia, insegnando soprattutto ad adolescenti e adulti.

Sono una persona socievole, responsabile e mi piace lavorare in gruppo. Credo di essere adatta alle esigenze di una scuola prestigiosa come la vostra.

In attesa di una Sua risposta, resto a Sua disposizione per un eventuale colloquio.

Distinti saluti
Marisa Grandi

invia

3 Sottolineate le espressioni o le parole presenti nell'email di Marisa che non trovereste in un'email amichevole, informale, e completate la tabella in basso.

Lettere/email formali

Formule di apertura		Formule di chiusura
Egregio / Egregia Gentile Gentilissimo/a	_Direttore_ / Direttrice Rossi Dottor / Dott.ssa Rossi Signor / Signora Rossi	_Distinti saluti_ / Cordiali saluti / La saluto cordialmente _In attesa di una Sua risposta_, / di un Suo riscontro, La saluto cordialmente Colgo l'occasione per porgere distinti saluti
Gentili	Signori / Signore	Aspetto / Attendo Vostre notizie
Spettabile (Spett.le)	Ditta / Scuola...	In attesa di un Vostro riscontro, Vi saluto cordialmente

4 Scrivete una lettera di presentazione per inviare il vostro CV ad un'azienda. Scegliete voi il tipo di azienda e la mansione, il posto che vorreste ricoprire.

5 Lorenzo dopo aver risposto ad alcuni annunci di lavoro, chiama sua madre. Ascoltate il dialogo e scrivete sotto le immagini a destra il proverbio corrispondente.

Mamma: Allora tesoro, novità riguardo al lavoro?

Lorenzo: Mamma, che ti devo dire... come al solito. Vogliono laureati, con esperienza...

Mamma: Dai, coraggio, ricordati che chi cerca trova!

Lorenzo: Certo mamma, stai tranquilla... per fortuna, mi sta aiutando anche Gianna.

Mamma: E chi è Gianna?

Lorenzo: Ma come chi è?! Gianna..., la mia amica...

Mamma: Ah sì, Gianna. Scusami! ...è una ragazza veramente in gamba! Lo dico sempre io: chi...

Lorenzo: Chi trova un amico trova un tesoro. Me lo dici sempre... lo so.

Mamma: Ahah, senti io sto per andare in palestra... se passi da casa fammi prima uno squillo!

Lorenzo: D'accordo, a dopo...

Chi cerca trova

_Chi trova un amico
trova un tesoro_

6 Ricordate il pronome interrogativo *chi* che abbiamo visto nell'unità precedente? Osservate anche il *chi* dei due proverbi che avete scritto nell'attività precedente. Che differenza c'è tra il *chi* usato nella domanda e il *chi* usato nella risposta?

Chi scrive?   *Chi scrive è un'insegnante...*

Il pronome relativo *chi* è riferito solo a persone, è invariabile e sostituisce *quello che* (*colui che*), *quella che* (*colei che*), *la persona che*. Come vedete, mette insieme un pronome dimostrativo e un pronome relativo: per questo rientra tra i cosiddetti pronomi doppi.

7 Osservate le illustrazioni e completate i quattro proverbi con le espressioni date. Ne conoscete altri?

a. ...fa per tre.
b. ...non piglia pesci.
c. ...male alloggia.
d. ...va sano e va lontano.

es. 13-15
p. 25

D   In bocca al lupo!

1 Leggete il testo e rispondete alle domande. Poi completate la tabella nella pagina accanto.

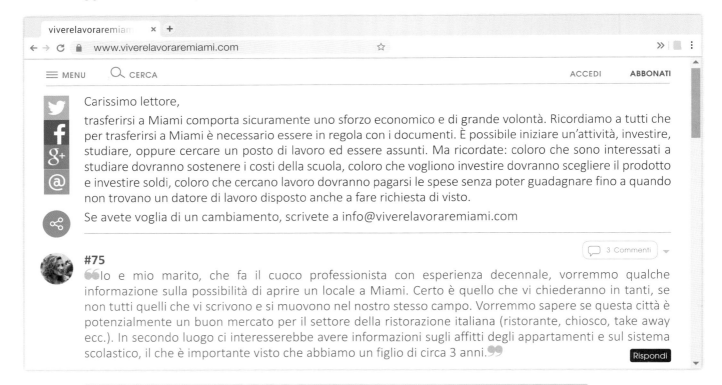

- Che cosa comporta trasferirsi a Miami, quali sono i due aspetti più importanti?
- Cosa devono fare quelli che cercano un posto di lavoro a Miami?
- Quali sono le tre informazioni che vuole avere #75?

Pronomi doppi

Quanto È **quanto** vi chiederanno in tanti.	(Tutto) _quello che_ Ciò che	È (**tutto**) **quello che** vi chiederanno in tanti. È **ciò che** vi chiederanno in tanti.
Quanti / Quante **Quanti** cercano lavoro dovranno pagarsi le spese.	(Tutti/e) quelli/e che Coloro che	(**Tutti**) _Quelli che_ cercano lavoro dovranno pagarsi le spese. _Coloro_ che cercano lavoro dovranno pagarsi le spese.
Il che ..., **il che** è importante (_cioè avere informazioni sul sistema scolastico_).	Ciò Cosa che	..., **ciò** è importante. ..., **cosa che** è importante.

Il pronome relativo _quanto_ è riferito solo a cose, è invariabile e sostituisce (_tutto_) _quello che, ciò che_.

I pronomi relativi _quanti/e_ sono riferiti solo a persone e sostituiscono (_tutti/e_) _quelli/e che, coloro che_.

Il pronome relativo _che_ preceduto dall'articolo determinativo singolare, _il che_, sostituisce un'intera frase e ha il significato di _ciò, cosa che_.

2 Leggete la risposta degli amministratori del sito "Vivere e lavorare a Miami" e sottolineate l'alternativa corretta.

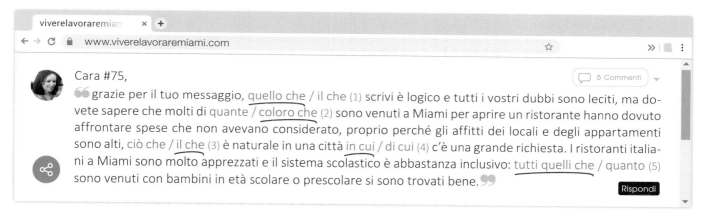

> vivereelavoraremiam × +
>
> ← → C 🔒 www.vivereelavoraremiami.com ☆ » ▪ ⋮
>
> Cara #75, 💬 5 Commenti ▼
> grazie per il tuo messaggio, quello che / il che (1) scrivi è logico e tutti i vostri dubbi sono leciti, ma dovete sapere che molti di quante / coloro che (2) sono venuti a Miami per aprire un ristorante hanno dovuto affrontare spese che non avevano considerato, proprio perché gli affitti dei locali e degli appartamenti sono alti, ciò che / il che (3) è naturale in una città in cui / di cui (4) c'è una grande richiesta. I ristoranti italiani a Miami sono molto apprezzati e il sistema scolastico è abbastanza inclusivo: tutti quelli che / quanto (5) sono venuti con bambini in età scolare o prescolare si sono trovati bene.
>
> Rispondi

3 Lasciate il vostro commento nella chat della trasmissione radiofonica che pone questa domanda agli ascoltatori:

> _Cosa pensate di chi si trasferisce in un altro Paese per trovare lavoro?_

E Curriculum Vitae

1 Avete mai sostenuto un colloquio di lavoro? Quali sono, secondo voi, le domande più frequenti? In coppia, fate una lista e confrontatela con i compagni.

2 Adesso ascoltate il colloquio di lavoro di Gennaro Mossini. Ci sono domande a cui non avevate pensato?

euro**pass**

Curriculum Vitae

Informazioni personali

Mossini Gennaro

📍 Via G. Bruno 156, 50136 Firenze, Italia

Cognome/Nome
Indirizzo
Telefono 📞 055 2397123 📱 Mobile +39338128549
E-mail ✉ genmos@tiscali.it
Cittadinanza Italiana
Data e luogo di nascita 18 maggio 1995 a ......*Pisa*...... (1)
Sesso Maschile

Occupazione desiderata Gestione risorse umane

Esperienza professionale
09/2018-11/2020
Lavoro o posizione ricoperti Addetto alle vendite nel ......*reparto*...... (2) **vendite**
Nome e indirizzo del datore di lavoro Soft System, Via Di Parione 27, 50123 Firenze
Tipo di attività o settore Vendita di programmi informatici

Istruzione e formazione
09/2011-06/2018 Laurea magistrale in Scienze dell'Economia
Università degli Studi di ......*Firenze*...... (3), Scuola di Economia
e Management
Votazione ......*104*...... (4)/110
09/2013-09/2014 Borsa di ......*studio*...... (5) presso la Statson University di Londra
06/2012-12/2012 Diploma ......*europeo*...... (6) ECDL, Centro di Formazione
Professionale Guglielmo Marconi, Firenze

Capacità e competenze personali
Madrelingua Italiano
Altra(e) lingua(e)
Livello europeo (*)
......*Inglese*...... (7)
Francese

	Comprensione		Parlato		Scritto
	Ascolto	Lettura	Interazione orale	Produzione orale	
	C1	C2	C1	C1	C1
	B1	C1	B1	B2	A2

(*) Quadro comune europeo di riferimento per le lingue

Capacità e competenze sociali Possiedo buone competenze comunicative acquisite durante la mia esperienza nel reparto vendite.
Capacità e competenze organizzative Capacità di lavorare in gruppo maturata sia durante gli studi sia nei vari sport che ho praticato (calcio, pallacanestro, pallavolo, tennis).
Capacità e competenze informatiche Buona conoscenza del sistema operativo Windows e di Office (Excel, Word, Access) e Internet Explorer. Sono in grado anche di creare ......*pagine*...... (8) web.
Patente B
Ulteriori informazioni Autorizzo il trattamento dei dati personali contenuti nel mio curriculum vitae in base all'art. 13 del D. Lgs. 196/2003 e all'art. 13 del Regolamento UE 2016/679 relativo alla protezione delle persone fisiche con riguardo al trattamento dei dati personali.

🎧 **9** **3** Ascoltate di nuovo e
CD 1   completate il Curriculum
Vitae di Gennaro.

💬 **4** Rispondete alle domande.

1. Che problema ha avuto Gennaro durante l'università?

2. Come è andata l'esperienza in Inghilterra che Gennaro ha fatto durante l'università?

3. Prima di questo colloquio di lavoro, Gennaro ha avuto un'esperienza di lavoro presso un'azienda. Che lavoro svolgeva? E perché è andato via dall'azienda?

4. Secondo voi, è andato bene il colloquio di lavoro di Gennaro?

👥 **5** In coppia completate gli annunci con le parole date. Secondo voi, quale annuncio è più adatto al CV di Gennaro?

> mansioni ▮ determinato
> informatici ▮ requisiti ▮ ricerca
> neolaureato ▮ assunzione

1. Milano, Lombardia, **Azienda F.lli Fiore** ricerca laureato (anche ......*neolaureato*...... (1) senza esperienza) in Economia e Commercio per la seguente posizione: gestione ordini clienti e assistenza ufficio marketing. Si richiede precisione, flessibilità e attitudine al lavoro in team. ......*Assunzione*...... (2) immediata. Stipendio alto. Contratto di lavoro a tempo pieno. Inviare il proprio CV a **fiore.direttore@hotmail.com** ✉ ☆

2. Mazara del Vallo, Trapani, **Cooperation sas**, per nuova apertura supermercato Conad assumiamo personale, ambosessi di età non superiore ai 30 anni, per diverse ......*mansioni*...... (3): cassieri, magazzinieri, scaffalisti, macellai, salumieri, anche prima esperienza. Si offre contratto a tempo ......*determinato*...... (4) per sei mesi con possibilità di rinnovo a tempo indeterminato. Indirizzate il vostro CV, con foto, a **selezionerisorse66@gmail.com** ✉ ☆

3. Trieste, **Generali Assicurazioni** ......*ricerca*...... (5) per la sua sede di Pescara neolaureato da inserire come responsabile commerciale. ......*Requisiti*...... (6) richiesti: età inferiore ai 30 anni, laurea, buona conoscenza del pacchetto ......*informatico*...... (7) Office e della lingua inglese. Titoli preferenziali: esperienza presso compagnie di assicurazione o studi legali. I candidati interessati possono inviare il proprio CV alla sezione "**opportunità di lavoro**" del sito aziendale. ☆

6 Scegliete uno degli annunci dell'attività precedente e scrivete su un foglio una breve email in cui allegate il vostro CV, che scriverete prendendo come esempio quello di Gennaro.

es. 16-17
p. 26

F Un colloquio di lavoro... in diretta

 1 Leggete il titolo di questo articolo. Cos'è successo, secondo voi? Scambiatevi delle idee.

2 Adesso leggete l'articolo e indicate le affermazioni presenti. Le vostre ipotesi erano corrette?

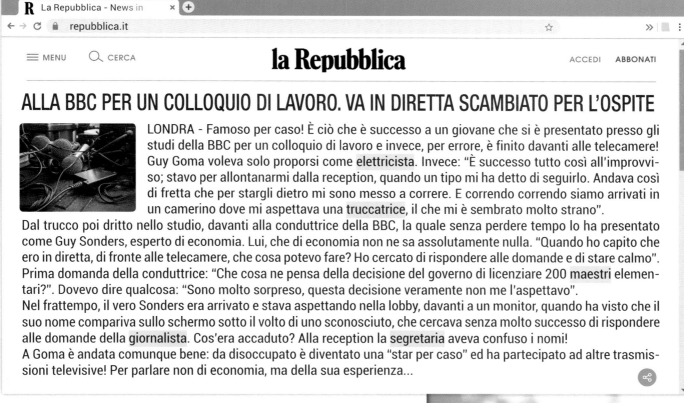

R La Repubblica - News in

← → C 🔒 repubblica.it

☰ MENU 🔍 CERCA **la Repubblica** ACCEDI **ABBONATI**

ALLA BBC PER UN COLLOQUIO DI LAVORO. VA IN DIRETTA SCAMBIATO PER L'OSPITE

LONDRA - Famoso per caso! È ciò che è successo a un giovane che si è presentato presso gli studi della BBC per un colloquio di lavoro e invece, per errore, è finito davanti alle telecamere! Guy Goma voleva solo proporsi come elettricista. Invece: "È successo tutto così all'improvviso; stavo per allontanarmi dalla reception, quando un tipo mi ha detto di seguirlo. Andava così di fretta che per stargli dietro mi sono messo a correre. E correndo correndo siamo arrivati in un camerino dove mi aspettava una truccatrice, il che mi è sembrato molto strano".

Dal trucco poi dritto nello studio, davanti alla conduttrice della BBC, la quale senza perdere tempo lo ha presentato come Guy Sonders, esperto di economia. Lui, che di economia non ne sa assolutamente nulla. "Quando ho capito che ero in diretta, di fronte alle telecamere, che cosa potevo fare? Ho cercato di rispondere alle domande e di stare calmo".

Prima domanda della conduttrice: "Che cosa ne pensa della decisione del governo di licenziare 200 maestri elementari?". Dovevo dire qualcosa: "Sono molto sorpreso, questa decisione veramente non me l'aspettavo".

Nel frattempo, il vero Sonders era arrivato e stava aspettando nella lobby, davanti a un monitor, quando ha visto che il suo nome compariva sullo schermo sotto il volto di uno sconosciuto, che cercava senza molto successo di rispondere alle domande della giornalista. Cos'era accaduto? Alla reception la segretaria aveva confuso i nomi!

A Goma è andata comunque bene: da disoccupato è diventato una "star per caso" ed ha partecipato ad altre trasmissioni televisive! Per parlare non di economia, ma della sua esperienza...

☒	1. Il ragazzo era andato alla BBC per un colloquio di lavoro.
☐	2. Ha capito subito ciò che sarebbe successo.
☒	3. La conduttrice credeva di parlare con un esperto di economia.
☐	4. Al ragazzo è piaciuta l'idea di parlare in televisione.
☒	5. Per fortuna è riuscito a rimanere calmo e a rispondere.
☐	6. La trasmissione è durata più di un'ora.
☐	7. La giornalista si è arrabbiata con Guy Goma.
☒	8. È stata la segretaria a scambiare i nomi.
☒	9. Dopo questa, il ragazzo ha partecipato anche ad altre trasmissioni.
☐	10. Oggi Guy Goma lavora alla BBC come elettricista.

3 Nell'articolo abbiamo visto le frasi "stavo per allontanarmi dalla reception" (1° paragrafo) e "il vero Sonders stava aspettando nella lobby" (3° paragrafo): che cosa significano, secondo voi? Osservate la tabella.

stare + gerundio*	*stare per* + infinito
esprime l'aspetto progressivo di un'azione che è in corso di svolgimento	esprime l'aspetto prossimo di un'azione, cioè un'azione che si verifica nell'immediato futuro
Stavo lavorando quando mi ha telefonato Elisa.	**Stavo per uscire**, quando mi ha telefonato Elisa.
Per fortuna, mi **sta aiutando** anche Gianna.	**Sta per piovere**, prendi l'ombrello!

* di più sul gerundio nell'unità 11

4 Completate le frasi con: *stai facendo*, *sta per aprire*, *sta per prendere*, *stava andando*, *sta leggendo*.

1. È un periodo difficile questo: dopo il licenziamento, Giulio _sta per prendere_ un'importante decisione.
2. Che _stai facendo_? Ti va di fare quattro passi?
3. Paola vuole cambiare casa e in questi giorni _sta leggendo_ tutti gli annunci.
4. Chiara ha chiesto un prestito in banca e _sta per aprire_ un negozio tutto suo. Vorrebbe assumere anche due commesse.
5. La mamma di Lorenzo _stava andando_ in palestra quando ha incontrato Luca.

es. 18
p. 27

5 Osservate i disegni e provate a raccontare la storia.

G Vocabolario e abilità

1 Abbinate alle foto le professioni che sono evidenziate in blu nell'articolo dell'attività F2.

truccatrice   _elettricista_   _segretaria_   _giornalista_   _maestri_

2 *Chi...?*
Abbinate le professioni alle definizioni.

1. ...cura gli animali *e*
2. ...disegna libri, riviste, pubblicità ecc. al computer *c*
3. ...lavora in un negozio (ad esempio, di abbigliamento) *a*
4. ...prende le ordinazioni e serve i clienti al tavolo, al bar o al ristorante *d*
5. ...svolge un lavoro manuale e spesso faticoso *f*
6. ...è esperta nell'arte del cucinare *b*

a. Commesso
b. Cuoca
c. Grafico
d. Cameriere
e. Veterinaria
f. Operaio

 3 Ascolto Quaderno degli esercizi (p. 29)

 4 Situazione

1. **Sei A:** hai fissato un colloquio con il direttore di un'azienda, a pagina 195 troverai il 'tuo' CV e qualche domanda da fare al direttore. Preparati per 2-3 minuti e... in bocca al lupo!

2. **Sei B:** sei il direttore dell'azienda e vuoi alcuni chiarimenti sul CV di *A*, ma anche altre informazioni. A pagina 200 troverai tutto il materiale di cui hai bisogno.

 5 Scriviamo

Scrivete una lettera ad un amico italiano in cui gli parlate del vostro nuovo lavoro (come lo avete trovato, quali sono le vostre mansioni, com'è l'ambiente lavorativo, quali sono gli aspetti positivi e negativi).

In alternativa, potete parlare del lavoro che vorreste fare, motivandone la scelta.

 6 Mima la professione!

Dividete la classe in due squadre. Uno studente della squadra *A* sceglie una professione tra quelle viste in questa unità e in quella precedente e, senza parlare, mima la professione scelta. Gli studenti della squadra *B* devono scoprire la professione mimata, se la risposta è corretta la squadra vince 1 punto e il turno passa alla squadra *B*. Se la risposta non è corretta, il punto va alla squadra *A* che continua a mimare, con un nuovo studente, una nuova professione.

es. 19-23 p. 27   p. 184   Test finale

L'economia italiana

1 Leggi i testi e rispondi alle domande.

IL MIRACOLO ECONOMICO*

Autostrada del Sole

Dopo la Seconda guerra mondiale, l'Italia appare come un Paese distrutto e anche molto povero, con un'economia basata sull'agricoltura. È grazie agli aiuti degli Stati Uniti per l'Europa, il cosiddetto piano Marshall, che l'Italia comincia la ricostruzione del Paese e la ripresa della sua economia. Comincia a costruire grandi opere pubbliche, ad esempio l'autostrada del Sole che collega Napoli a Milano, e più tardi l'autostrada Adriatica che collega Taranto a Bologna. Unire il Nord e il Sud facilita la mobilità di merci e persone e, di conseguenza, lo sviluppo dell'economia del Paese. Aumentano i posti di lavoro nelle grandi aziende che in questi anni si rinnovano utilizzando nuove tecnologie.

Agli inizi degli anni '60 l'Italia esporta il 40% della propria produzione in Europa, in particolare prodotti come automobili, frigoriferi, abbigliamento e prodotti alimentari.

Simbolo dell'Italia del boom economico è soprattutto la FIAT, l'azienda della famiglia Agnelli, che crea i primi modelli di automobili pensate per la città, le utilitarie*. La Seicento e la Cinquecento, infatti, sono macchine piccole e comode per le famiglie che vivono in città e, soprattutto, sono economiche.

COS'È IL MADE IN ITALY?

MARCHIO UNICO — NAZIONALE

I produttori italiani, negli anni dopo la Seconda guerra mondiale, devono applicare sui loro prodotti d'esportazione il marchio *"Made in Italy"* per specificarne la provenienza.

Con il passare del tempo e con il successo delle aziende italiane, *"Made in Italy"* diventa sinonimo di qualità e creatività: dagli anni '60 si affermano* in tutto il mondo grandi marchi italiani in diversi settori, che hanno fatto la storia del design.

Nel settore automobilistico, per esempio, l'Italia diventa famosa con le piccole utilitarie della FIAT, come già anticipato sopra, e con le lussuose auto da corsa della Ferrari, della Lamborghini e della Maserati. Nella moda troviamo numerosi stilisti di grande successo, alcuni dei quali conosciuti in tutto il mondo, come Armani, Versace, Missoni e Prada. Anche nel settore alimentare l'Italia può contare su multinazionali che fatturano miliardi di euro, come la Ferrero (l'azienda che produce la famosissima Nutella), l'Algida, la Barilla, e tante altre.

1. Il "miracolo economico italiano":
   - ☐ a. è iniziato già prima della fine della Seconda guerra mondiale
   - ☐ b. ha riguardato soltanto le opere pubbliche
   - ☒ c. è stato possibile grazie agli aiuti arrivati dall'estero

2. Le utilitarie della FIAT:
   - ☐ a. erano belle e costose
   - ☐ b. erano auto solo per la città
   - ☒ c. erano ideali per la famiglia

3. Il *Made in Italy*:
   - ☒ a. fin dai primi anni è stato sinonimo di qualità e creatività
   - ☐ b. ha fatto conoscere i prodotti italiani in tutto il mondo
   - ☐ c. si è diffuso soprattutto grazie ai grandi stilisti italiani

La legge protegge il

MADE IN ITALY

☞...

Una legge del 2003 ha stabilito che è illegale usare il marchio *Made in Italy* per beni che non sono prodotti e progettati in Italia. Chi non rispetta la legge, rischia fino a due anni di reclusione*!

 2 Conoscete i marchi italiani? In coppia, giocate a indovinare il prodotto di ogni azienda: per ogni abbinamento giusto, vincete un punto!

a. pasta
b. abbigliamento
c. alta moda
d. automobili
e. elettrodomestici
f. assicurazioni
g. caffè
h. occhiali
i. scooter
l. cioccolata

 b

 e

 i

 d

Barilla a

GUCCI

 c

 g

 f

 l

 h

Ci sono altri marchi italiani che hanno una forte presenza nel vostro Paese?

 Attività online

Glossario. *miracolo economico:* espressione che indica il grande sviluppo economico dell'Italia negli anni '50 e '60 del Novecento; *utilitaria:* auto di piccole dimensioni e di piccola cilindrata, che ha un basso costo; *affermarsi:* che ha sempre più importanza; *reclusione:* essere rinchiusi in prigione per non aver rispettato la legge.

Che cosa ricordi dell'unità 1 e 2?

1 Sai...? Abbina le due colonne.

1. chiedere il perché	3	a. *Dai, non ti preoccupare, andrà tutto bene!*
2. chiudere un'email	1	b. *Come mai hai deciso di trasferirti a Bologna?*
3. rassicurare	5	c. *Non si preoccupi! Lei si è fatta male?*
4. aprire una lettera formale	2	d. *Aspetto tue notizie. A presto.*
5. rispondere alle scuse	4	e. *Gentile Dott.ssa Grana, come sta?*

2 Abbina le frasi.

1. Domani si laurea Giorgio.	3	a. Leggo, ho cominciato un nuovo libro.
2. Scusami per il ritardo, Franco!	5	b. Ottimo!
3. Cosa stai facendo?	1	c. Chi l'avrebbe mai detto? Bravo!
4. Ho deciso di cambiare lavoro!	2	d. Non fa niente. Non preoccuparti!
5. Com'è il tuo inglese?	4	e. Come mai? Non sei più contenta?

3 Completa.

1. Chi tardi arriva: *male alloggia*
2. Come si chiama l'autostrada che collega Napoli a Milano: *autostrada del Sole*
3. Ci + ne: *ce ne*
4. Tre pronomi relativi: *che, la quale, per cui*
5. Un altro modo per esprimere *tutti quelli che vogliono partecipare...*: *tutti coloro che vogliono...*

4 Abbina le parole alle definizioni.

colloquio di lavoro ♦ *risparmiare* ♦ *prelevare* ♦ *frequentare* ♦ *licenziare* ♦ *assumere* ♦ *disoccupato*

1. mandare via qualcuno da un posto di lavoro:	*licenziare*
2. dare un posto di lavoro a qualcuno:	*assumere*
3. prendere soldi da uno sportello bancomat:	*prelevare*
4. mettere soldi da parte:	*risparmiare*
5. la persona che non riesce a trovare lavoro:	*disoccupato*
6. incontro per capire se qualcuno è adatto a un posto di lavoro:	*colloquio di lavoro*
7. seguire regolarmente le lezioni:	*frequentare*

Controlla le soluzioni a pagina 194. Sei soddisfatto/a?

In viaggio per l'Italia

Per cominciare...

 1 a Secondo voi, quale città/località
è ideale per...

a. frequentare l'università

b. fare una vacanza studio o culturale

c. fare shopping

d. fare il viaggio di nozze

e. trascorrere le vacanze estive

f. lavorare per qualche tempo

b Quali di queste città conoscete?
Ci siete stati? Avete vinto un
viaggio, in quale città andreste per
trascorrere un fine settimana?

Roma

1 ☐

Venezia

3 ☐

Napoli

2 ☐

Milano

4 ☐

Firenze

5 ☐

2 Confrontatevi con i vostri compagni di classe: quale città ha
ottenuto maggiori preferenze?

 3 Ascoltate il dialogo tra Gianna e Lorenzo, di quali città parlano?
Roma, Firenze, Venezia, Napoli, Bologna

 4 Ascoltate di nuovo il dialogo e indicate l'affermazione giusta.

1. Lorenzo e Gianna andranno a fare un viaggio perché:

☐ a. Lorenzo vuole incontrare un'amica, Grazia

☒ b. il padre di Gianna ha vinto un viaggio per due
persone

☐ c. Gianna è da più di un anno che non fa un viaggio

2. Lorenzo non vuole andare a Napoli
perché:

☐ a. c'è molta umidità

☐ b. ci sono pochi monumenti

☒ c. il viaggio è lungo

In questa unità impariamo...	• a fare paragoni • alcuni sostantivi e aggettivi geografici • a descrivere e a parlare di una città • a esprimere preferenza per qualcuno o qualcosa • a chiedere e dare informazioni sui servizi offerti da un albergo per prenotare una camera	• il comparativo (di maggioranza, minoranza, uguaglianza) • verbi pronominali (prendersela, ...) • il superlativo (relativo e assoluto) • a conoscere alcune città italiane

A È bella quanto Roma!

 1 Riascoltate il dialogo per verificare le vostre risposte.
CD 1

Lorenzo: Ma veramente tuo padre ha vinto un viaggio?

Gianna: Sì, te l'avevo detto, ha vinto un fine settimana in una città italiana a scelta, però i miei non ci possono andare.

Lorenzo: E sei sicura che non ci vuoi andare con Marco?

Gianna: Ma se abbiamo litigato. Cosa dovrei fare, chiamarlo...?

Lorenzo: Già! Comunque, andare con me non è il massimo. Ok... e dobbiamo decidere subito?

Gianna: Sì, tu hai qualche idea?

Lorenzo: Beh, potremmo andare a Roma, no?

Gianna: Hmm, non lo so... ci sono stata un anno fa. Cosa ne pensi di Firenze? Il Duomo, i musei, le piazze...

Lorenzo: Mah, Firenze è più fredda di Roma, no? E in questo periodo farà sicuramente un freddo cane.

Gianna: Già, non ci avevo pensato... E Venezia? I canali, i ponti, le gondole...

Lorenzo: Guarda, Venezia è bella quanto Roma, niente da dire... ma almeno a Roma non c'è tutta quell'umidità! E nemmeno l'acqua alta!

Gianna: Ho capito... e Napoli? Andremmo al Maschio Angioino, sul lungomare... lì c'è il sole!

Lorenzo: Sì, ma il viaggio è più lungo... ci metteremmo 5 ore per arrivare... e abbiamo solo 2 giorni.

Gianna: Ma non ti va mai bene niente! E Bologna? È più vicina... ed è bellissima.

Lorenzo: Sì, ma è meno grande di Roma e ha meno monumenti. Quindi, non vedo perché non...

Gianna: Insomma, ti sei fissato con Roma!

Lorenzo: Io?! Ma quando mai?

Gianna: Aspetta un attimo... La ragazza di cui ti sei innamorato quest'estate è di Roma per caso?

Lorenzo: Chi, Grazia? Ah, è vero!... Vedi quanti vantaggi ha questa città!

Gianna: Lorenzo, sei sempre il solito!

Acqua alta a Venezia

2 Leggete il dialogo e scegliete l'affermazione giusta.

1. Cosa intende Lorenzo quando dice:

● "farà un freddo cane"
   (a.) fa molto freddo
   b. fa poco freddo

● "non è il massimo"
   a. non è la cosa più importante
   (b.) non è la cosa migliore

● "nemmeno l'acqua alta"
   a. non piove molto e non c'è l'acqua alta per le strade
   (b.) non sale il livello del mare e non c'è l'alta marea

● "ma quando mai?"
   a. esprime certezza, cioè conferma quanto dice Gianna
   (b.) esprime meraviglia, cioè respinge quanto dice Gianna

2. Cosa intende Gianna quando dice:

● "ti sei fissato con Roma"
   (a.) resti fermo nella tua decisione di andare a Roma
   b. hai deciso di stabilirti e vivere a Roma

3 Leggi la chat di Gianna con il padre e indica l'alternativa giusta.

papà

Allora Gianna hai deciso dove e con chi andare?

Con chi sì, ma dove no... **Gianna**

Come mai?

Papà... vado con Lorenzo... lo sai com'è... è <u>più</u>/meno (1) sicuro di me! ☺

A Napoli no, perché il viaggio è più/meno (2) lungo, a Bologna no perché è più/<u>meno</u> (3) grande di Roma... non decideremo mai!

 Beh, andate a Genova! È vero, è più/meno (4) piccola di Roma, ma è più/meno (5) vicino a Milano, il viaggio è più/meno (6) breve... ed è più/meno (7) fredda di altre città del nord Italia, perché è sul mare!

Hai ragione, ma figurati se Lorenzo cambia idea... è testardo come un mulo!

 Dai, non prendertela... Lorenzo è fatto così.

Ce la puoi fare!

Non ne sono certa... ma spero di cavarmela!

 4 Riassumete il dialogo tra Gianna e Lorenzo e dite quale città propone il padre di Gianna.

> ❝ *Gianna ha un viaggio gratuito per due persone, tutto compreso, per un fine settimana in una città italiana e propone a Lorenzo di andarci insieme. ...* ❞

> Approfondimento grammaticale, pagina 208 per consultare la coniugazione di *prendersela*, *cavarsela*, *farcela* e il significato di questi verbi pronominali.

5 Osservate il dialogo A1 e completate la tabella.

La tabella completa è nell'Approfondimento grammaticale, pagina 209.

Comparazione tra due nomi o pronomi

Firenze è **più** fredda ...*di*... Roma. Lui studia **più di** te.	→ Comparativo di maggioranza ➕
Bologna è ...*meno*... grande **di** Roma. Io ho mangiato **meno di** lei.	→ Comparativo di minoranza ➖
Venezia è (**tanto**) bella ...*quanto*... Roma. Noi abbiamo lavorato (**tanto**) **quanto** loro. Venezia è (**così**) bella **come** Roma.	→ Comparativo di uguaglianza ⬜

6 Osservate la tabella precedente e costruite oralmente delle frasi, come nell'esempio.

1. Gaia | magra | Eva   (➕ ➖ ⬜) → *Gaia è più magra di Eva.*
2. le ragazze | leggono | i ragazzi   (➕ ➖)   *Gaia è meno magra di Eva.*
3. maggio | caldo | settembre   (➕ ⬜)   *Gaia è magra quanto Eva.*
4. la macchina di Federico | veloce | la mia   (➖ ⬜)   *(Gaia è magra come Eva.)*
5. questo maglione | bello | il mio   (➕ ➖)
6. la bicicletta | costosa | l'automobile   (➕ ➖)

7 Formate due squadre. Una squadra osserva le foto in basso con i dati e sceglie due città o due regioni che dirà all'altra squadra. La squadra avversaria dovrà fare il comparativo (ad esempio, *Milano ha meno abitanti di Roma*; *la Sicilia è più grande della Campania*).
Se risponde correttamente vince un punto e sceglie, a sua volta, due città o due regioni da dire alla squadra avversaria, la quale deve rispondere correttamente con il comparativo.

1. Lombardia 23.863 kmq – Milano 1.378.689

5. Lazio 17.232 kmq – Roma 2.856.133

2. Veneto 18.345 kmq – Venezia 260.520

6. Campania 13.670 kmq – Napoli 959.188

3. Emilia Romagna 22.452 kmq – Bologna 390.636

7. Sicilia 25.832 kmq – Palermo 663.401

4. Toscana 22.987 kmq – Firenze 378.839

8. Sardegna 24.100 kmq – Cagliari 154.267

es. 1-5
p. 32

B   Più italiana che torinese!

1 Tra una regione e l'altra dell'Italia, ma anche tra una città e l'altra, esistono differenze culturali e di mentalità. Differenze esistono anche tra i vari Paesi europei. Nel vostro Paese, esistono delle differenze al suo interno che caratterizzano città o regioni? Parlatene in coppia.

2 Leggete il testo e indicate le affermazioni corrette.

LE DIFFERENZE CHE CI UNISCONO

Abbiamo chiesto ad alcune persone per strada la loro opinione sull'altra metà del Paese: a quelli del Nord cosa pensano del Sud e viceversa. Ecco cosa ci hanno risposto:

66 Amo tutto il Sud. Sono pazzo di Agrigento, Castel del Monte, la bellissima costiera Amalfitana, Ravello. D'altra parte adoro la mozzarella di bufala e in un mio menù ideale metterei sicuramente più piatti meridionali che settentrionali. 99

Massimo di Venezia

66 Io sono nata a Torino, mia madre è di origini calabresi, di Crotone, mio padre è piemontese, di Biella, ma i suoi genitori, ovvero i miei nonni paterni, erano siciliani, di Catania. Ho parenti sparsi lungo tutta la penisola: da Firenze a Bari, da Roma a Trieste, da Napoli a Bergamo. Quindi mi sento più italiana che torinese! 99

Valeria di Torino

66 Sono una calabrese che adora Bologna. Ci vado spesso per lavoro e ho anche molti amici. Certo, Bologna non ha il mare, che è una parte di me, ma i bolognesi hanno un grande spirito civico, un atteggiamento di fiducia negli altri e soprattutto un forte senso di responsabilità che ammiro molto. Io sono più emotiva e sentimentale e spesso seguo più il cuore che la ragione. 99

Lucia di Reggio Calabria

66 Ogni volta che vado a Milano, ci sono alcuni aspetti della città e dei milanesi che invidio: la loro efficienza, l'ordine, la puntualità dei trasporti, la capacità imprenditoriale nonché organizzativa, il rispetto e addirittura anche la nebbia. Ma quando torno nella mia città e mi trovo di fronte gli stupendi panorami, il chiasso per le strade, i colori caldi e la cucina penso che non cambierei la mia città con nessun'altra al mondo. Insomma, amo il Nord perché a loro piace più lavorare che chiacchierare e amo il Sud perché noi più che furbi siamo autoironici e altruisti. 99

Nicola di Napoli

adattato da *Donna moderna*

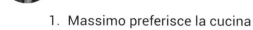

1. Massimo preferisce la cucina
   - ☐ a. veneziana
   - ☐ b. del Nord
   - ☒ c. del Sud

2. Valeria
   - ☐ a. si sente soprattutto torinese
   - ☒ b. ha parenti in tutta Italia
   - ☐ c. ha parenti anche fuori dall'Italia

3. Lucia
   - ☐ a. vive a Bologna perché le piacciono i bolognesi
   - ☐ b. ha molti amici bolognesi a cui piace il mare
   - ☒ c. si lascia guidare dalle emozioni

4. Nicola
   - ☐ a. invidia i milanesi perché sono sempre puntuali
   - ☐ b. non sopporta il chiasso per le strade di Napoli
   - ☒ c. ama i napoletani perché sono altruisti

3 Sottolineate nel testo la comparazione usata dalle persone intervistate e completate la tabella. Cosa notate rispetto alla comparazione tra due nomi o pronomi?

Comparazione tra due qualità (espresse da due aggettivi, verbi, nomi) riferite allo stesso soggetto e tra due nomi e pronomi (preceduti da preposizione)

aggettivi	→	Mi sento più italiana ......*che*...... torinese!
verbi	→	A loro piace più *lavorare* che chiacchierare.
nomi	→	Seguo più il cuore che *la ragione*
nomi e pronomi (preceduti da preposizione)	→	Il Trentino piace più a lui che a Gianna.

Consultate anche l'Approfondimento grammaticale, pagina 209.

— *I portici di Bologna, che solo nel centro storico coprono una lunghezza di 38 chilometri, sono uno dei simboli della città.*

4 Osservate la tabella precedente e costruite delle frasi.

1. Questo chef | famoso | bravo (➕ ⚖)
2. A Tiziana piace | caffè espresso | caffè americano (➕ ⚖)
3. Difficile | parlare l'italiano | capire l'italiano (➕)
4. Alla festa di Carlo c'erano | uomini | donne (⚖)
5. Vivere a Bologna | costoso | vivere a Foggia (➕)
6. Viaggiate | in aereo | in treno (➕ ⚖)

5 Abitanti d'Italia.
In coppia cercate di completare gli spazi.

Torino ▶ *torinese*

Piemonte ▶ *piemontese*

Firenze ▶ *fiorentino*

Roma ▶ *romano*

Napoli ▶ *napoletano*

Sicilia ▶ *siciliano*

Sardegna ▶ sardo

Milano ▶ milanese

Lombardia ▶ lombardo

Venezia ▶ *veneziano*

Bologna ▶ *bolognese*

Toscana ▶ *toscano*

es. 6-10
p. 34

Aosta — VALLE D'AOSTA
Torino — PIEMONTE
Milano — LOMBARDIA
Venezia — VENETO
TRENTINO-ALTO ADIGE
FRIULI-VENEZIA GIULIA
LIGURIA
EMILIA ROMAGNA
Bologna
Firenze
TOSCANA
MARCHE
UMBRIA
LAZIO
ABRUZZO
MOLISE
Roma
CAMPANIA
PUGLIA
Napoli
BASILICATA
SARDEGNA
CALABRIA
SICILIA

C Gli animali domestici sono ammessi?

💬 **1** In base a quali criteri scegliereste un albergo?
Come dovrebbe essere? Parlatene.

2 Ascoltate ora una pubblicità. Indicate le affermazioni giuste.

CD 1

1. L'albergo è →	☐ l'Hilton	☒ l'Holiday Inn	☐ il Grand Hotel
2. L'albergo è →	☐ di colore verde	☒ immerso nel verde	☐ immenso e verde
3. L'albergo ha →	☐ tre ristoranti	☐ un ristorante tipico	☒ un ottimo ristorante
4. L'albergo ha →	☒ un grande parcheggio	☐ un grande campeggio	☐ un vantaggio
5. I due ragazzi →	☒ sono fidanzati	☐ sono sposati	☐ sono amici

 3 Adesso ascoltate il dialogo tra una coppia, marito e moglie, e indicate i servizi che nominano.

CD 1

Ristorante

Zona relax e lettura

Wi-fi gratuito

Vista

spa

Aria condizionata

Parcheggio

Animali domestici

TV satellitare

Palestra

Navetta aeroporto

Piscina

 4 Ascoltate di nuovo il dialogo e indicate le affermazioni presenti.

CD 1

☐ 1. L'albergo è vicino al Colosseo.
☒ 2. La coppia vuole prenotare due camere.
☒ 3. Le camere dell'albergo hanno la tv satellitare.
☒ 4. La camera che prenota la coppia ha vista sul parco.
☐ 5. Per gli animali domestici è previsto uno sconto.
☐ 6. Il servizio navetta dall'aeroporto è gratuito.

5 In coppia, cercate di completare la tabella con le espressioni che avete sentito. Dopo riascoltate il dialogo per verificare le vostre risposte.

Chiedere e dare informazioni su una camera d'albergo e sui servizi offerti da un albergo

Quanto ..... *costano* .....?	La matrimoniale 100 euro a notte con colazione. Quella dei ragazzi, con due letti ..... *singoli* ....., 120.
Ma dov'è l'albergo, è vicino al ..... *centro* .....?	Dicono "a due ..... *passi* ..... dal centro storico". Ho visto sulla cartina, è a due fermate da Piazza del Popolo.
C'è la palestra?	Certo, ma non c'è la piscina.
Senti, è possibile portare con noi Leo?	Certo: gli animali ..... *domestici* ..... sono ammessi.
	La nostra camera ha anche un bel terrazzo che ..... *dà* ..... sul parco.
	C'è la tv satellitare, connessione wi-fi in camera, aria ..... *condizionata* .....
	C'è anche il servizio navetta dall'aeroporto.

6 Leggete questi due testi: quale dei due ha scelto la coppia protagonista del dialogo?
Motivate la vostra risposta.

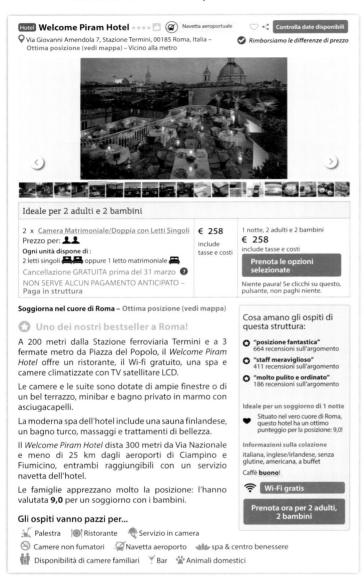

adattati da *www.booking.com*

7 Prima di partire per Roma, chiamate l'hotel per essere sicuri della prenotazione della camera che avete fatto online. La reception dell'albergo vi dice che non c'è nessuna prenotazione e vi chiede i dettagli del tipo di camera, le date di viaggio e se avevate scelto dei servizi aggiuntivi. Lo studente A è al telefono con la reception e chiede aiuto allo studente B, che ha fatto la prenotazione online, per rispondere alle domande del receptionist e dargli le informazioni necessarie.

es. 11-13
p. 36

D La città più bella

1 Guardate la pubblicità, rispondete alle domande e completate la tabella a pag. 47. Qual è la città di cui parla la pubblicità? Secondo voi, qual è la città più bella d'Italia?

Superlativo relativo

L'albergo *Il principe* è il __più__ grande della città.

Chi è __il__ calciatore **più ricco** del mondo?

La "spiaggia dei conigli" in Sicilia è **la** spiaggia __più__ **bella** d'Italia.

Questo è il cellulare __meno__ costoso che abbiamo in negozio.

Superlativo relativo di maggioranza (+)

Superlativo relativo di minoranza (-)

2 Gianna scrive alla madre su Messenger: completa il messaggio con i superlativi relativi della tabella precedente, come nell'esempio.

Ciao mamma! Tutto bene? Noi siamo arrivati, abbiamo fatto un buon viaggio e l'albergo è bello, pensa che è __il più grande__ (1) della zona, ma ho l'impressione che quelli del concorso avranno scelto anche __il meno costoso__ (2). Lo sai che non lontano dal nostro albergo c'è il museo __più ricco__ (3) di opere d'arte sulla civiltà etrusca? Domani ci andiamo con Lorenzo. L'Italia ha molte belle città, ma Roma è __la più bella__ (4).

Gianna

3 Osservate i fumetti e scegliete la parola giusta.

4 Le parole in blu dell'attività precedente rappresentano il *superlativo assoluto* di un aggettivo o di un avverbio. Lo usiamo per esprimere un giudizio al massimo grado senza fare paragoni con qualcos'altro. Completate la recensione su TripAdivisor.

●●●●○

Hotel moderno e accogliente, __pulitissimo__ (1. *molto pulito*) e __curatissimo__ (2. *molto curato*). Poche camere, ma l'edificio è __bellissimo__ (3. *molto bello*) e il proprietario, Alessandro, è disponibile e __gentilissimo__ (4. *molto gentile*). L'albergo è in posizione __centralissima__ (5. *molto centrale*), nel cuore di Roma: __vicinissimo__ (6. *molto vicino*) alle migliori attrazioni della città, in __pochissimi__ (7. *molto pochi*) minuti si possono raggiungere piazza Navona o via del Corso. __Consigliatissimo__ (8. *molto consigliato*) per soggiornare a Roma.

Capite la differenza tra il superlativo assoluto, evidenziato nel testo, e il superlativo relativo? Consultate l'Approfondimento grammaticale a pagina 209.

es. 14-17
p. 38

EDILINGUA

5 Leggete Il testo e rispondete alle domande.

Cattedrale Santa Maria del Fiore

IL PERIODO MIGLIORE DELL'ANNO PER VISITARE FIRENZE

Ogni giorno migliaia di turisti si recano a Firenze per visitare i suoi meravigliosi monumenti, per fare shopping nei negozi di alta moda e per assaggiare gli ottimi piatti tradizionali toscani.

Firenze è il capoluogo della regione Toscana e la culla della cultura e dell'architettura del Rinascimento italiano. Patrimonio dell'Unesco, è sede dell'università, divenuta nota soprattutto per il corso di laurea in architettura.

Governata per lunghi anni dalla famiglia dei Medici, ha visto tra i suoi maggiori concittadini i padri della lingua italiana: Dante, Petrarca e Boccaccio. Ma tanti sono gli artisti che hanno vissuto a Firenze e che l'hanno abbellita con opere supreme, tra questi ricordiamo Cimabue, Giotto, Andrea Pisano, Sandro Botticelli, Donatello, Filippo Brunelleschi, il Ghirlandaio, Masaccio, Michelangelo Buonarroti e una delle massime personalità, come scienziato e come filosofo, Galileo Galilei.

Basilica Santa Maria Novella

Tra i luoghi da non perdere ricordiamo *Piazza della Signoria* e il *Palazzo Vecchio*, *Piazza del Duomo* e la *Cattedrale di Santa Maria del Fiore* con la *Cupola* del Brunelleschi, *Piazzale Michelangelo* da dove è possibile godere di una magnifica vista su tutta la città, la *Galleria dell'Accademia* con il *David* di Michelangelo, la *Chiesa di Santa Maria Novella*, la *Chiesa di Santo Spirito*, la *Basilica di Santa Croce*, la *Cappella Brancacci*, il *Museo degli Uffizi*, il *David* di Donatello.

Partendo dal presupposto che Firenze è splendida tutto l'anno, il periodo migliore per visitare la città è da marzo a giugno e da settembre fino ai primi di novembre perché questi mesi offrono temperature miti e giornate soleggiate. Nel periodo autunnale è più probabile che piova, ma gli Uffizi, i musei, le chiese e i palazzi della città saranno un ottimo riparo! I mesi estivi di luglio e agosto invece sono i più caldi e la presenza di turisti è decisamente notevole. Se vi piace l'idea di visitare Firenze in inverno, il momento ideale è a dicembre, quando i turisti sono pochi e potete godervi i musei in tutta tranquillità. Inoltre la città è addobbata per le festività natalizie e acquista un fascino e una magia indimenticabili.

Quando visitare Firenze dipende quindi da voi: in estate o in inverno, in primavera o in autunno questa splendida città d'arte non vi deluderà mai!

David, Michelangelo

1. Quali sono i tre motivi per cui i turisti vanno a Firenze?

2. Conoscevate già alcune delle personalità citate nel testo? Conoscete alcune opere che hanno realizzato?

3. Qual è il periodo migliore per visitare Firenze?

4. Cosa significa "gli Uffizi, i musei, le chiese e i palazzi della città saranno un ottimo riparo!"?

6 Gli aggettivi *migliore* e *ottimo* sono un esempio di forme particolari di comparativo e di superlativo assoluto. Nel testo dell'attività precedente ce ne sono altre. Osservate le immagini, a destra e nella pagina accanto, e completate la tabella.

ISTITUTO SUPERIORE DI SANITÀ

Forme particolari di comparazione

Comparativo di maggioranza regolare		Forme particolari di comparativo
Questi dolci sono **più buoni** di quelli.	→	Sono sicuramente ...*migliori*... di quelli.
La tua idea è **più cattiva** della mia.	→	No, la tua è ...*peggiore*...
Il problema **più grande** di Roberto è questo.	→	Sì, è il suo problema ...*maggiore*...
La mia sorella **più piccola** si chiama Elena.	→	Elena è la mia sorella ...*minore*...
Il guadagno è stato **più alto** del previsto!	→	Sì, è stato ...*superiore*... alle previsioni.
I risultati sono **più bassi** delle aspettative.	→	Sì, sono **inferiori** alle aspettative.

*La tabella completa sulle forme particolari (ottimo, pessimo ecc.) e
ulteriori informazioni sul superlativo assoluto nell'Approfondimento grammaticale a pagina 210.*

7 Osservate la tabella precedente e completate le frasi.

1. Questo programma non è tanto interessante, ma è sicuramente ...*migliore*... di quello che guardavi prima.

2. Oggi la qualità della vita è ...*superiore*... a quella di 50 anni fa.

3. La situazione qua è ...*peggiore*... di quella che mi aspettavo: non vedo l'ora di andarmene.

4. Quest'anno il numero di incidenti è stato ...*inferiore*... a quello dell'anno scorso grazie alle misure speciali prese dalla polizia stradale.

5. Le mie responsabilità sono ...*maggiori*... delle tue poiché io sono più grande di te.

6. Nino ha due anni meno di me: è il mio fratello ...*minore*...

es. 18-19
p. 40

E Vocabolario e abilità

 1 Descrivete e commentate queste due foto.

2 Di seguito ci sono parole relative agli alberghi, ai viaggi in genere e a entrambe le categorie. Lavorando in coppia inseritele nei riquadri corrispondenti.

trasporto pubblico | *reception* | *viaggio di nozze* | *prenotazione* | *monumenti* | *Costiera amalfitana* *accogliente* | *navetta aeroporto* | *biglietto* | *TV satellitare* | *passaporto* | *bagagli* | *vacanza studio* *visitare* | *camera matrimoniale* | *soggiornare* | *recensione* | *museo*

alberghi

reception
prenotazione
accogliente
navetta aeroporto
TV satellitare
passaporto

bagagli
camera matrimoniale
soggiornare
recensione

viaggi

trasporto pubblico
viaggio di nozze
prenotazione
monumenti
Costiera amalfitana
biglietto
passaporto
bagagli

vacanza studio
visitare
soggiornare
recensione
prenotazione
museo

 14 **CD 1** **3** Ascolto Quaderno degli esercizi (p. 41)

 es. 20-22
p. 40

 4 **Situazione**

1. Descrivi la tua città a un amico italiano che non ci è mai stato: cosa ti piace di più e cosa di meno, i luoghi che dovrebbe vedere o in cui sarebbe bello trascorrere qualche serata con gli amici. Un tuo compagno, nella parte dell'amico italiano, ti fa delle domande per saperne di più.

2. Sei **A** e vai in un'agenzia di viaggi per chiedere informazioni su un viaggio in Italia: a pagina 196 troverai alcune delle domande che puoi fare. Sei **B** e lavori in un'agenzia di viaggi. A pagina 201 troverai un'offerta che potrebbe andar bene per **A** e possibili risposte alle sue domande.

 80-120 **5** **Scriviamo**

1. Un tuo amico italiano pensa di trascorrere le vacanze nel tuo Paese, ma in un periodo in cui tu non ci sarai. Chiede il tuo consiglio su cosa fare, dove andare, quali città e monumenti visitare. La tua risposta deve essere invitante come una brochure pubblicitaria.

2. Dopo un soggiorno deludente in un albergo di Firenze scrivi una lettera al direttore in cui esponi i problemi che hai affrontato ed esprimi un giudizio negativo sull'ospitalità, la professionalità del personale e la qualità dei servizi in genere.

 6 **Scegli una città!**

Dividete la classe in due squadre composte dagli studenti che hanno scelto le prime due città, delle cinque date, nella sezione *Prima di cominciare...*

Invitate i singoli studenti che hanno preferito una città diversa dalle prime due più votate, a scegliere con quale squadra vogliono andare e quindi in quale città.

Ciascuna delle due squadre deve convincere, con argomentazioni sulla città da loro scelta e attraverso il confronto con la squadra avversaria (ad esempio, *Vieni con noi perché Roma ha più musei di Milano*), i compagni che hanno scelto una città diversa ad entrare nella loro squadra, per visitare tutti insieme la città.

La squadra avversaria propone delle controargomentazioni.

Vince chi riesce a convincere il maggior numero di studenti ad entrare nella propria squadra.

 Test finale
p. 185

— Città italiane —

ROMA

Viterbo Rieti
Frosinone
Latina

Roma è la capitale d'Italia dal 1871, ma era già il centro dell'Impero Romano più di duemila anni fa. Di ogni epoca storica Roma ha conservato varie testimonianze*, che oggi può offrire ai milioni di turisti che la visitano. Vediamone alcune:

il **Foro Romano** e il colle **Palatino**, in cui possiamo trovare i resti di templi, palazzi e piazze dell'antica Roma.

la **Fontana di Trevi**, dell'architetto Nicola Salvi, è diventata famosa anche grazie al film di Fellini *La dolce vita*. La tradizione dice che, se i turisti vogliono tornare a Roma, devono lanciare* una moneta nella fontana.

l'Anfiteatro Flavio (80 d.C.), più conosciuto come il **Colosseo**, era ed è ancora il simbolo della città, ed è considerato il più grande del mondo.

la **Basilica di San Pietro**, è la più grande chiesa del mondo e si trova nel più piccolo stato del mondo: lo Stato Vaticano. Nella chiesa possiamo ammirare la *Pietà* di Michelangelo, in Vaticano i *Musei Vaticani* con la *Cappella Sistina* e le *Stanze di Raffaello*.

Villa Borghese è un bellissimo parco nel centro di Roma con al suo interno la *Galleria Borghese*, che custodisce* vari capolavori di Bernini, Raffaello, Tiziano e Caravaggio.

Piazza Navona, è una delle piazze più famose di Roma: ospita la *Fontana dei Quattro Fiumi* del Bernini e la *Chiesa di Sant'Agnese in Agone* del Borromini.

Castel Sant'Angelo, costruito in epoca romana come tomba dell'imperatore Adriano, oggi è un Museo.

I turisti che si fermano qualche giorno di più in città, possono anche visitare il **Pantheon**, le **Terme di Caracalla** e il **quartiere Trastevere**.

> **Glossario.** *testimonianza:* qualsiasi cosa che prova, documenta un'epoca storica: opere d'arte, monumenti, edifici, libri ecc.; *lanciare:* gettare, tirare, buttare; *custodire:* conservare con cura.

1 Indicate l'affermazione corretta.

1. **Roma:**
   - ☐ a. è la città d'Italia con più piazze
   - ☒ b. è ricca di opere d'arte di epoche diverse
   - ☐ c. è la capitale d'Italia da duemila anni

2. **Il Vaticano:**
   - ☐ a. ospita tutte le opere di Michelangelo e Raffaello
   - ☒ b. è il più piccolo Stato indipendente del mondo
   - ☐ c. ha al suo interno il parco di Villa Borghese

3. **Roma:**
   - ☐ a. è attraversata da quattro fiumi
   - ☒ b. ha il più grande anfiteatro del mondo
   - ☐ c. è la città in cui è nato Fellini

Navigli

Piazza Duomo

MILANO

Milano, la città della moda, è il più importante centro industriale, commerciale e finanziario d'Italia. Il **Duomo** è il simbolo della città e un bellissimo esempio di arte gotica. Da Piazza Duomo, attraversando l'elegante **Galleria Vittorio Emanuele II**, che ospita le caffetterie e i ristoranti più famosi della città e i negozi delle grandi firme della moda, troviamo il famosissimo **Teatro alla Scala**, uno dei più importanti teatri lirici del mondo. Non lontano si trova il **Castello Sforzesco**, che è sede di alcuni musei della città, e accanto al Castello c'è il **Parco Sempione**, un angolo di verde nel cuore della città. Nel convento della **Chiesa di S. Maria delle Grazie**, infine, è possibile ammirare l'affresco* di Leonardo da Vinci, il *Cenacolo* (o l'*Ultima Cena*). Per chi ama la vita notturna, l'ideale è una passeggiata ai **Navigli**, per scoprire i suoi canali e soprattutto i suoi locali.

> **Glossario.** *affresco:* tecnica di pittura su muro; *bottega:* negozio, locale dove sono esposti e venduti vari prodotti.

VENEZIA

Canale di Cannaregio

Venezia è una città unica, costruita sull'acqua e formata da 120 piccole isole collegate da 350 ponti. Tra questi, meritano sicuramente una visita il **Ponte di Rialto**, con le sue botteghe*, che attraversa il **Canal Grande**, e il **Ponte dei Sospiri**. Nella famosa **Piazza San Marco** troviamo la **Basilica di San Marco** (inizio costruzione 1063), il **Campanile** e il **Palazzo Ducale**, che in passato era la residenza del Doge, il capo della Repubblica di Venezia.

Per scoprire un altro angolo della città bisogna fare una passeggiata nel sestiere (quartiere) Cannaregio, in cui c'è anche il Ghetto Ebraico e nel quartiere Dorsoduro, quello degli artisti e degli intellettuali, sede anche dell'università Ca' Foscari: ideale per bere un aperitivo la sera.

Basilica Santa Maria della Salute

2 A quale città corrisponde ogni affermazione?

a. È una città diversa dalle altre.
b. La sua chiesa principale è anche il simbolo della città.
c. Ha un teatro famoso in tutto il mondo.
d. Vicino all'università, ci sono locali in cui andare la sera.
e. È possibile ammirare un famoso affresco.

Venezia	Milano
X	
	X
	X
X	
	X

Città italiane

Toledo, stazione della metro

PALERMO

Glossario. *manifestarsi:* farsi conoscere; *sotterranea:* la città che è sotto terra, sotto il livello della strada; *escursione:* giro, gita; *cratere:* apertura del vulcano.

NAPOLI

Il carattere di Napoli si manifesta* nelle strade storiche del centro, come nella famosa "Spaccanapoli", che divide in due la città, in via di San Gregorio Armeno (la via dei presepi) e nei Quartieri Spagnoli. Oltre al suo aspetto popolare, Napoli offre anche delle imperdibili attrazioni artistiche, come la **Cappella di San Severo**, con la statua del *Cristo Velato*, il **Palazzo Reale** in **Piazza del Plebiscito**, il Museo archeologico Nazionale e il Museo di Capodimonte, che contiene capolavori di grandi artisti, da Masaccio a Caravaggio, dalla pittrice Artemisia Gentileschi a Tiziano. Merita una visita la Napoli sotterranea* e la Galleria Borbonica, un insieme di gallerie utilizzate nei secoli per diversi scopi, ma anche la fermata della metro Toledo, una delle stazioni più belle d'Europa. Per i turisti più avventurosi non può mancare infine l'escursione* sul cratere* del Vesuvio, il famoso vulcano.

Cristo Velato, Sanmartino

Cattedrale

Palermo mostra ancora i segni delle diverse culture che l'hanno abitata, così lo stile arabo si mescola a quello gotico e il barocco al neo-classico. Un esempio è la **Cattedrale* della Santa Vergine Maria Assunta**, che è stata prima una basilica* neocristiana, poi una moschea*, e poi di nuovo una chiesa.

Glossario. *cattedrale:* chiesa; *basilica:* chiesa; *moschea:* edificio religioso dei musulmani; *mosaico:* opera d'arte per decorare pareti e pavimenti.

Un altro esempio è il **Castello della Zisa**, costruito nel 1165 secondo lo stile dei giardini di architettura islamica. Da visitare anche il **Palazzo dei Normanni**, in cui si trova la **Cappella Palatina**, una basilica del 1130 che contiene dei preziosi mosaici* bizantini. A Palermo, bisogna però visitare anche la parte più colorata e popolare della città, cioè i suoi mercati: quello della Vucciria e Ballarò.

---

3 A quale città corrisponde ogni affermazione?

	Napoli	Palermo
a. Culture e stili architettonici diversi sono una caratteristica della città.		✕
b. La città ospita nei suoi musei i dipinti di una pittrice del Seicento.	✕	
c. La città ha la metropolitana.	✕	
d. Per conoscere l'aspetto popolare della città bisogna visitare i suoi mercati.		✕
e. La città è divisa in due da una lunga strada.	✕	

4 In coppie o piccoli gruppi. Scrivete su dei bigliettini i nomi di queste città:

Bologna ❖ Trieste ❖ Verona ❖ Lecce ❖ Pisa ❖ Torino ❖ Siracusa ❖ Perugia ❖ Reggio Calabria

Mettete i bigliettini in un contenitore e mescolateli. Pescate una città dal contenitore e raccogliete informazioni su quella città (storia, luoghi di interesse, ecc.) insieme al vostro gruppo.
Con le informazioni create poi una piccola guida (come quelle di queste pagine) e presentatela ai vostri compagni.

Attività online

Che cosa ricordi delle unità 2 e 3?

1 Sai...? Abbina le due colonne.

1. cominciare un'email formale
2. esprimere un giudizio
3. chiedere il perché
4. fare paragoni
5. fare una prenotazione

3 a. *Gianna, per quale motivo l'hai fatto?*
5 b. *Vorrei una camera matrimoniale.*
4 c. *Il mare piace più a Carla che a me.*
1 d. *Egregio dottor Masi, Le scrivo riguardo a...*
2 e. *Paolo, il proprietario dell'albergo, è gentilissimo.*

2 Abbina le frasi.

1. Che tempo fa da voi?
2. Ma tu sei di Firenze o di Roma?
3. Sta per arrivare l'acqua alta?
4. Il tuo cane è davvero tranquillo.
5. Perché te la sei presa?

3 a. Beh sì, lo avevano detto al meteo.
1 b. Un freddo cane!
5 c. Vorrei vedere te al mio posto.
4 d. Sì, infatti è il migliore di tutti.
2 e. Veramente sono romano.

3 Completa.

1. Superlativo assoluto di *vicino*: _vicinissimo_
2. Famosa architettura che osserviamo passeggiando per le strade di Bologna: _i portici_
3. Il *Ponte di Rialto* si trova a _Venezia_ e *Piazza della Signoria* a _Firenze_
4. Quest'anno la temperatura è stata *più alta* della media: ...è stata _superiore_ alla media
5. Una piazza di Roma, Milano, Venezia e Napoli: _Piazza Navona, Piazza Duomo, Piazza San Marco, Piazza del Plebiscito_

4 Completa le frasi.

1. Abbiamo perso il v_olo_ per Londra perché avevamo dimenticato le v_aligie_ a casa!
2. Dopo il c_olloquio_ di lavoro Luisa ha trovato un buon p_osto_ in banca.
3. Con questa carta di c_redito_ puoi avere uno s_conto_ del 20% in molti negozi.
4. Gli abitanti del P_iemonte_ si chiamano piemontesi, l_ombardi_ quelli della Lombardia.
5. Abbiamo prenotato una camera m_atrimoniale_ in un albergo che offre la p_iscina_ e la palestra.

Controlla le soluzioni a pagina 194.
Sei soddisfatto/a?

Per cominciare...

1 Quanto conoscete della storia italiana? Guardate la linea del tempo e abbinate le immagini al periodo storico.

b

c

a

d

e

VIII secolo a.C   XXI secolo d.C

| **Antica Roma** VIII secolo a.C – V secolo d.C. *b* | **Medioevo** V secolo – XV secolo d.C. *d* | **Rinascimento** Dalla metà del 1300 alla fine del 1500 *e* | **Risorgimento (L'Italia diventa una nazione)** 1815 - 1870 *a* | **L'Italia del dopoguerra e del boom economico** 1946-1973 *c* |

2 In coppia. Sottolineate le parole che, secondo voi, sono relative al periodo dell'antica Roma.

conquistare ❖ invadere ❖ impero
secoli ❖ guerra ❖ unità d'Italia ❖ barbari
mausoleo ❖ parlamento ❖ costituzione

3 Conoscete Roma? Ci siete mai stati? Cosa sapete dei suoi monumenti antichi? Confrontatevi con i compagni.

15 CD 1

4 Ascoltate il dialogo e indicate se le affermazioni sono vere o false.

	V	F
a. Gianna e Lorenzo parlano dei monumenti che hanno visto ieri.		X
b. Domani andranno al Colosseo.	X	
c. Augusto ha fondato Roma.		X
d. Caracalla non è stato l'ultimo imperatore romano.	X	
e. Marco Aurelio ha costruito la Domus Aurea.		X
f. Lorenzo a scuola non si è impegnato nello studio della storia.	X	

In questa unità impariamo...

- a spiegare meglio qualcosa
- a contraddire qualcuno
- a leggere e scrivere una favola
- a esporre avvenimenti storici
- a esprimere il tempo nella storia

- il passato remoto: verbi regolari e irregolari
- il presente storico
- i numeri romani
- gli avverbi di modo (in -mente)
- alcuni periodi importanti della storia d'Italia

A   Roma la fondarono Romolo e Remo.

 1 Ascoltate e leggete il dialogo per verificare le vostre risposte all'attività precedente.

CD 1

Lorenzo: Per favore, dimmi che questo è il programma per l'intero viaggio!

Gianna: Sì, ti piacerebbe! Questi sono i monumenti che visiteremo domani!

Lorenzo: Tutti questi?! Sul serio? È proprio necessario?

Gianna: Eh sì! Allora, dopo il Colosseo andiamo al Circo Massimo, che per secoli fu il più grande stadio del mondo, lo sapevi?

Lorenzo: No, comunque lo stadio più bello è San Siro, come ogni milanista sa!

Gianna: Certo... Poi andiamo al Mausoleo che i romani costruirono per Augusto.

Lorenzo: Ah, il fondatore di Roma!

Gianna: Veramente lui fondò l'Impero Romano, Roma la fondarono Romolo e Remo, come tutti sanno.

Lorenzo: Era una battuta...

Gianna: Sì, sì... Dopo andiamo alle Terme di Caracalla.

Lorenzo: Ah, Caracalla, l'ultimo imperatore romano, no?

Gianna: Veramente no, ma non importa... Poi dobbiamo assolutamente visitare la Domus Aurea.

Lorenzo: Ah, sì, la villa che costruì Marco Aurelio?

Gianna: No, Nerone!

Lorenzo: Brava, Nerone. Quel pazzo che bruciò Roma e poi accusò Cesare.

Gianna: Sì, Cesare, ma se era morto 100 anni prima?!

Lorenzo: Dai, ti sto prendendo in giro!

Gianna: Sì, certo. Ma scusa, tu a scuola il libro di storia non l'aprivi mai?

Lorenzo: All'inizio sì... poi ho litigato con il professore e ho odiato la storia!

Gianna: Davvero?! E perché avete litigato?

Lorenzo: Perché era interista!

2 Leggete il dialogo e abbinate le definizioni a sinistra con quattro dei nomi a destra.

b	1. il responsabile dell'incendio di Roma
e	2. uno dei più grandi stadi dell'antichità
a	3. uno dei due fondatori di Roma
h	4. villa di un imperatore

a Remo
b Nerone
c Cesare
d Marco Aurelio
e Circo Massimo
f Augusto
g San Siro
h Domus Aurea

3 Questo è un testo dalla guida di Roma che ha comprato Gianna. Completatelo con i verbi dati sotto, come nell'esempio in blu.

durò ❖ costruirono ❖ riempirono ❖ scoprirono ❖ lasciò ❖ utilizzarono ❖ iniziò

Dopo il tragico incendio di Roma del 64 d.C., che *durò* (1) vari giorni e *lasciò* (2) 200 mila persone senza tetto, l'imperatore Nerone *iniziò* (3) la costruzione di una nuova villa, che conosciamo per la sua bellezza e la sua grandezza con il nome di Domus Aurea, casa d'oro.

Gli architetti Severus e Celer *costruirono* (4) questa enorme villa, che era costituita da una serie di edifici separati da giardini, boschi e da un lago artificiale, che si trovava dove oggi c'è il Colosseo, e molti spazi erano decorati con marmi colorati, oro e pietre preziose.

Dopo la morte dell'odiato Nerone, gli architetti di Domiziano, Adriano e Traiano *riempirono* (5) di terra tutte le stanze della Domus Aurea e *utilizzarono* (6) gli edifici come fondamenta per altre costruzioni, come ad esempio le Terme di Traiano.

I ricercatori del Parco Archeologico del Colosseo pochi anni fa *scoprirono* (7), restaurando una delle 150 sale attualmente conosciute dell'immensa villa, una nuova sala, la Sala della Sfinge, con affreschi di pantere, centauri e una sfinge.

adattato da *www.beniculturali.it*

15-20

4 Rispondete alle domande.

1. Cosa era la Domus Aurea?

....

....

2. Quando e dove Nerone costruì la Domus Aurea?

....

....

3. Quando si iniziò a distruggere la Domus Aurea?

....

....

5 **a** Cercate nel testo dell'attività A3 le forme dei verbi al passato remoto per completare la tabella.

b Secondo voi, quando si usa il passato remoto?

Verificate le vostre ipotesi a pagina 211.

Passato remoto (verbi regolari)

-are	-ere	-ire
iniziai	credei (-etti)	costruii
iniziasti	credesti	costruisti
inizi*ò*	credé (-ette)	costruì
iniziammo	credemmo	costruimmo
iniziaste	credeste	costruiste
iniziarono	crederono (-ettero)	costru*irono*

6 Completate le frasi con il passato remoto dei verbi tra parentesi.

1. Il Medioevo ....*durò*........ (*durare*) circa dieci secoli, dal 476 al 1492.
2. Nel 1492 il genovese Cristoforo Colombo ....*arrivò*........ (*arrivare*) in America.
3. Dieci anni fa ....*lasciarono*.... (*lasciare*) il loro paese per andare a vivere a Milano.
4. Paolo ....*vendette*.... (*vendere*) un vecchio quadro che aveva trovato a casa di sua nonna per poche decine di euro, senza sapere che era un dipinto di Fattori.
5. La Fiat ....*lanciò*........ (*lanciare*) la prima 500 nell'estate del 1957.
6. I fratelli Prada ....*aprirono*.... (*aprire*) il loro primo negozio di borse nel 1913.

es. 1-5
p. 46

B **In che senso?**

🎧 16 CD 1 **1** Ascoltate, quante volte necessario, il dialogo tra Michele e Andrea e completate il testo.

● Pronto? Ciao Andrea.

● Ciao Michele, come va? Sei pronto per domani sera?

● Domani sera? In che senso?

● *Nel senso che* (1) c'è il concerto, no?

● *Ma che dici?* (2) Io ho comprato i biglietti per dopodomani sera!

● Dopodomani sera? ....*Ma no*........ (3), Michele! Ti avevo detto di prenderli per il 10 luglio, ...*cioè*........ (4) domani!

● ....*Non è vero*.... (5)! Mi avevi detto dopodomani, perché domani hai la lezione di yoga.

● ....*Non proprio*.... (6) Ti avevo detto che non ero sicuro. E infatti non ci devo andare.

● Va beh, nessun problema... se vuoi chiamo la biglietteria e provo a cambiare la data.

● Sì, dai, forse è meglio. Fammi sapere, ok? Ciao!

● Ok! A dopo!

2 In coppia. Completate la tabella con le espressioni del dialogo usate per spiegare meglio qualcosa o per contraddire qualcuno.

Chiarire	Contraddire
cioè...	*Ma che dici?*
voglio dire...	*Ma no...*
nel senso che...	*Ma come...?*
	Non è vero!
	Non proprio...

3 Completate le frasi usando anche le espressioni viste nella tabella dell'attività B2.

1. Il concerto di Cesare Cremonini non mi è piaciuto, ...
2. • Quindi lei non ha studiato nessuno dei libri in bibliografia. • ...
3. • Hai mangiato tutta la torta che avevo messo in frigo! • ...
4. Stasera non ho voglia di uscire con te, ...

4 Abbinate le frasi date alla vignetta giusta.

a Non è vero! Posso spiegare... mio imperatore.

b Visto che mi hai aiutato, sei libero!

c Ma che dici? Ti sbagli...

d ...cioè vuole essere il più forte e diventare imperatore al tuo posto.

Ma guarda chi si vede! I tremendi Galli!

Come mai siete qui? Cosa volete?

Caius Bonus è venuto da noi per la ricetta della nostra pozione magica, ...d... (1)

Senti, Senti!

...a... (2)

Non serve, Bonus! Ho già deciso: parti domani e vai in Mongolia a combattere i barbari!

Anche con voi sarò generoso. ...b... (3)

...c... (4) Non "sono" ma "siamo" liberi!

Va bene, Gallo! Ma non finisce qui tra noi! Ci incontreremo di nuovo e non sarò così gentile!

Non vedo l'ora! Ci conto, Giulio!

Eccoli! Sono tornati!

es. 6-7 p. 47

C Medioevo e Rinascimento

1 Leggete il testo e indicate le affermazioni corrette.

Nel I secolo a.C. Roma diventò la capitale di un Impero sempre più grande nell'area del Mediterraneo e in Europa. In tutti i territori conquistati, i romani fecero città, strade, ponti, acquedotti, anfiteatri, terme, esportando ovunque il loro modello di civiltà. Il diritto romano, l'arte, la cultura e il progresso tecnico furono importanti non soltanto per la storia d'Italia, ma anche per la storia dell'intero mondo occidentale.

Il periodo d'oro trovò la sua fine dopo la divisione dell'Impero Romano in due parti, quella occidentale e quella orientale. Mentre l'Impero Romano d'Oriente continuò a esistere fino al 1453, Odoacre, un generale germanico, mise fine all'Impero Romano d'Occidente nel 476 d.C (anno in cui si fa iniziare il Medioevo) sconfiggendo l'ultimo imperatore d'occidente, Romolo Augusto.

Poco dopo la caduta dell'Impero Romano, l'Italia fu terra di conquista delle nuove potenze europee. Germani, Ostrogoti e Longobardi regnavano l'uno dopo l'altro su diverse zone della penisola. Dopo varie vicende avemmo il Paese diviso in tre parti: il Sacro Romano Impero Germanico al nord, lo Stato della Chiesa che regnava nel centro e diverse potenze che si alternarono al sud Italia.

Un forte desiderio di autonomia diede la forza ad alcune città portuali (Amalfi, Genova, Pisa e Venezia) di creare le famose Repubbliche marinare e poi più tardi, con lo sviluppo della borghesia, si formarono delle città-stato nell'Italia settentrionale e centrale, tanti piccoli Comuni, che lentamente si trasformarono, intorno al XIV secolo, in Signorie: Milano, Verona, Firenze, Urbino, Mantova, Ferrara e altre. Nel XV secolo, grazie ai suoi commerci, alle sue banche e ai suoi grandi artisti, l'Italia ebbe di nuovo il primato culturale ed economico in Europa: era il centro dell'Umanesimo e del Rinascimento.

1. Il modello di civiltà dei romani è alla base della storia
   - [ ] a. d'Italia
   - [×] b. d'Italia e del mondo occidentale
   - [ ] c. del mondo occidentale

2. Dopo la caduta dell'Impero Romano d'Occidente, l'Italia
   - [ ] a. ritrova la sua indipendenza e autonomia
   - [×] b. cade nelle mani di popolazioni straniere
   - [ ] c. è controllata tutta dallo Stato della Chiesa

3. Le Repubbliche marinare erano
   - [×] a. 4
   - [ ] b. 10
   - [ ] c. 6

4. Nel XV secolo l'Italia ritrova il suo splendore in Europa grazie
   - [ ] a. al suo re
   - [ ] b. alle sue città
   - [×] c. ai suoi artisti

2 Ora rileggete il testo e completate la tabella sotto.

Passato remoto (verbi irregolari I)

essere	avere	fare	dire	dare	mettere
fui	ebbi	feci	dissi	diedi (detti)	misi
fosti	avesti	facesti	dicesti	desti	mettesti
fu	ebbe	fece	disse	diede (dette)	mise
fummo	avemmo	facemmo	dicemmo	demmo	mettemmo
foste	aveste	faceste	diceste	deste	metteste
furono	ebbero	fecero	dissero	diedero (dettero)	misero

Altri verbi irregolari sono nell'Approfondimento grammaticale a pagina 211.

3 Con l'aiuto della tabella sopra, completate le frasi.

1. Quel giorno io .... *ebbi* .... una grande fortuna ad incontrarti!
2. Gli disse "ti amo" e poi gli .... *diede* .... un bacio.
3. Roberto .... *fu* .... molto contento del regalo.
4. Gianni non .... *fece* .... nulla per aiutarmi, era immobilizzato dalla paura.
5. Lucia .... *disse* .... ai suoi bambini di stare attenti.
6. Quando abbiamo saputo che sarebbero arrivati i miei, ... *mettemmo* .... subito in ordine la casa.

es. 8-11
p. 48

D C'era una volta...

1 Completate la favola, cerchiando l'opzione giusta.

A sbagliare le storie

- C'era una volta una bambina che si chiamava Cappuccetto Giallo.
- No, Rosso!
- Ah, sì, Cappuccetto Rosso. La sua mamma la chiamò e le .... (1): Senti, Cappuccetto Verde...
- Ma no, Rosso!
- Ah, sì, Rosso. Vai dalla zia Diomira a portarle questa buccia di patata.
- No: vai dalla nonna a portarle questa focaccia.
- Va bene: La bambina .... (2) nel bosco e incontrò una giraffa.
- Che confusione! Incontrò un lupo, non una giraffa.
- E il lupo le .... (3): Quanto fa sei per otto?
- Niente affatto. Il lupo le .... (4): dove vai?
- Hai ragione. E Cappuccetto Nero .... (5)...
- Era Cappuccetto Rosso, rosso, rosso!
- Sì, e rispose: vado al mercato a comprare la salsa di pomodoro.
- Neanche per sogno: vado dalla nonna che è malata, ma non so più la strada.
- Giusto. E il cavallo disse...
- Quale cavallo? Era un lupo.
- Sicuro. E disse così: Prendi il tram numero 33, scendi in piazza del Duomo, gira a destra, troverai tre scalini e un soldo per terra; lascia stare i tre scalini, prendi il soldo e comprati una gomma da masticare.
- Nonno, tu non sai proprio raccontare le storie, le sbagli tutte. Però la gomma da masticare me la compri lo stesso.
- Va bene: eccoti il soldo! E il nonno .... (6) a leggere il suo giornale...

da Favole al telefono di Gianni Rodari, edizioni Einaudi

Gianni Rodari

FAVOLE AL TELEFONO

disegni di Bruno Munari

1. a. dire
   b. disse ✓
   c. diede

2. a. andava
   b. partì
   c. andò ✓

3. a. dissi
   b. domanda
   c. domandò ✓

4. a. chiese ✓
   b. chiude
   c. risponde

5. a. risponde
   b. rispose ✓
   c. risposte

6. a. continuai
   b. tornò ✓
   c. finiva

2 Quali espressioni usa la
bambina per contraddire quello
che dice il nonno? *No,; Ma no,; Che
confusione!; Niente affatto; Neanche per
sogno; Quale cavallo?; tu non sai proprio
raccontare le storie*

3 Nel testo ci sono alcuni verbi
irregolari come *chiese* e
rispose. Osservate la tabella a
destra e completate regola.

Passato remoto (verbi irregolari II)

chiedere	rispondere
chiesi	risposi
chiedesti	rispondesti
chiese	rispose
chiedemmo	rispondemmo
chiedeste	rispondeste
chiesero	risposero

In questi verbi sono irregolari solo la .....*1ª*..... e la 3ª
persona singolare e la 3ª persona .....*plurale*.....

4 Rileggete il testo di Gianni
Rodari e riflettete sull'uso dei
tempi al passato. Vi ricordate
quando usiamo l'imperfetto?

*Per consultare altri verbi irregolari e studiare la formazione e l'uso del
trapassato remoto: Approfondimento grammaticale, pagina 211-213.*

80-100 **5** Con l'aiuto della vostra fantasia, scrivete la storia di Cappuccetto Verde, la protagonista
del racconto del nonno nel testo di Gianni Rodari.

C'era una volta Cappuccetto Verde, una bambina...

es. 12-17
p. 50

E E la storia continua...

1 In coppia, abbinate le immagini
alle opere date a destra.

4 a. Castel Nuovo, Napoli, XIII-XV secolo
3 b. Duomo, Milano, XIV-XIX secolo
2 c. Palazzo Ducale, Venezia, X-XVII secolo
1 d. Mole Antonelliana, Torino, XIX secolo

I numeri romani nell'Approfondimento grammaticale a pagina 212.

2 Come siamo arrivati all'Unità d'Italia? Osservando la cartina, raccontate cosa è successo, come nell'esempio.

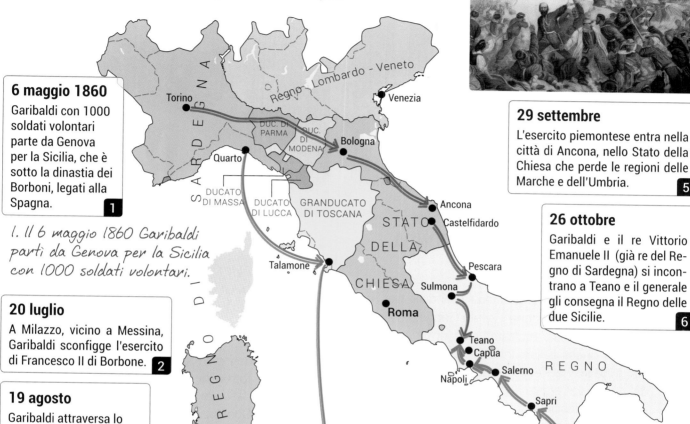

6 maggio 1860
Garibaldi con 1000 soldati volontari parte da Genova per la Sicilia, che è sotto la dinastia dei Borboni, legati alla Spagna. **1**

1. Il 6 maggio 1860 Garibaldi partì da Genova per la Sicilia con 1000 soldati volontari.

20 luglio
A Milazzo, vicino a Messina, Garibaldi sconfigge l'esercito di Francesco II di Borbone. **2**

19 agosto
Garibaldi attraversa lo stretto di Messina per arrivare a Napoli. **3**

Esprimere il tempo nella storia in italiano:
- a.C. (avanti Cristo) ≠ d.C. (dopo Cristo);
- usiamo i secoli espressi con i numeri romani, ad esempio III (terzo, dal 201 al 300), XVII (diciassettesimo, dal 1601 al 1700) secolo, seguiti da d.C. (o a.C.);
- per indicare i secoli dopo l'anno 1000 d.C. usiamo anche il termine scritto con la maiuscola, ad esempio il Cinquecento (o il '500), il Novecento (o il '900), cioè il periodo che va dal 1900 al 1999;
- per indicare i decenni del XX secolo usiamo sia il termine sia il numero, ad esempio, gli anni Settanta (gli anni '70) per indicare il periodo di tempo che va dal 1970 al 1979.

7 settembre
Garibaldi entra a Napoli e costringe Francesco II di Borbone a scappare prima sull'isola di Gaeta e poi a Roma, ospite di Papa Pio IX. **4**

29 settembre
L'esercito piemontese entra nella città di Ancona, nello Stato della Chiesa che perde le regioni delle Marche e dell'Umbria. **5**

26 ottobre
Garibaldi e il re Vittorio Emanuele II (già re del Regno di Sardegna) si incontrano a Teano e il generale gli consegna il Regno delle due Sicilie. **6**

17 marzo 1861
Il Regno di Sardegna si trasforma in Regno d'Italia e Vittorio Emanuele II diventa il primo Re d'Italia. **7**

PRESENTE STORICO
A volte, usiamo il presente indicativo (*presente storico*) al posto di un tempo al passato (passato prossimo, imperfetto, passato remoto) per raccontare fatti che sono successi prima, nel passato.

Possiamo vedere un esempio nei testi dell'attività E3.

L'uso del presente storico è molto frequente nel giornalismo, nella narrativa storica, ma anche nella lingua orale. Lo scopo è quello di coinvolgere di più il lettore o l'ascoltatore.

3 Leggete e abbinate le affermazioni al testo corrispondente.

Ⓐ IL FASCISMO E LA SECONDA GUERRA MONDIALE

La vittoria della Prima Guerra Mondiale per molti italiani, tra questi anche il poeta Gabriele D'Annunzio, è una vittoria "mutilata", cioè incompleta. Proprio tra questi italiani insoddisfatti il partito fascista, fondato da Benito Mussolini, trova facilmente dei sostenitori e sale al potere nel 1922. Inizia così la dittatura fascista che dura circa 20 anni e che promuove la politica imperiale in Africa (con l'attacco all'Etiopia) e le leggi razziali del 1938, contro i cittadini italiani ebrei, particolarmente vergognose. Dopo la firma del "patto d'acciaio" con Hitler, nel giugno del 1940 Mussolini decide di entrare in guerra accanto alla Germania e dichiara guerra alla Gran Bretagna e alla Francia. Dopo tre anni di guerra, la debolezza dell'esercito italiano e le difficoltà dell'economia italiana spingono i membri del Gran Consiglio fascista a escludere Mussolini dal partito e il re Vittorio Emanuele III a unirsi agli Alleati, l'8 settembre 1943. L'Italia è divisa in due: da una parte il centro-sud occupato dagli Alleati, dall'altra il nord controllato dai nazi-fascisti, con Mussolini che si ritira a Salò. Nel 1945, grazie all'aiuto dei partigiani, gli Alleati liberano anche il Nord Italia.

Ⓑ L'ITALIA DEL DOPOGUERRA

L'immagine dell'Italia subito dopo la Seconda Guerra Mondiale è quella di un Paese completamente distrutto, un Paese che ha bisogno di essere ricostruito non solo economicamente ma anche politicamente. Infatti, nel 1946 gli italiani votano e tra la monarchia e la repubblica scelgono quest'ultima come forma di governo per l'Italia, costringendo il re a lasciare il Paese. Nel 1948, completata la nuova Costituzione della Repubblica italiana, si tengono le prime elezioni democratiche.

Dal punto di vista economico, l'Italia si riprende grazie agli aiuti degli Stati Uniti, il cosiddetto Piano Marshall pensato per tutti i Paesi europei. Tra gli anni '50 e '60 l'Italia vive un "boom economico": un grande sviluppo agricolo, industriale e delle infrastrutture. Lo Stato costruisce strade e ferrovie per collegare velocemente tutte le città d'Italia e gli italiani si trasferiscono nelle grandi città in cerca di lavoro. La Fiat produce la Seicento e la Cinquecento, due macchine piccole ed economiche. Anche gli operai le possono acquistare lasciando a casa la bici o la Vespa. L'Italia supera le difficoltà causate dalla guerra e diventa un Paese industriale, capace di esportare nel mondo i suoi prodotti.

adattato da *www.anpi.it*

Ⓐ 1. L'Italia aveva vinto, ma non tutti erano contenti.

Ⓐ 2. Lo Stato italiano voleva diventare un impero.

Ⓑ 3. Gli italiani fecero per la prima volta delle elezioni democratiche.

Ⓐ 4. L'Italia era divisa in due zone.

Ⓐ 5. L'aiuto delle forze alleate è stato fondamentale per vincere.

Ⓑ 6. L'economia italiana visse un periodo molto positivo.

4 Rileggete i due testi dell'attività precedente e provate a sottolineare tutti gli avverbi in -*mente*, poi completate la tabella sotto.

economico – economica politico – politica completo – completa	→	Micol è una donna _economicamente_ indipendente. Non tutti i parlamentari hanno un atteggiamento _politicamente_ corretto. Michelangelo ha affrescato _completamente_ la Cappella Sistina.	-a amente
semplice veloce	→	Non possiamo fare molto per Valeria, dobbiamo starle semplicemente accanto. Le squadre dei partigiani dovevano muoversi _velocemente_	-e emente
facile	→	Grazie alla metro in città ci muoviamo _facilmente_	-le *l*mente
particolare	→	L'esercito italiano non era _particolarmente_ attrezzato.	-re *r*mente

 5 **In che modo?** Giocate in due squadre. La prima squadra scrive un verbo (all'infinito) e un avverbio su un foglietto, che dà a un giocatore della squadra avversaria. Il giocatore deve mimare l'azione. Se la sua squadra indovina il verbo e l'avverbio vince due punti. Se ha bisogno di aiuto, il giocatore può rivelare l'avverbio. Se la squadra indovina l'azione vince un solo punto. Vediamo quale squadra farà più punti!

es. 18-21
p. 52

F Abilità

 1 **Ascolto** Quaderno degli esercizi (p. 54)

 2 **Parliamo**

1. Vi piace leggere libri di storia? A scuola o all'università vi piaceva studiare la storia?

2. «Un popolo che non ricorda la sua storia non ha futuro». Cosa ne pensate?

3. Quale personaggio della storia (del vostro Paese o internazionale) vi affascina di più? Perché?

4. Quali sono gli eventi più importanti della storia del vostro Paese? Parlatene in breve.

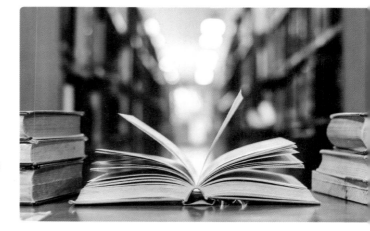

100-120 **3** **Scriviamo**

1. Un tuo amico italiano vorrebbe conoscere meglio la storia del tuo Paese. Scrivigli un'email per raccontargli un evento storico in particolare.

2. Una rivista per bambini italiana ha organizzato il concorso *Favole da tutto il mondo*. Scrivi una favola tradizionale del tuo Paese da inviare alla rivista.

es. 22-23
p. 54 p. 186 Test finale

L'ITALIA: UNA SOCIETÀ IN CONTINUO CAMBIAMENTO

1 Leggete i testi e abbinate le parole evidenziate alle definizioni sotto.

■ L'Italia come nazione unita nasce nel 1861.

La giovane nazione si ritrova, dopo alcuni anni, a dover affrontare la Prima Guerra Mondiale, in cui muoiono, tra civili e militari, più di un milione di italiani.

Nel periodo tra le due guerre Benito Mussolini prende il potere e, dopo 18 anni di dittatura, porta l'Italia in guerra accanto alla Germania di Hitler. Dopo circa tre anni di guerra, l'Italia si arrende agli Alleati (Stati Uniti d'America, Inghilterra, Francia e Russia) e comincia il periodo della Resistenza contro i nazisti e i fascisti che occupano una parte del Paese.

Alla fine della Seconda Guerra Mondiale l'Italia è un Paese da ricostruire, anche politicamente. Nel referendum del 2 giugno 1946, gli italiani votano per la Repubblica e il re deve lasciare la nazione.

Tra gli anni '50 e '60 del Novecento, grazie al boom economico, l'Italia riesce a risollevare la sua economia, anche se sono molti gli italiani che emigrano all'estero in cerca di un futuro migliore.

■ Il Sessantotto

Il 1968 è un anno segnato dalle proteste in molti Paesi europei. Anche in Italia si protesta per il diritto allo studio, i diritti sul luogo di lavoro e l'emancipazione femminile, contro la società consumistica che nasceva e la guerra in Vietnam.

■ Gli anni di piombo

Alla fine degli anni '60, inizia in Italia un periodo di grande tensione politica, i cosiddetti "anni di piombo". Sono gli anni in cui la lotta politica tra estrema destra, servizi segreti deviati ed estrema sinistra diventa violenta. Tra le vittime: politici, magistrati, giornalisti ma anche molti cittadini innocenti. La fine di questo periodo comincia dopo il rapimento e l'uccisione di Aldo Moro, presidente del partito politico Democrazia Cristiana.

Tangentopoli e il cambiamento politico

Nel 1992, grazie all'inchiesta Mani Pulite, viene alla luce il sistema di corruzione e di tangenti esistente in Italia tra politica e imprenditoria, e questo provoca grandi cambiamenti tra i vecchi partiti politici. Alcuni cambiano nome e simbolo, altri si dividono in partiti più piccoli, altri scompaiono del tutto. Naturalmente, nascono nuovi partiti e coalizioni che guideranno per vent'anni la vita politica italiana.

Con il nuovo millennio l'Italia entra a far parte dei Paesi dell'Unione Europea che utilizzano l'Euro, abbandonando la Lira.

Nonostante la nuova moneta, l'economia italiana subisce un duro colpo in seguito alla crisi economica mondiale del 2008. Migliaia di giovani italiani sono costretti a emigrare perché, a causa della crisi economica, è diventato sempre più difficile trovare un lavoro stabile per potersi creare una famiglia. Allo stesso tempo, l'Italia resta sempre meta per i migliaia di immigrati che arrivano dal continente africano, e non solo, per trovare un futuro migliore.

L'Italia del nuovo millennio: l'Europa e la crisi

1. ....tensione....   a. stress, nervosismo, situazione di crisi
2. ...referendum...   b. quando il popolo si esprime su questioni politiche o istituzionali
3. ..consumistica..   c. società che crea sempre nuovi consumi, spesso non necessari
4. ...emigrare...   d. lasciare il proprio Paese e andare a vivere all'estero
5. ...tangente...   e. soldi che si pagano per corrompere qualcuno
6. ..risollevare..   f. migliorare, riportare in alto
7. ...moneta...   g. tipo di soldi che usa un Paese
8. ...dittatura...   h. governo in cui tutto il potere è in mano a una persona
9. ...inchiesta...   i. investigazione, indagine per capire come si sono svolti i fatti
10. estrema destra/sinistra   l. partito o gruppo politico radicale, non moderato
11. ..coalizione..   m. accordo, unione tra partiti diversi allo scopo di governare
12. ..resistenza..   n. movimento di lotta armata contro i nazisti e i fascisti

Attività online

Che cosa ricordi delle unità 3 e 4?

1 Sai...? Abbina le due colonne.

1. precisare
2. fare un paragone
3. contraddire qualcuno
4. chiedere informazioni
5. raccontare eventi storici

5 a. *Garibaldi sbarcò in Sicilia l'11 maggio...*
4 b. *L'albergo è in centro?*
1 c. *L'esame è tra due giorni, cioè martedì.*
2 d. *Gli piace più viaggiare che lavorare.*
3 e. *Non è vero, io non le ho detto niente!*

2 Abbina le frasi.

1. Dove è stato assunto Paolo?
2. Mamma, mi racconti una storia?
3. Quando iniziò il Rinascimento?
4. Scusi, c'è la piscina?
5. Sei d'accordo anche tu?

2 a. Certo! C'era una volta una bambina...
4 b. No, ma abbiamo la palestra e la spa.
5 c. Non proprio... ma ti spiego meglio domani.
1 d. In un albergo del centro storico.
3 e. Nel Trecento.

3 Completa.

1. Il XVI secolo scritto in lettere: *Sedicesimo*
2. I due fratelli che fondarono Roma: *Romolo* *Remo*
3. Il passato remoto di *fare* (3ª pers. singolare) : *fece*
4. L'avverbio che deriva da *facile*: *facilmente*
5. Il periodo di tensione dalla fine degli anni '60 alla fine degli anni '70: *anni di piombo*

4 Scopri le dieci parole nascoste relative ai viaggi e alla storia, in orizzontale e in verticale.

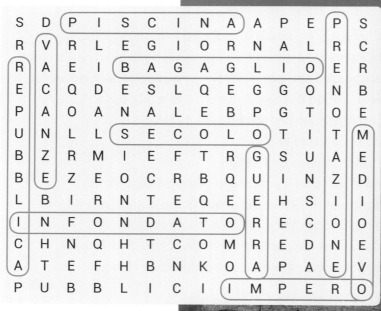

S	D	P	I	S	C	I	N	A	A	P	E	P	S
R	V	R	L	E	G	I	O	R	N	A	L	R	C
R	A	E	I	B	A	G	A	G	L	I	O	E	R
E	C	Q	D	E	S	L	Q	E	G	G	O	N	B
P	A	O	A	N	A	L	E	B	P	G	T	O	E
U	N	L	L	S	E	C	O	L	O	T	I	T	M
B	Z	R	M	I	E	F	T	R	G	S	U	A	E
B	E	Z	E	O	C	R	B	Q	U	I	N	Z	D
L	B	I	R	N	T	E	Q	E	E	H	S	I	I
I	N	F	O	N	D	A	T	O	R	E	C	O	O
C	H	N	Q	H	T	C	O	M	R	E	D	N	E
A	T	E	F	H	B	N	K	O	A	P	A	E	V
P	U	B	B	L	I	C	I	I	M	P	E	R	O

Castello di Ferrara, Emilia Romagna

Controlla le soluzioni a pagina 194. Sei soddisfatto/a?

Stare bene

Per cominciare...

1 Quanto siete in forma? Fate il test e poi leggete il risultato.

1 La domenica mattina:
- ⓐ vado a correre al parco
- ⓑ faccio una passeggiata in centro
- ⓒ dormo fino a tardi

2 La sera preferisco mangiare:
- ⓐ un'insalata leggera
- ⓑ pollo e verdure
- ⓒ hamburger e patatine

3 Di solito vado a dormire:
- ⓐ mai dopo le 10.30
- ⓑ intorno alle 11.30
- ⓒ mai prima dell'una

4 Se mi sento stressato/a:
- ⓐ faccio yoga
- ⓑ faccio una piccola vacanza
- ⓒ guardo tutte le stagioni della mia serie preferita

5 Faccio attività fisica:
- ⓐ tre volte alla settimana
- ⓑ tre volte al mese
- ⓒ tre volte all'anno

6 Se esco con gli amici:
- ⓐ prendo una bibita analcolica
- ⓑ bevo solo un bicchiere di vino
- ⓒ ordino come minimo 2 cocktail

Più risposte ⓐ: sei un vero salutista! Vivi una vita sana e sei sempre attento alla tua forma fisica.
Più risposte ⓑ: non sei un fanatico dello sport, ma ti piace sentirti bene e non esageri mai.
Più risposte ⓒ: sei un vero pigrone! Altro che sport, il divano è l'unica cosa che ti interessa!

2 Siete soddisfatti del risultato del test? Cosa dovreste migliorare? Confrontatevi con i compagni.

3 Ascoltate il dialogo e indicate le affermazioni presenti.

- ☒ 1. Lorenzo fa dei complimenti a Stefania.
- ☐ 2. Stefania dice che andare in palestra è importante.
- ☒ 3. Secondo Lorenzo, correre aiuta a rilassarsi.
- ☒ 4. Lorenzo e Stefania decidono di andare a correre insieme.
- ☐ 5. Gianna vuole andare a correre con Lorenzo e Stefania.

In questa unità impariamo...
- *a parlare del mantenersi in forma e condurre una vita sana*
- *a formulare un'ipotesi*
- *a dare il permesso di fare qualcosa*
- *a esprimere opinioni, speranze, dubbi, paure*
- *a parlare delle attività fisiche e a motivare le nostre preferenze*
- *a parlare dello stress e delle sue cause*

- *il congiuntivo presente: verbi regolari e irregolari*
- *il congiuntivo passato*

- *alcune discipline sportive e il rapporto che hanno gli italiani con lo sport*
- *a conoscere le Paralimpiadi*

A Posso venire a correre con te?

1 Leggete il dialogo per verificare le vostre risposte all'attività precedente.

Lorenzo: Stefania, sei un fenomeno, sai!

Stefania: Io? In che senso?

Lorenzo: Ma come? Frequenti tutte le lezioni, superi tutti gli esami e trovi anche il tempo per fare attività fisica e tenerti così in forma!

Stefania: Ah, ecco perché... Grazie Lorenzo! Sì, è vero che mi alleno spesso. Sai, oltre alla mente, penso che sia importante prendersi cura del nostro corpo.

Lorenzo: È proprio ciò che penso anch'io.

Stefania: Ma non tanto nel senso dell'aspetto fisico, quanto della salute.

Lorenzo: Brava, giusto. Non credo che tutti la pensino come te. Tu che fai, vai in palestra?

Stefania: No, guarda, in palestra mi annoio. Faccio nuoto, ma soprattutto vado a correre quasi tutti i giorni.

Lorenzo: Ah, e corri molto?

Stefania: Mah, una mezz'oretta più o meno. E tu?

Lorenzo: Io? Sì, anch'io, meno spesso di te, ma sì, correre mi rilassa.

Stefania: Bravo, Lorenzo. Ma secondo te è normale che tante persone alla nostra età preferiscano fare una vita sedentaria?

Lorenzo: No, infatti, siamo in pochi a essere sportivi...

Stefania: E poi non pensare che lo sport da solo basti... è altrettanto importante mangiare sano.

Lorenzo: Quello che dico sempre anch'io. Comunque, chissà, magari un giorno possiamo andare a correre insieme.

Stefania: Certo, perché no? ...La settimana prossima?

Lorenzo: Eh?! ...Sì, molto volentieri...

...CINQUE MINUTI DOPO

Lorenzo: Pronto, ciao Gianna. Senti, domani posso venire a correre con te?

Gianna: A correre, tu?! Come mai?

Lorenzo: È importante che io riprenda a fare sport.

Gianna: Ok, ma sono anni che non fai sport, perché questa fretta?

Lorenzo: Perché non è normale che tante persone facciano una vita sedentaria!... Niente, ti spiego domani.

2 Rileggete il dialogo e poi collegate le parole di sinistra con quelle di destra.

b	1. aspetto	a.	sano
c	2. tenersi	b.	fisico
d	3. prendersi	c.	in forma
f	4. vita	d.	cura (di)
a	5. mangiare	e.	a correre
e	6. andare	f.	sedentaria

3 Lorenzo e Gianna si incontrano al parco il giorno dopo. Leggete il dialogo e completate con i verbi dati.

creda ❖ *garantisca* ❖ *ricominci* ❖ *scopra* ❖ *corra*

Lorenzo: Ciao Gianna! Allora, qual è il programma di oggi?

Gianna: Facciamo una mezz'oretta di corsa e poi un po' di addominali.

Lorenzo: Cosa?? Mezz'ora?! Ma sei pazza?... Io non so proprio come facciate a correre così tanto...

Gianna: Ma dai Lorenzo, sei sempre il solito! Penso che sia solo una questione di allenamento. Senti, perché hai deciso di venire a correre con me? E voglio la verità!

Lorenzo: Come ti ho detto al telefono... è necessario che io *ricominci* (1) a fare un po' di sport perché credo che possa farmi bene....

Gianna: Certo, come no... E tu pensi che io ci *creda* (2)?!

Lorenzo: E va bene... Ho conosciuto una ragazza, si chiama Stefania, e pare che *corra* (3) quasi tutti i giorni... per 30 minuti!!! Ovviamente le ho detto che anche io corro, ma ho paura che *scopra* (4) la mia bugia e ora, se non voglio fare una figuraccia, devo allenarmi per rimettermi in forma.

Gianna: Beh, allora siamo molto lontani dall'obiettivo! Forse è meglio che tu le dica di andare a correre insieme tra un mese...

Lorenzo: Tra un mese?! No no, impossibile... Voglio che tu mi *garantisca* (5) che sarò pronto per questo fine settimana!

Gianna: Ma perché così tanta fretta? Ah... hai già preso un appuntamento? Ecco perché sei così motivato!

4 Cercate nel dialogo a pagina 70 le forme mancanti e completate la tabella.

Congiuntivo presente

	-are ➜ i	-ere ➜ a	-ire ➜ a	
	pensare	riprendere	partire	preferire
	Gianna crede che...	*È necessario che...*	*Penso che oggi non...*	*È normale che...*
io	pensi	riprend*a*	parta	preferisca
tu	pensi	riprenda	parta	preferisca
lui, lei	pensi	riprenda	parta	preferisca
noi	pensiamo	riprendiamo	partiamo	preferiamo
voi	pensiate	riprendiate	partiate	preferiate
loro	pens*ino*	riprendano	partano	prefer*iscano*

5 Con l'aiuto della tabella, completate le frasi mettendo il verbo tra parentesi al congiuntivo.

1. Signora, non è sicuro che il suo volo ......*parta*...... (*partire*) in orario.
2. Mi pare che sempre più persone ...*pratichino*... (*praticare*) sport estremi.
3. Dopo un infortunio in campo, è importante che un calciatore ......*riprenda*..... (*riprendere*) velocemente la sua forma fisica.
4. Credo che noi italiani ...*riusciamo*... (*riuscire*) a essere competitivi non solo nel calcio ma anche in altri sport, come il ciclismo, il nuoto e lo sci.
5. È necessario che tu ......*ti alleni*...... (*allenarsi*) molto per riuscire a vincere la prossima gara.
6. Se continuate così è molto probabile che voi ......*vinciate*...... (*vincere*) il primo premio.

6 Osservate la tabella e completate l'affermazione, selezionando l'alternativa giusta.

> Il verbo *essere* e il verbo *avere* al congiuntivo presente sono regolari/<u>irregolari</u>.

Congiuntivo presente

essere	avere
sia	abbia
sia	abbia
sia	abbia
siamo	abbiamo
siate	abbiate
siano	abbiano

7 Guardate le foto e fate delle ipotesi con le informazioni date sotto ogni foto, come nell'esempio.

(Non) Credo che/ Penso che Stefania sia una studentessa di Lettere.

studentessa di Lettere
una vera sportiva
24 anni

simpatico
innamorato di Stefania
il numero di Stefania

28 anni
fidanzato di Stefania
di Milano

es. 1-4
p. 57

B Fa' come vuoi!

19
CD 1

1 Ascoltate i mini dialoghi e associateli alle foto sotto. Attenzione, c'è una foto in meno!

a 5

b 6

c 1

d 4

e 3

19
CD 1

2 Ascoltate di nuovo e completate i dialoghi con le espressioni per dare il permesso di fare qualcosa.

1. • Scusi, possiamo farci una foto con Lei?
   • .... *Certo* ...., nessun problema!

2. • Senti, credo che sia meglio che non mi vedano arrivare insieme a te, meglio separarci... potrebbero reagire male!
   • .... *Fa' come vuoi!* ...., ma secondo me non abbiamo niente da nascondere!

3. • Salve, senta, vedo che ha appena finito di pulire, ma ho urgente bisogno di usare il bagno... Le dispiace se...
   • Prego, Prego! .... *Faccia pure* ....!

4. • Marco, c'è l'ultimo spettacolo teatrale di Emma Dante e vado a comprare il biglietto, ne prendo uno anche per te?
   • .... *Sicuramente* .... Fabio, è una delle mie registe preferite!

5. • Marina, posso anticipare il nostro appuntamento con la direttrice a domani?
   • .... *Non ho nulla in contrario* ...., domani non ho altri impegni!

6. • Mi scusi, volevo chiederle se posso assentarmi dagli allenamenti giovedì prossimo.
   • .... *Se è proprio necessario* ...., ma che non diventi un'abitudine.

3 Sei *A* e chiedi a *B*...

- *di usare le sue scarpe da ginnastica perché hai dimenticato le tue;*
- *di usare il suo cellulare per una chiamata urgente;*
- *di andare ad allenarti al parco con lui/lei;*
- *di interrompere gli allenamenti per andare in vacanza;*
- *di organizzare insieme una gita in montagna per il fine settimana.*

Sei *B*: rispondi ad *A* usando le espressioni viste nell'attività precedente.

4 Rileggete il dialogo A3 a pagina 71. Sapete individuare quali sono le forme del congiuntivo dei verbi *fare*, *potere* e *dire*? Completate la tabella e poi la regola che trovate nella pagina successiva.

Congiuntivo presente: verbi irregolari

	fare	potere	dire
io	faccia	*possa*	dica
tu	faccia	*possa*	dica
lui, lei	faccia	possa	*dica*
noi	facciamo	possiamo	*diciamo*
voi	*facciate*	possiate	diciate
loro	*facciano*	possano	dicano

Congiuntivo presente: verbi irregolari

	dare	stare	dovere
io	dia	stia	debba
tu	dia	stia	debba
lui, lei	dia	stia	debba
noi	diamo	stiamo	dobbiamo
voi	diate	stiate	dobbiate
loro	diano	stiano	diano

Alcune forme irregolari del congiuntivo presente si formano a partire dalla ....*prima*.... persona singolare dell'indicativo ...*presente*... dei verbi.

Altri verbi che hanno il congiuntivo irregolare nell'Approfondimento grammaticale a pagina 215.

5 Completate le frasi con i verbi dati a destra.

1. Penso che Chiara $\boxed{c}$ l'esame di Diritto a giugno.
2. I miei non vogliono che noi $\boxed{e}$ tardi stasera. Domani dobbiamo andare a scuola.
3. Giulio ha paura che non $\boxed{f}$ nessuno alla sua festa di laurea.
4. È meglio che $\boxed{b}$ voi alla posta a spedire il pacco. Io non ho tempo oggi.
5. Non credo che Luigi e Sara $\boxed{a}$ vedere la partita con noi. A loro non piace il calcio.
6. Non penso che alla fine Stefania $\boxed{d}$ con Lorenzo.

a. vogliano
b. andiate
c. dia
d. esca
e. facciamo
f. venga

es. 5-7 p. 58

C Come mantenersi giovani

 1 In coppia, inserite nella tabella cosa fa invecchiare e cosa aiuta a rimanere giovani. Poi confrontate le vostre scelte con quelle dei compagni e riportate il risultato finale in una simile tabella alla lavagna.

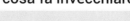

*dormire almeno 7 ore a notte | fumare | ansia | consumare frutta e verdura di stagione
consumare troppe bevande alcoliche | solitudine | camminare almeno un'ora al giorno | annoiarsi
vita sedentaria | mangiare poca carne | muoversi molto in macchina | fare yoga
saltare la prima colazione | vivere in montagna o in campagna | non avere degli hobby
fare una piccola vacanza | bere almeno 2 litri di acqua al giorno | stress | consumo di cibo spazzatura*

cosa fa invecchiare	cosa fa rimanere giovani
fumare, ansia, consumare troppe bevande alcoliche, solitudine, annoiarsi, vita sedentaria, muoversi molto in macchina, saltare la prima colazione, non avere degli hobby, stress, consumo di cibo spazzatura	dormire almeno 7 ore a notte, consumare frutta e verdura di stagione, camminare almeno un'ora al giorno, mangiare poca carne, fare yoga, vivere in montagna o in campagna, fare una piccola vacanza, bere almeno 2 litri di acqua al giorno

2 Rispondete alle domande.

1. Osservate la tabella che avete completato: pensate di seguire un'alimentazione corretta?
2. Pensate di condurre una vita sana? Vorreste cambiare qualcosa delle vostre abitudini? Parlatene tra di voi.
3. In base alle informazioni ricavate dalla discussione, date tre consigli ad un vostro compagno per mantenersi in salute.
4. Osservate la foto a sinistra. Quanto credete sia equilibrata la vostra alimentazione?

 3 Scrivete una mail a un vostro amico per dire che avete deciso di cambiare stile di vita: motivate la vostra decisione e chiedete consigli.

4 a Con l'aiuto dell'insegnante, osservate le frasi a destra.

Frase principale	Frase subordinata/secondaria (che dipende dalla principale)		
(io) Credo	*(io)* **di** accettare l'offerta di lavoro.	(1) ➜	stesso soggetto
	che *(lui/lei)* accetti l'offerta di lavoro.	(2) ➜	soggetto diverso

b Ora osservate la tabella sull'uso del congiuntivo e fate l'abbinamento come nell'esempio.

Uso del congiuntivo (I)

Usiamo il congiuntivo nelle frasi _secondarie_ quando i due soggetti (quello della frase principale e quello della subordinata) sono diversi, come in (2). In particolare, quando le frasi esprimono:

opinione — Sono felice / contento che vada tutto bene.

dubbio — Aspetto che mi venga a prendere Tiziana per uscire.

volontà — Credo / Penso che tu debba cambiare le tue abitudini alimentari.

stato d'animo — Ho paura che / Temo che lui parta prima di giovedì.

speranza — (Non) Voglio che tu torni presto a casa stasera.

attesa — Spero che / Mi auguro che il colloquio vada bene.

paura — Non sono sicuro / certo che Marco sia sincero.

Usiamo il congiuntivo anche con verbi e forme *impersonali*:

Bisogna che si alleni, se vuole vincere la gara.

Si dice che l'azienda attraversi serie difficoltà economiche.

Sembra / Pare che abbia un problema alla gamba.

(non) — È necessario che tutti siano d'accordo per cambiare l'orario della lezione.
— È possibile / impossibile che tutti siano andati via.

Attenzione! Se una frase esprime certezza, usiamo l'indicativo:
Sono sicuro che Marco verrà alla festa.
So che è partito ieri.

Altre forme che richiedono il congiuntivo nell'Approfondimento grammaticale a pagina 215.

5 Riscrivete le frasi secondo l'esempio, usando il congiuntivo dove necessario.

Luigi ha dei problemi. (*credo*) → *Credo che Luigi abbia dei problemi.*

1. Laura non viene al concerto di Niccolò Fabi. (*dubito*)
2. Gli studenti rispettano sempre gli orari della biblioteca. (*è giusto*)
3. La squadra può vincere la partita. (*sono certo*)
4. Scegli attentamente le parole da utilizzare in questa email. (*bisogna*)
5. Vengono anche gli zii per le feste di Natale? (*sai se*)
6. Paolo ha la farina? Se no, non possiamo fare la torta. (*spero*)

Niccolò Fabi

es. 8-10
p. 60

D   Viva la salute!

1 Osservate queste foto: quale tipo di esercizio fisico preferite e perché? Confrontatevi con i compagni.

20
CD 1

2 Lavorate in coppia.
Ascoltate l'intervista a una ragazza che frequenta la palestra e indicate l'affermazione corretta.

1. La palestra frequentata dalla ragazza:
   - ☐ a. è piccola e pulita
   - ☐ b. è frequentata da bambini
   - ☒ c. offre molti servizi e corsi diversi
   - ☐ d. ha corsi per anziani

2. La ragazza ha scelto questa palestra anche perché:
   - ☐ a. ci vanno i suoi amici
   - ☒ b. costa poco e non è lontana da casa
   - ☐ c. è aperta fino a tardi
   - ☐ d. conosce bene l'istruttore

3. La ragazza va in palestra:
   - ☐ a. per passare un po' il tempo
   - ☐ b. per perdere peso
   - ☒ c. perché è un tipo molto sportivo
   - ☐ d. perché si vuole rilassare

4. La ragazza frequenta la palestra:
   - ☐ a. due o tre volte alla settimana
   - ☐ b. tre o quattro volte al mese
   - ☒ c. tre o quattro volte alla settimana
   - ☐ d. tre o quattro volte al giorno

3 Leggete il titolo del testo dell'attività 4. Di che cosa parla, secondo voi? A voi piace il calcio? Confrontatevi con i compagni.

4 Ora leggete il testo e indicate le cinque affermazioni presenti.

COME NON PARLARE DI CALCIO

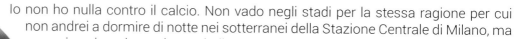

Io non ho nulla contro il calcio. Non vado negli stadi per la stessa ragione per cui non andrei a dormire di notte nei sotterranei della Stazione Centrale di Milano, ma se mi capita mi guardo una bella partita con interesse e piacere alla televisione, perché riconosco e apprezzo tutti i meriti di questo nobile gioco. Io odio gli appassionati di calcio.

Non amo il tifoso perché ha una strana caratteristica: non capisce perché tu non lo sei, ma insiste nel parlarne con te. Per far capire bene cosa intendo dire faccio un esempio. Io suono il flauto dolce. Supponiamo ora che mi trovi in treno e chieda al signore di fronte a me, per attaccare discorso:

– Ha sentito l'ultimo CD di Frans Brüggen?

– Come, come?

– Dico la *Pavane Lachryme*. Secondo me, rallenta troppo all'inizio.

– Scusi, non capisco.

– Ah, ho capito, Lei non...

– Io non.

– Curioso... Lo sa che per avere un flauto *Coolsma* fatto a mano bisogna attendere tre anni? Ma Lei ci arriva fino alla quinta variazione di *Derdre D'Over*?

– Veramente io vado a Parma...

– Ah, ho capito, Lei suona in *F* non in *C*. Non userà mica una tecnica tedesca?

– Io sinceramente i tedeschi..., la BMW sarà una gran macchina e li rispetto, ma...

– Ho capito. Usa una tecnica barocca. Ma...

Ecco, non so se abbia reso l'idea. Lo stesso più o meno avviene con il tifoso. La situazione è particolarmente difficile con il tassista.

– Ha visto Ronaldo?

– No, deve essere venuto mentre non c'ero.

– Ma stasera guarda la partita?

– No, devo occuparmi del libro Zeta della Metafisica, sa, lo *Stagirita*.

– Bene. Io credo che non sia affatto facile vincere, Lei che ne dice?

E via dicendo, come parlare al muro. Il problema è che lui non riesce a concepire che a qualcuno non importi niente di queste cose.

adattato da *Il secondo diario minimo* di Umberto Eco

☐ 1. Umberto Eco non è mai andato allo stadio.

☒ 2. Eco odia le persone che si interessano solo di calcio.

☒ 3. Nel primo episodio parla con un passeggero che va a Parma.

☒ 4. I due uomini non hanno gli stessi interessi.

☐ 5. Il passeggero preferisce la musica italiana a quella tedesca.

☒ 6. Il tassista è un appassionato di calcio.

☒ 7. Lo scrittore non guarda la partita di cui parla il tassista.

☐ 8. A Eco dà fastidio il fatto che il tassista non ami la letteratura.

5 Rileggete la frase evidenziata nel testo. Secondo voi, a che tempo è il verbo?

6 Osservate la tabella e rispondete oralmente alle domande.

Congiuntivo passato

Non so se abbia reso l'idea.

↙   ↘

congiuntivo presente di *essere* o *avere*   participio passato del verbo

Secondo voi, qual è la differenza tra congiuntivo presente e congiuntivo passato?
Quando si usa il congiuntivo passato?

7 Completate le frasi con il congiuntivo passato.

1. Credo che Alberto *abbia mangiato* (mangiare) tutta la torta che era in frigo.
2. Dubito che ieri voi *siate arrivati* (arrivare) in orario all'appuntamento.
3. Non so se Marta *abbia* già *finito* (finire) di studiare.
4. Nicola è contento che i suoi figli *siano entrati* (entrare) alla facoltà di Medicina.
5. Mi dispiace che i ragazzi non *siano riusciti* (riuscire) a finire la maratona.

La concordanza dei tempi al congiuntivo

Quando il verbo della frase principale è al presente, possiamo avere queste alternative:

Credo che Laura

     faccia/farà un buon lavoro. (domani, nel futuro)
     faccia un buon lavoro. (oggi, nel presente)
     abbia fatto un buon lavoro. (ieri, nel passato)

es. 11-14
p. 61

E   Attenti allo stress!

1 Chi di voi si sente stressato? Quali cose vi stressano e come reagite quando siete sotto stress?

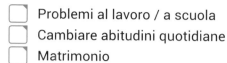

2 I cambiamenti nella vita spesso ci stressano. Mettete in ordine, dal più al meno stressante, i fattori di questa lista elaborata da un gruppo di psicologi. Lavorate in coppia e alla fine scambiatevi idee. (La lista completa in Appendice delle situazioni comunicative a pagina 196)

- ☐ Difficoltà economiche
- ☐ Figlio/a che lascia la casa
- ☐ Fine di una storia d'amore
- ☐ Problemi in famiglia
- ☐ Cambiare scuola
- ☐ Scelta del percorso universitario
- ☐ Esame importante all'università
- ☐ Lite con un amico o un familiare
- ☐ Cambio di casa / Trasloco
- ☐ Arrivo di un/una figlio/a
- ☐ Perdita del lavoro
- ☐ Ricerca del lavoro

- ☐ Problemi al lavoro / a scuola
- ☐ Cambiare abitudini quotidiane
- ☐ Matrimonio

21 CD 1

3 Ascoltate queste persone e descrivete la situazione che affronta ognuno di loro.

Alfredo R.
30 anni

si è separato dalla moglie e non sa cosa fare con la casa

Paola L.
24 anni

deve andare dal direttore, lei pensa per una critica espressa in una mail

Federico M.
19 anni

non sa cosa fare, studiare Medicina o Economia e commercio?

Marisa C.
55 anni

sente la mancanza del figlio che è andato all'estero per trovare lavoro

4 Osservate i disegni e raccontate la storia, oralmente o per iscritto.

5 Nell'ascolto dell'attività 3 abbiamo sentito Alfredo che diceva "*credo che sia colpa mia sebbene mi sia impegnato...*" e Paola che diceva "*non voglio credere che non accettino una critica, nonostante sia costruttiva...*". Si tratta dell'uso del congiuntivo dopo alcune congiunzioni. Osservate la tabella.

Uso del congiuntivo (II)

benché / nonostante / sebbene	Luca mi ha invitato, **nonostante** mi *conosca* poco.
a condizione che / basta che / purché	Gioca con noi, **a condizione che** *scelga* lei il gioco.
senza che	Andrò allo stadio, **senza che** i miei lo *sappiano*.
prima che	Dobbiamo fare gol **prima che** *finisca* la partita.
affinché / perché	Le dirò tutto, **affiché** lei mi *perdoni*.
nel caso (in cui)	**Nel caso** ci sia sciopero, vi verrò a prendere io.

Nell'Approfondimento grammaticale, a pagina 216, trovate le altre congiunzioni che richiedono il congiuntivo.

6 Completate le frasi con le congiunzioni date a destra.

1. Ti dirò cosa è successo, ..._purché_..... tu non lo dica a nessuno.
2. Gli telefono subito, ..._affinché_.... faccia in tempo a prepararsi.
3. ....._Sebbene_.... siano divorziati, continuano a vivere insieme.
4. Vorrei parlare con Carla, ..._prima che_.... prenda una decisione.
5. Mario è venuto alla festa ...._senza che_.... nessuno lo abbia invitato.

senza che
sebbene
purché
prima che
affinché

7 Osservate la tabella per capire quando non usare il congiuntivo.

Quando NON usare il congiuntivo

Abbiamo visto in C4a l'uso dell'infinito quando abbiamo lo stesso soggetto nella frase principale e dipendente. Usiamo l'infinito o l'indicativo e non il congiuntivo anche in altri casi. Vediamo quali:

espressioni impersonali	→ **Bisogna** / **È meglio** fare presto. [**Bisogna che** tu faccia presto.]
secondo me / forse / probabilmente	→ **Secondo** me, hai torto. / **Forse** Mario non vuole vedermi.
anche se / poiché / dopo che	→ La nazionale italiana ha vinto **anche se** aveva un giocatore in meno.

es. 15-19 p. 63

F   Vocabolario e abilità

1 Abbinate gli oggetti agli sport. Cosa sapete e cosa pensate di questi sport?

ciclismo ❖ pallavolo ❖ tennis ❖ nuoto ❖ calcio ❖ pallacanestro

...._ciclismo_.... ...._nuoto_.... ...._calcio_.... ...._pallacanestro_.... ...._pallavolo_.... ...._tennis_....

 2 Ascolto
Quaderno degli esercizi (p. 67)

 3 Parliamo

Sei A: ultimamente sei ingrassato/a di qualche chilo. Un amico/un'amica (**B**) cerca di convincerti ad andare in palestra, o almeno a cambiare la tua dieta, anche per motivi di salute. Ma tu, poiché sei un po' pigro/a, inventi sempre delle scuse.

4 Scriviamo

 100-120
1. In Italia lo sport più seguito, amato e praticato è il calcio. Nel tuo Paese invece? Qual era e qual è lo sport più amato e praticato? Racconta quanto sai di questo sport e prova a spiegare come funziona.

120-160
2. Negli ultimi 50 anni lo sport è diventato un importantissimo fenomeno sociale: sempre più persone lo seguono e lo praticano. Tuttavia non mancano i problemi. Quali sono, secondo te? Nonostante questo, cosa ci offre lo sport?

es. 20-24 p. 65 | p. 187 | Test finale

LO SPORT E GLI ITALIANI: NON SOLO CALCIO E DIVANO

1 Leggete il testo e associate il titolo giusto a ogni paragrafo.

1 Quali sono gli sport preferiti dagli italiani? Unendo giocatori e tifosi, il **calcio** resta sicuramente lo sport di maggior successo, sempre in prima pagina sui giornali sportivi. Amato soprattutto dagli uomini, il calcio è lo sport più giocato dagli under 35, ma una ricerca fatta dal colosso della vendita online Ebay ha rivelato che nell'ultimo anno sono aumentate le vendite di gadget e attrezzature sportive per il **ciclismo**. Infatti, questo sport sta raccogliendo sempre più praticanti. Altri sport sempre amati sono la **pallavolo**, soprattutto per le donne, il **nuoto** e il **tennis**.

2 Se gli uomini preferiscono sport che richiedono più energia come il **rugby** e il calcio, per decenni lo sport preferito dagli italiani, le donne per tenersi in forma preferiscono invece **ginnastica** e **aerobica** ormai primo in classifica tra gli sport più praticati dagli italiani. Gli uomini praticano sport più delle donne, per un buon 10%. Sebbene gli italiani non siano un popolo di sportivi, il numero di persone che pratica sport è in costante aumento: negli ultimi trent'anni è quasi raddoppiato.

Il livello di istruzione, sia per gli uomini che per le donne, influisce sulla 3 pratica sportiva: coloro che hanno un titolo di studio elevato, laureati e diplomati, dedicano più tempo alla pratica sportiva. Anche se le differenze tra laureati e persone con titoli di studio bassi diminuiscono con l'aumentare dell'età. Analizzando la condizione professionale emerge come coloro che praticano sport siano gli studenti (60,5%), seguiti dagli occupati (35,5%). I livelli più bassi si riscontrano tra le casalinghe e chi è fuori dal mercato del lavoro, dove la percentuale non raggiunge il 12%.

Se gli italiani sono sempre pronti a seguire in tv la loro squadra del cuore, 4 o il ciclismo e il Giro d'Italia, o il Gran Premio di Formula 1, facendo il tifo per la Ferrari, la scuderia* di Maranello, non tutti hanno voglia di uscire di casa e mettersi a correre. Sono infatti circa 22 milioni gli italiani sedentari*, che nella fascia di età degli ultra 65enni rappresentano il 50%.

- 4 a. Non tutti praticano sport
- 3 b. Livello di istruzione e livello di pratica sportiva
- 1 c. Vendite contro ogni previsione
- 2 d. Lo sport più praticato dagli italiani

2 Leggete di nuovo il testo e indicate le affermazioni vere o false.

	V	F
a. Il calcio è lo sport più praticato in Italia.		X
b. Sempre più italiani praticano il ciclismo.	X	
c. Le donne praticano più sport degli uomini.		X
d. Gli italiani sono sempre più sportivi.	X	
e. Una laureata dedica più tempo alla pratica sportiva	X	
f. I disoccupati praticano più sport degli occupati.		X
g. Agli italiani non piace seguire lo sport in TV.		X
h. Gli italiani anziani che non fanno sport sono il 50%.	X	

Glossario. *scuderia:* squadra di auto o di moto da corsa; *sedentario:* persona che fa poco movimento; *abnegazione:* dedizione, sacrificio; *tenacia:* costanza, fermezza, perseveranza; *incentivare:* motivare, spingere, incoraggiare a fare qualcosa; *inclusione:* aiutare l'altro a sentirsi parte di un gruppo, di una comunità.

3 Scrivete il nome degli sport dati sotto ogni fotografia.

❯ tennis
❯ calcio
❯ rugby
❯ pallacanestro
❯ sci

rugby

tennis

calcio

sci

pallacanestro

4 Leggete il testo e indicate le affermazioni corrette.

LE PARALIMPIADI

Le Paralimpiadi sono le Olimpiadi riservate agli atleti diversamente abili che si tengono ogni quattro anni, circa due settimane dopo i Giochi Olimpici e nella stessa sede: a sfidarsi nelle diverse discipline, praticate con passione e abnegazione*, grazie anche al supporto, all'aiuto della tecnologia, sono sempre atleti di altissimo livello. L'Italia ha sempre collezionato numerosi successi e alcuni tra gli atleti paralimpici italiani sono diventati esempi di tenacia*, forza e passione nello sport e nella vita.

Rispetto al passato, oggi i giochi paralimpici hanno maggiore visibilità mediatica. Questo grazie al Comitato Paralimpico Internazionale che ha creato vari progetti per diffondere, incentivare* e avvicinare il maggior numero di persone allo sport praticato da atleti con disabilità. Oggi i pregiudizi nei confronti della disabilità sono ancora troppo forti. Il pubblico che partecipa alle Paralimpiadi è ancora in prevalenza rappresentato da coloro che vivono direttamente o indirettamente la disabilità. È una questione di cultura e di educazione. E qui la scuola potrebbe giocare un ruolo importante. La Federazione e il Comitato Paralimpico avviano presso le scuole percorsi di sensibilizzazione di adulti e bambini sul tema dell'inclusione* e della diversità come risorsa. Vengono organizzati anche corsi ad hoc per formare maestri e docenti in grado di saper affrontare le problematiche legate alla disabilità, perché è dalle scuole che può partire il cambiamento della percezione sociale della disabilità.

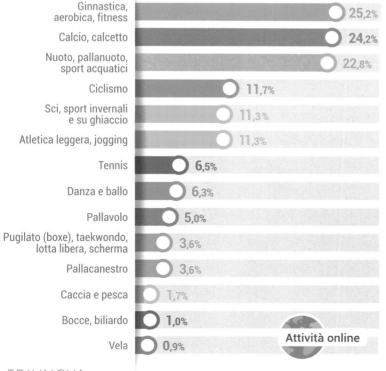

Sport	%
Ginnastica, aerobica, fitness	25,2%
Calcio, calcetto	24,2%
Nuoto, pallanuoto, sport acquatici	22,8%
Ciclismo	11,7%
Sci, sport invernali e su ghiaccio	11,3%
Atletica leggera, jogging	11,3%
Tennis	6,5%
Danza e ballo	6,3%
Pallavolo	5,0%
Pugilato (boxe), taekwondo, lotta libera, scherma	3,6%
Pallacanestro	3,6%
Caccia e pesca	1,7%
Bocce, biliardo	1,0%
Vela	0,9%

Attività online

1. Le paralimpiadi
   - [x] a. si tengono ogni quattro anni
   - [ ] b. durano non più di due settimane
   - [ ] c. si svolgono sempre nella stessa città

2. Rispetto al passato
   - [ ] a. non esistono più pregiudizi nei confronti dei disabili
   - [x] b. si parla di più in tv e sui giornali delle paralimpiadi
   - [ ] c. gli atleti non hanno l'aiuto della tecnologia

3. Nelle scuole, il Comitato Paralimpico organizza
   - [ ] a. viaggi nel mondo per seguire i giochi
   - [ ] b. gare e giochi per gli studenti
   - [x] c. corsi specifici per i docenti

Che cosa ricordi delle unità 4 e 5?

1 Sai...? Abbina le due colonne.

1. permettere		5	a. *Siamo pochi, voglio dire siamo solo tre.*
2. esprimere un'opinione		3	b. *Non so, forse non è una buona idea...*
3. esprimere incertezza		1	c. *Prego, si sieda pure! Io resto in piedi.*
4. contraddire qualcuno		4	d. *Non sono d'accordo, ti sbagli su questo.*
5. precisare		2	e. *Credo che sia meglio partire alle 7:00.*

2 Abbina le frasi. Attenzione, nella colonna a destra c'è una frase in più.

1. Domani verrò con voi alla partita,		2	a. Laura vuole solo trovare un buon lavoro.
2. Non credo. Secondo me,		1	b. a meno che non debba rimanere in ufficio.
3. Ha perso l'ultima gara di ciclismo,		3	c. nonostante sia un atleta esperto.
4. Mi piace molto la pallavolo,		5	d. durante la dittatura fascista.
5. L'Italia visse anni difficili		4	e. perché è uno sport di squadra.
		X	f. sia bravo nello sport.

3 Completa.

1. Non richiede mai il congiuntivo: perché / <u>forse</u> / prima che
2. Il congiuntivo presente (prima per. sing.) di leggere e dire: ......*legga*...... ......*dica*......
3. Lo sport che si fa in acqua: ......*nuoto*......
4. Le gare per gli atleti diversamente abili che ci sono ogni 4 anni: *Paralimpiadi*
5. L'Italia lo diventò nel 1946: ......*Repubblica*......

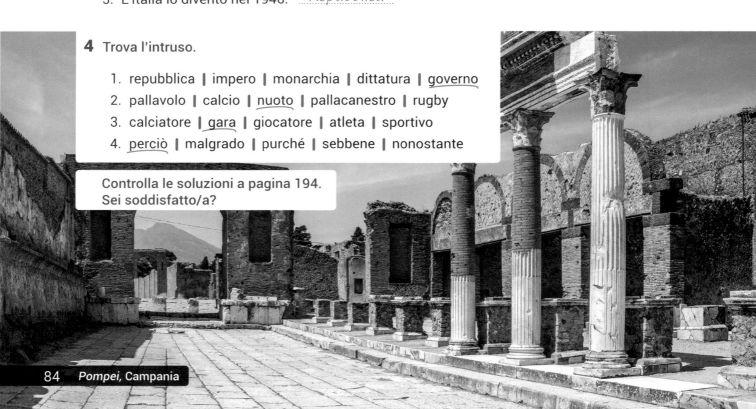

4 Trova l'intruso.

1. repubblica | impero | monarchia | dittatura | <u>governo</u>
2. pallavolo | calcio | <u>nuoto</u> | pallacanestro | rugby
3. calciatore | <u>gara</u> | giocatore | atleta | sportivo
4. <u>perciò</u> | malgrado | purché | sebbene | nonostante

Controlla le soluzioni a pagina 194.
Sei soddisfatto/a?

Per cominciare...

1 Alcuni di voi forse sanno poche cose sull'opera lirica... o almeno così credono. Di seguito vi diamo dei titoli di libri, opere liriche e film italiani. In coppia indicate quelli relativi alla lirica.

Tosca ☒   Aida ☒   Mediterraneo ☐

I promessi sposi ☐   La vita è bella ☐

La Divina Commedia ☐   Il nome della rosa ☐   La Bohème ☒   La Traviata ☒

La grande bellezza ☐   Il Decameron ☐   La dolce vita ☐   Il barbiere di Siviglia ☒

La Traviata, Teatro alla Scala

1
CD 2

2 Ascoltate l'inizio del dialogo e, in piccoli gruppi, fate delle ipotesi:

a. Dove e tra chi si svolge il dialogo?
b. Che cosa diranno secondo voi i due protagonisti?

2
CD 2

3 Ascoltate ora l'intero dialogo e verificate le vostre ipotesi. Poi indicate l'affermazione giusta.

1. Gianna informa il direttore che:
   - ☐ a. andrà a vedere un concerto alla Scala
   - ☐ b. Pavarotti interpreterà *La Traviata*
   - ☒ c. è uscito il nuovo programma della Scala

2. Il direttore dice che:
   - ☒ a. il canto lirico è la sua passione
   - ☐ b. non è appassionato di musica
   - ☐ c. per lui la musica è solo un hobby

3. Gianna afferma che:
   - ☐ a. a gennaio andrà sicuramente alla Scala
   - ☐ b. Riccardo Muti è uno dei suoi direttori preferiti
   - ☒ c. non ha mai visto *Il Trovatore* a teatro

4. Il direttore:
   - ☐ a. andrà sicuramente al Gran Galà dell'Opera
   - ☒ b. resterà a casa a guardare la partita
   - ☐ c. vedrà in tv un concerto internazionale di lirica

In questa unità impariamo...

- *a dare ordini, consigli*
- *a chiedere e a dare il permesso*
- *a parlare di prevenzione e della nostra salute*
- *a chiedere e a dare indicazioni stradali*
- *a capire un testo e a parlare di opera*

- *l'imperativo indiretto (o di cortesia): forma affermativa e negativa*
- *l'imperativo indiretto con i pronomi*
- *gli aggettivi e i pronomi indefiniti*

- *alcune informazioni sull'opera italiana*

A Non me la voglio perdere!

1 Leggete il dialogo e verificate le vostre risposte all'attività precedente.

Gianna: Sig. Direttore, ha visto il nuovo programma della Scala?

direttore: Ah, è già uscito? Lei è sul sito adesso? Legga, vediamo cosa danno!

Gianna: Dunque, a ottobre c'è *La Traviata*.

direttore: Ah, Verdi, che genio, che musiche! È il mio preferito in assoluto! Veda un po' in quali giorni, non me la voglio perdere!

Gianna: Allora... dal 20 al 28. Vuole che controlli se ci sono biglietti disponibili?

direttore: No, grazie, lo farò io più tardi. Sa, io ho visto dal vivo i più grandi interpreti. Pensi che *La Traviata* l'ho vista con il grande Pavarotti: un'esperienza indimenticabile.

Gianna: Pavarotti?! Chissà che emozione! Poi a novembre c'è la *Turandot*.

direttore: Ah, Puccini, "Nessun dorma", che bello! Se non sbaglio, l'avevo vista con Cecilia Gasdia. A novembre, eh? Ci andrò senz'altro!

Gianna: Bene... senta, a gennaio poi danno *Il Trovatore*.

direttore: Che bello, da non perdere assolutamente! Mi sa che l'avevo visto con Riccardo Muti come direttore d'orchestra.

Gianna: Davvero?! A proposito, il nuovo direttore della Scala è veramente bravo.

direttore: Sì, me lo dicono tutti. Ma quindi anche lei è appassionata di musica lirica!

Gianna: Beh, sì. Pensi che domani andrò a chiedere informazioni per un corso di canto! Ma solo come hobby, niente di più.

direttore: Brava! Complimenti! Per me, invece, la lirica non è solo un passatempo, ma una vera passione! Potrei ascoltarla per ore!

Gianna: Sì, l'avevo capito... Questa domenica c'è il Gran Galà dell'Opera con i più grandi nomi internazionali. Lei sicuramente ci sarà, no?

direttore: Eh... no... a quell'ora c'è il calcio in tv...

2 Collegate gli elementi tratti dal dialogo al loro scopo comunicativo, come nell'esempio.

1. *Ah, Verdi, che genio, che musiche!*

2. **senz'altro**

3. **non me la voglio perdere!**

4. **chissà che**

5. **se non sbaglio**

6. **niente di più**

[4] a. Esprime qualcosa di eccessivo, di esagerato.

[5] b. Esprime dubbio, incertezza su quello che si dice.

[6] c. Esprime che non c'è altro da aggiungere a quanto detto.

[1] d. Ripetizione che rafforza l'opinione espressa nell'aggettivo o nel sostantivo che segue.

[3] e. Esprime il forte desiderio di vedere qualcosa, in questo caso *La Traviata*.

[2] f. Esprime la certezza di fare o dire qualcosa.

3 Leggete il dialogo e inserite negli spazi giusti questi verbi:

inviti ❖ *mangi* ❖ *entri* ❖ *prenda* ❖ *guardi* ❖ *senta* ❖ *segua*

Gianna: Mi scusi, direttore, è permesso? Ho quell'articolo che mi ha chiesto sui teatri lirici italiani...

direttore: Prego Gianna, ...*entri*...... (1) pure... Ah, già, l'articolo... l'avevo dimenticato.

Gianna: ......*Senta*...... (2), direttore, a proposito di teatro... ha poi prenotato i biglietti per La Scala?

direttore: ......*Guardi*...... (3) Gianna, non ne parliamo.. L'opera è fra tre giorni e io non potrò andarci.

Gianna: Come mai?

direttore: Ho il raffreddore e la tosse, e il medico mi ha consigliato di rimanere a casa il più possibile ed evitare i luoghi affollati.

Gianna: Mi dispiace... So che ci teneva molto. Comunque... ......*segua*...... (4) i consigli del suo medico. E soprattutto ......*mangi*...... (5) molta frutta e verdura, ...*prenda*...... (6) delle vitamine e stia attento ai colpi d'aria!

direttore: Grazie, Gianna. Seguirò i suoi consigli. Ma... ora che ci penso: non è che vorrebbe andare Lei al mio posto a vedere *La Traviata*?

Gianna: Io? Ma è sicuro? Forse può chiedere il rimborso dei biglietti...

direttore: No, ho già chiesto, ormai è troppo tardi. Sarebbe un peccato... Li prenda tutti e due lei e ......*inviti*...... (7) un suo amico o una sua amica.

Gianna: Grazie, direttore! Non so che dire!

60-70

4 Con chi andrà a teatro Gianna? Scrivete voi il dialogo tra Gianna e la persona che inviterà.

5 Completate la tabella con gli imperativi che trovate nel dialogo a pagina 86.

Imperativo diretto	Imperativo indiretto o di cortesia
-ARE	
Tu ➡ Federica, pensa alle conseguenze! Noi ➡ Pensiamo alla partita e giochiamo! Voi ➡ Ragazzi, pensate con la vostra testa!	Lei ➡ _....Pensi...._ al successo che avrà questo libro!
-ERE	
Tu ➡ Leggi il dialogo a pagina 18! Noi ➡ Leggiamo tutti insieme! Voi ➡ Leggete attentamente le istruzioni.	Lei ➡ _....Legga...._ la lettera della banca!
-IRE	
Tu ➡ Senti questa canzone, è bellissima! Noi ➡ Sentiamo un po' cosa vuole dirci. Voi ➡ Sentite il rumore del mare!	Lei ➡ _....Senta...._, scusi, mi sa dire l'ora?

Attenzione!
Per esprimere l'imperativo di cortesia, si usa la 3ª persona singolare del congiuntivo presente.

Per la coniugazione dei verbi essere e avere, e dell'imperativo indiretto alla 3ª persona plurale, consultate l'Approfondimento grammaticale a pagina 218.

6 Leggete le frasi e scegliete l'imperativo adatto.

Il Messaggero

1. Se compra Il Messaggero, direttrice, leggi/legga il mio articolo!
2. Professore, senta/senti, potrebbe ripetere la spiegazione?
3. Ragazzi, non c'è molto tempo, fate/faccia in fretta!
4. Non sa cosa fare il fine settimana? Va'/Vada a teatro, avvocato, danno l'*Aida* di Verdi!
5. Matteo, prenda/prendi la mia macchina oggi, per favore!
6. Per stare bene, Signor Esposito, dormite/dorma almeno 7 ore a notte!

7 Ascoltate i mini dialoghi e abbinate ogni dialogo allo scopo.

In italiano, usiamo l'*imperativo* per

1 a. dare il permesso
4 b. dare consigli
2 c. dare istruzioni (indicazioni)
3 d. dare ordini

8 Scrivete una frase per ciascuno dei 4 usi dell'imperativo che abbiamo appena visto.

....
....
....
....

es. 1-3
p. 70

B   Non mi sento bene!

  1 Lavorate in coppia. Ognuno di voi legge uno dei testi che seguono e poi fa un breve riassunto al compagno.

A

Spesso basta guardarsi allo specchio e fare un'autodiagnosi per prevenire piccoli problemi di salute ed evitare l'uso di farmaci e soprattutto di antibiotici. La prevenzione infatti è la prima cura per stare bene e in salute. Questo ovviamente non è un invito a semplificare i problemi, o peggio, a diventare medici di se stessi cercando i sintomi su Google. Ci sono delle domande, però, che spesso hanno una semplice risposta. Ecco tre semplici consigli per capire i segnali che ci dà il nostro corpo:

1. Non digerisci più bene?

Mangi e ti viene subito mal di testa? Potresti essere stressato oppure essere intollerante ad alcuni ingredienti. Parlane con il tuo medico, ti suggerirà un'alimentazione più adatta.

2. Sei stanco già dal mattino?

Dormi otto ore ma ti svegli stanco e senza forze. Potrebbe trattarsi di stress, di un periodo particolarmente intenso di lavoro, oppure di anemia. Cosa fare? Prova a mangiare più frutta e verdura ricche di vitamine, aggiungi alla tua dieta uova e carne. Se la situazione non migliora, vai dal tuo medico che potrebbe prescriverti delle analisi del sangue.

3. Hai la pelle secca?

Hai una pelle sensibile che si arrossa facilmente? Inizia a usare detergenti delicati per la pelle e i capelli, ed evita bagnoschiuma e shampoo profumati perché irritano.

adattato da www.regione.toscana.it

B ## Resistenza agli antibiotici: emergenza mondiale?

La scoperta scientifica degli antibiotici ha permesso di ridurre il numero di malati morti per infezioni, ma negli ultimi anni stanno perdendo la loro capacità di curare perché li usiamo anche quando non sono necessari.

Questo uso non corretto degli antibiotici ha provocato lo sviluppo e la diffusione di batteri più resistenti con la conseguenza che alcuni antibiotici non sono più efficaci.

Questo succede anche perché facciamo un grande uso di antibiotici negli allevamenti di animali, per prevenire malattie, e in agricoltura.

L'esperienza però ci insegna che se i medici prescrivono meno antibiotici, soprattutto ai pazienti che non ne hanno bisogno, allora diminuirà anche la resistenza agli antibiotici.

Per un **uso corretto e responsabile** degli antibiotici dobbiamo evitare:

❯ di utilizzare antibiotici per curare malattie virali come il raffreddore o l'influenza, perché gli antibiotici non curano i virus;

❯ di usare antibiotici rimasti inutilizzati da precedenti terapie o, addirittura, scaduti;

❯ di acquistare antibiotici in farmacia senza una prescrizione medica;

❯ di prenderli in dosi diverse e per un periodo di tempo diverso da quelli che ci ha indicato il medico.

adattato da www.esquire.com/it

2 Leggete anche il testo che non avete letto e abbinate le affermazioni che seguono al testo corrispondente.

	A	B
1. La prevenzione è il primo passo per stare bene.	X	
2. Gli antibiotici non hanno più molta efficacia sui pazienti.		X
3. C'è un abuso di medicinali, anche quando non servono veramente.		X
4. Il mal di testa può essere un sintomo di un problema alimentare.	X	
5. Gli antibiotici sono usati anche negli allevamenti e in agricoltura.		X
6. Lo stress può causare stanchezza eccessiva e mal di testa.	X	
7. Usare prodotti per il corpo profumati irrita e secca la pelle.	X	
8. È consigliabile non acquistare farmaci senza la prescrizione del medico.		X

3 Abbinate ora le parole date alle immagini sotto.

1. tosse
2. prescrizione
3. mal di testa
4. mal di pancia
5. raffreddore
6. analisi del sangue
7. farmaci
8. febbre

a 5

b 3

c 2

d 8

e 1

f 6

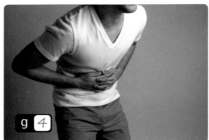
g 4

h 7

4 Completate ora il testo scegliendo tra le alternative date.

1. fame/febbre ❖ 2. prescrizione/visita ❖ 3. ufficio/ospedale
4. peggio/meglio ❖ 5. testa/cuore ❖ 6. mano/bocca

Dopo un giorno di viaggio in treno, Giuseppe Corte arrivò, una mattina di marzo, alla città dove c'era la famosa casa di cura. Aveva un po' di ....*febbre*.... (1), ma volle fare ugualmente a piedi la strada fra la stazione e l'ospedale, portandosi la sua valigetta. [...]

Dopo una rapida ....*visita*.... (2) medica, in attesa di un esame più accurato Giuseppe Corte fu messo in un'allegra camera del settimo ed ultimo piano. [...] Tutto era tranquillo, ospitale e rassicurante.

Giuseppe Corte si mise subito a letto e [...] poco dopo entrò un'infermiera con la quale si mise volentieri a discorrere, chiedendo informazioni. Seppe così la strana caratteristica di quell' ....*ospedale*.... (3). I malati erano distribuiti piano per piano a seconda della gravità. Il settimo, cioè l'ultimo, era per le forme leggerissime. Il sesto era destinato ai malati non gravi ma neppure da trascurare. Al quinto si curavano già affezioni serie e così di seguito, di piano in piano. Al secondo erano i malati gravissimi. Al primo quelli per cui era inutile sperare. [...]

Il risultato della visita medica generale rasserenò Giuseppe Corte. Incline di solito a prevedere il ....*peggio*.... (4), [...] non sarebbe rimasto sorpreso se il medico gli avesse dichiarato di doverlo assegnare al piano inferiore. Seguì scrupolosamente la cura, mise tutto l'impegno a guarire rapidamente, ma ciononostante le sue condizioni pareva rimanessero stazionarie.

Erano passati circa dieci giorni, quando si presentò il capoinfermiere del settimo piano. Aveva da chiedere un favore in via puramente amichevole: il giorno dopo doveva entrare all'ospedale una signora con due bambini; due camere erano libere, proprio di fianco alla sua, ma mancava la terza; non avrebbe consentito il signor Corte a trasferirsi in un'altra camera, altrettanto confortevole?

Giuseppe Corte non fece naturalmente nessuna difficoltà.

«La ringrazio di ....*cuore*.... (5)» fece allora il capo-infermiere con un leggero inchino; «fra un'ora, se lei non ha nulla in contrario, procederemo al trasloco. Guardi che bisogna scendere al piano di sotto» aggiunse con voce attenuata come se si trattasse di un particolare assolutamente trascurabile. «Purtroppo in questo piano non ci sono altre camere libere. Ma è una sistemazione assolutamente provvisoria» si affrettò a specificare vedendo che Corte, rialzatosi di colpo a sedere, stava per aprir ....*bocca*.... (6) in atto di protesta «una sistemazione assolutamente provvisoria. Appena resterà libera una stanza, e credo che sarà fra due o tre giorni, lei potrà tornare di sopra.»

adattato da *I sette piani* di Dino Buzzati, edizioni Oscar Mondadori

5 Nel dialogo di pagina 87 abbiamo visto alcune forme dell'imperativo di cortesia: *"mi scusi"*, *"li prenda"*. Osservate queste forme: dove è il pronome?
Poi completate la tabella.

L'imperativo con i pronomi

Imperativo diretto	Imperativo indiretto
Dammi dieci euro!	_Mi_ dia dieci euro, per favore!
Prendi la posta e *portala* in ufficio!	Prenda la posta e _la_ porti in ufficio!
Gliel'hai detto? *Diglielo* subito!	Gliel'ha detto? _Glielo_ dica subito!
Fa freddo: *vestitevi* pesante!	Fa freddo: si vesta pesante!
Cosa facciamo? *Pensaci* con calma!	Cosa facciamo? _Ci_ pensi con calma!
Vattene! Mi dai fastidio!	Se ne vada, Sig. Alessi! Mi dà fastidio!

Con l'imperativo di cortesia, mettiamo il pronome sempre prima del verbo.

6 Trasformate le frasi usando l'imperativo di cortesia.

1. Per favore, dimmi i risultati delle mie analisi!
   Per favore, mi dica i risultati delle mie analisi!

2. Prego, accomodati! Il dottore ti aspetta.
   Prego si accomodi! Il dottore la aspetta.

3. Scusami, scrivimi il tuo nome qui!
   Mi scusi, mi scriva il suo nome qui!

4. Ho bisogno del tuo portatile, prestamelo per favore!
   Ho bisogno del suo portatile, me lo presti per favore!

es. 4-6
p. 71

 7 **In piccoli gruppi. Osservate l'immagine e commentatela seguendo gli spunti di riflessione.**

1. Quanto vi preoccupate della vostra salute? Come vi prendete cura di voi stessi?

2. Appartenete a quella categoria di persone che seguono la diagnosi fai-da-te consultando Google oppure vi rivolgete sempre ad uno specialista?

3. Andate spesso dal medico?

4. Nel vostro Paese, le persone fanno prevenzione? Fanno uso di molti medicinali? Spiegate il perché.

C Giri a destra!

4 CD 2 **1** Ascoltate il dialogo e indicate a quale delle due cartine si riferiscono le indicazioni.

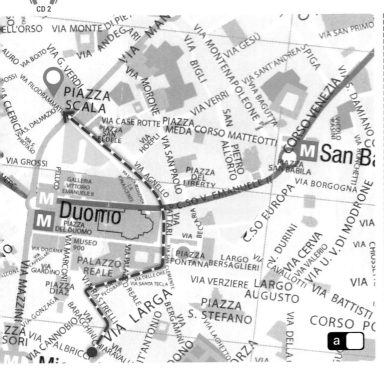
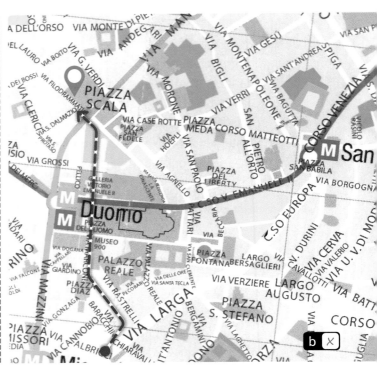

a ☐ b ☒

4 CD 2 **2** Ascoltate di nuovo e indicate le frasi che avete sentito.

☒ 1. mi faccia pensare un attimo...
☒ 2. non ci vada a piedi...
☐ 3. prenda la metro, Le conviene
☐ 4. sa a quale fermata scendere?

☒ 5. alla seconda traversa giri a destra
☒ 6. vada diritto e si troverà in Piazza Duomo
☐ 7. cammini verso il Duomo e la galleria...
☒ 8. l'attraversi e si troverà in una...

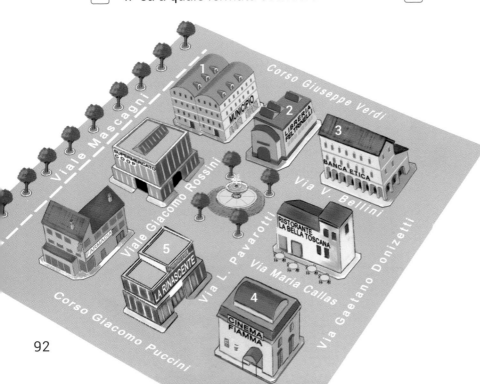

3 Lo studente **A** chiede ad un passante (studente **B**) come andare:

- *dal cinema Fiamma al Municipio*
- *dal punto 3 alla farmacia*
- *dal ristorante La Bella Toscana al punto 2*

Lo studente **B** risponde e poi chiede ad **A** come andare:

- *dal punto 5 alla Banca Etica*
- *dal punto 4 alla Coop*
- *dal punto 1 alla Rinascente*

e **A** risponde.

4 Nel dialogo precedente abbiamo ascoltato la forma "non ci vada a piedi". Completate la tabella.

La forma negativa dell'imperativo indiretto

		Imperativo diretto			Imperativo indiretto o di cortesia
-ARE →		*Non andare* ancora via!			Non *vada* ancora via, la prego!
-ERE →	Tu	*Non prendere* queste medicine!	Lei		Non *prenda* queste medicine!
-IRE →		*Non dormire* meno di 7 ore!			Non *dorma* meno di 7 ore! Non le fa bene.

La tabella completa dell'imperativo diretto e indiretto alla forma negativa nell'Approfondimento grammaticale a pagina 218.

La forma negativa dell'imperativo indiretto con i pronomi

Imperativo diretto	Imperativo indiretto
Non è buono: non lo bere! / non berlo!	Non è buono: **non** *lo* beva!
Non glielo dire / Non dirglielo, è una sorpresa!	Signora, **non** *glielo* dica, è una sorpresa!

I pronomi con l'imperativo diretto negativo possono stare prima o dopo il verbo, mentre con l'imperativo negativo indiretto i pronomi sono sempre *prima* del verbo.

5 Trasformate le seguenti frasi con l'imperativo indiretto (attenzione ai pronomi!).

1. Non portarlo qui quel gattino, sono allergico! *Non lo porti qui quel gattino, sono allergico!*

2. Controlla i documenti che sono sul tavolo! Non dimenticarlo!
   Controlli i documenti che sono sul tavolo! Non lo dimentichi!

3. Alla festa ci sarà anche l'avvocato Martini. Non andarci anche tu!
   Alla festa ci sarà anche l'avvocato Martini. Non ci vada anche Lei!

4. Il regalo? Aspetta! Non darglielo ancora! *Il regalo? Aspetti! Non glielo dia ancora!*

es. 7-9
p. 72

D   Alla Scala

1 In coppia, leggete il titolo di un articolo cha parla di un fatto insolito che è successo alla Scala di Milano. Secondo voi, di che cosa si tratta?

FISCHIATO, LASCIA IL PALCO
L' "AIDA" VA AVANTI COL SOSTITUTO

2 a Ora ascoltate la notizia alla radio: erano giuste le vostre ipotesi?

2 b Ascoltate di nuovo e cercate di capire:

1. Chi è Roberto Alagna e che cosa ha fatto di strano?
2. Chi l'ha sostituito?

3 Leggete ora l'articolo e scegliete, nella pagina accanto, le alternative corrette.

Lunedì **11** Dicembre

SPETTACOLI

INCREDIBILE SCENEGGIATA ALLA SCALA: IL PUBBLICO ATTACCA ALAGNA CHE ABBANDONA.

FISCHIATO, LASCIA IL PALCO
L' "AIDA" VA AVANTI COL SOSTITUTO

MILANO – Doveva essere una serata tranquilla, la prima vera rappresentazione dell'Aida dopo la prima del 7 dicembre, con meno mondanità e meno fotografi. E invece, ieri sera c'è stato il vero colpo di teatro che farà entrare nella leggenda questa serata. Il tenore Roberto Alagna, Radames, ha lasciato il palcoscenico subito dopo l'aria 'Celeste Aida' fischiata da una parte degli spettatori che non ha gradito alcuni suoi commenti sui giornali sulla competenza del pubblico.

La musica non si è mai interrotta e la direzione di palcoscenico ha gettato in scena Antonello Palombi, che fa parte del secondo cast dell'opera. Con addosso un paio di jeans e una camicia neri ("Radames veste Prada" ha commentato qualcuno), il tenore umbro è entrato in scena fra i "vergogna" rivolti dalla platea ad Alagna che non si è ripresentato.

Il primo tempo dello spettacolo è andato avanti così, con applausi, altri fischi e un pubblico perplesso per quanto stava succedendo (ma nessuno è andato via). Dopo l'intervallo è stato

"Radames veste Prada" ha commentato qualcuno.

il sovrintendente Stephane Lissner a salire sul palco e a "manifestare il rincrescimento" del teatro per quanto era successo e a ringraziare Palombi, arrivato in scena senza riscaldamento e senza aspettarselo.

Intanto Alagna, dopo aver parlato con il sovrintendente Lissner ha lasciato il teatro. "Ho cantato in tutto il mondo e ho avuto successo – ha commentato Alagna – ma di fronte al pubblico di questa sera non potevo fare nient'altro! Il pubblico vero, quello con il fuoco, con il sangue, quello non c'era".

Il pubblico che c'era però è rimasto fino alla fine dell'Aida e ha ripagato con nove minuti di applausi Palombi. Che, molto soddisfatto della sua performance, ha raccontato così l'accaduto: "Mi hanno preso e buttato sul palco. Mi sono detto: ok, adesso si canta", anche se dal pubblico partivano frasi come "vergogna" rivolte ad Alagna. "Ma credo che chiunque avrebbe fatto lo stesso, siamo professionisti". Palombi stava seguendo la rappresentazione dalla direzione artistica. Di corsa, quando Alagna ha lasciato il palco, lo sono andati a prendere e lui si è trovato in scena con jeans e camicia "perché – ha scherzato – normalmente non mi vesto come Radames". "È stata una bella prova – ha concluso – l'ho superata!".

Roberto Alagna prima di abbandonare il palco.

adattato dal *Corriere della sera*

1. Alcuni hanno fischiato il tenore perché
   - [x] a. aveva parlato male del pubblico
   - [ ] b. aveva sbagliato un verso dell'opera
   - [ ] c. si era presentato in jeans e maglietta

2. Roberto Alagna ha lasciato il palco e
   - [ ] a. si è ripresentato poco dopo
   - [ ] b. lo spettacolo è stato interrotto
   - [x] c. un altro tenore l'ha sostituito

3. Antonello Palombi è salito sul palco
   - [ ] a. dopo mezz'ora di preparazione
   - [x] b. senza alcuna preparazione
   - [ ] c. già vestito da Radames

4. Alla fine il pubblico
   - [x] a. ha fatto un lungo applauso a Palombi
   - [ ] b. ha fischiato Palombi
   - [ ] c. ha chiesto il rimborso del biglietto

4 In coppia, cercate nell'articolo le parole che corrispondono alle definizioni sotto.

a. _rappresentazione_ (1° paragrafo) = spettacolo
b. _palcoscenico_ (1° paragrafo) = spazio su cui gli artisti recitano o cantano
c. _spettatori_ (1° paragrafo) = persone che assistono a uno spettacolo
d. _tenore_ (2° paragrafo) = tipo di voce maschile che interpreta brani e opere liriche
e. _applausi_ (3° paragrafo) = espressione di gradimento del pubblico
f. _prova_ (5° paragrafo) = sfida, esame che valuta le capacità

5 Nel testo abbiamo incontrato frasi come "_alcuni_ suoi commenti" e "_nessuno_ è andato via": le parole in corsivo sono degli indefiniti. Completate prima la tabella e poi scegliete l'indefinito giusto nelle frasi che seguono.

Indefiniti: aggettivi e pronomi

altro/a - altri/e:	→	Ti piace questo libro o ne vuoi un _altro_?
molto/a - molti/e:	→	Io non voglio fare molti allenamenti alla settimana.
tanto/a - tanti/e:	→	A _tanti_ giovani l'opera lirica non piace. Ma siamo proprio sicuri?
poco/a - pochi/che:	→	Quando ho l'influenza, ho sempre _poche_ energie.
qualche :	→	Ho chiesto al medico qualche informazione su questa medicina.
troppo/a - troppi/e:	→	Secondo me, mangi troppe patatine fritte.
ciascuno/a:	→	Ciascun problema deve essere affrontato con calma.
nessuno/a:	→	_Nessuno_ si allena con me.
alcuno/a (= nessuno/a):	→	Non c'è alcun (nessun) problema.
alcuni/e:	→	_Alcuni_ giorni ho un mal di testa fortissimo.

Per la tabella completa, consultate l'Approfondimento grammaticale a pagina 219.

1. Non ti aspettavo, nessuno/ciascuno mi ha detto che saresti venuto!
2. Direttore, con tutto/tanto il rispetto, abbiamo bisogno di provare ancora prima dello spettacolo.
3. Altri/Alcuni eventi storici sono importanti per capire la storia di oggi.
4. Era da poco/molto tempo che non ci vedevamo con Paolo, circa vent'anni.

6 a Ascoltate ora una trasmissione radiofonica. Poi confrontatevi con i compagni: di cosa parlano nell'intervista?

 b Riascoltate e rispondete alle domande.

- Qual è il rimpianto del professor Rossi?
- Anche se la prof.ssa Bonomi condivide quanto dice il professore, in cosa si differenzia?
- E voi cosa pensate della musica classica?

7 Nell'Attività D3 abbiamo letto "*indossando un costume qualsiasi*". Completate la tabella.

Gli aggettivi e i pronomi indefiniti

Gli indefiniti possono essere aggettivi, se accompagnano un nome, o pronomi, se lo sostituiscono.

Certe persone sono proprio antipatiche. → *Certe* accompagna un nome, quindi è un ....*aggettivo*....

Qualcuno di voi è mai stato in Italia? → *Qualcuno* sostituisce un nome, quindi è un ....*pronome*....

Attenzione: I pronomi indefiniti non hanno la forma plurale, come pure alcuni aggettivi indefiniti (*qualche*, *ogni*, *qualsiasi*, *qualunque*).

La tabella completa degli aggettivi e dei pronomi indefiniti nell'Approfondimento grammaticale a pagina 219.

8 Adesso, a coppie, indicate con una **✗** il valore degli indefiniti nelle frasi che seguono.

	Aggettivo	Pronome
1. Di uno come lui mi fiderei.		✗
2. Il dottore visita ad una certa ora: dalle 15.00 alle 19.00.	✗	
3. Vuole qualcosa da bere, signora?		✗
4. Quello che è successo a te potrebbe succedere a chiunque.		✗
5. Alcuni di noi si allenano anche il sabato e la domenica.		✗
6. C'è una soluzione a ogni problema.	✗	

es. 10-14
p. 73

E   Vocabolario e abilità

1 Vocabolario. Abbinate le parole evidenziate alle immagini.

1. Il mio **medico** è sempre gentile e disponibile.
2. Ogni giorno metta 2 gocce di questo **collirio** all'occhio sinistro.
3. Quando ho dolori muscolari o al ginocchio applico questa **pomata**.

4. Signor Ferri, la prima paziente è già arrivata, è in sala d'attesa.
5. Per questo piccolo taglio basta mettere un cerotto.
6. L'ambulatorio medico è aperto ogni pomeriggio dalle 15.00 alle 20.00.
7. Signora, per la pressione le prescrivo queste pillole: una la mattina e una la sera.

a 7

b 1

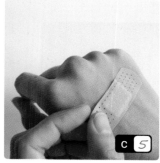

c 5

d 4

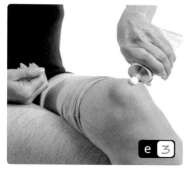

e 3

f 2

g 6

2 Ascolto Quaderno degli esercizi (p. 77)

3 Role play

a Lo studente **A** ha fatto una prenotazione online per andare a vedere *Il Trovatore* al Teatro alla Scala, ma purtroppo è malato e, non sapendo come disdire la prenotazione online, chiama il botteghino per cancellarla e farne un'altra.

Lo studente **B** è il dipendente del botteghino di turno, il quale consulta il materiale a pagina 202 e informa **A** sulla disponibilità di posti liberi e relativi prezzi.

b Siete in un ambulatorio: **A** è il medico e **B** è il paziente. **B** non si sente bene e spiega i sintomi ad **A**, che lo visita e gli consiglia una terapia.

4 Scriviamo

Sul forum *"Stare bene e in salute"* leggi il post di una persona che dice:

Salve a tutti, sono Daniele, ho 40 anni e sono siciliano, di Palermo. Vi scrivo perché non riesco a trovare una soluzione a un grosso problema. Tutti gli anni, quando arriva il mese di marzo ho un fastidioso raffreddore, faccio fatica a respirare e gli occhi sono gonfi e rossi. Ho provato tantissime medicine per cercare di risolvere il problema ma non ho avuto nessun miglioramento. Qualcuno di voi sa a cosa è dovuto questo e come posso risolverlo? Mi potreste consigliare qualche rimedio utile e magari anche naturale?

Grazie a tutti. Ciao

Rispondi a questa persona:
• spiegagli le possibili cause;
• rassicura la persona;
• dagli dei consigli.

es. 15-20 p. 75   p. 188   Test finale

Tutti all'opera (lirica)!

Spesso quando si parla di musica classica e opera lirica si pensa a un genere pesante, obsoleto* e noioso. A causa di questi pregiudizi, sempre meno persone oggi vanno a teatro e perdono l'occasione di vedere dei veri e propri capolavori. Ma come amare l'opera? Semplice: basta conoscerla e capirla.

1 Leggete i testi e indicate con una ✗ a quale delle tre opere (A, B o C) corrispondono le affermazioni.

Ah, bravo Figaro!

Bravo, bravissimo! Bravo!

Fortunatissimo per verità! Bravo!

Fortunatissimo per verità, fortunatissimo per verità!

Pronto a far tutto, la notte e il giorno sempre d'intorno in giro sta.

Il *Barbiere di Siviglia* è un'opera buffa, cioè un'opera lirica di argomento comico, scritta dal compositore italiano **Gioacchino Rossini** e messa in scena per la prima volta nel 1816. *Largo al factotum* è il titolo di una delle arie più famose dell'opera, in cui si presenta il protagonista, Figaro, che non è solo un barbiere ma un "tuttofare" (in latino *factotum*), e per questo motivo molto richiesto da tutti. Anche il Conte d'Almaviva chiederà aiuto a Figaro per trovare il modo di sposare la bella Rosina, di cui è innamorato. Ci riuscirà grazie alle divertenti bugie e ai travestimenti organizzati dal barbiere... tutto è bene quel che finisce bene!

La *Traviata* è un'opera drammatica di **Giuseppe Verdi**, ispirata a *La signora delle camelie* di A. Dumas e rappresentata per la prima volta nel 1853. Racconta la storia d'amore tra Violetta, una donna di corte, una cortigiana* di Parigi, e Alfredo, un giovane borghese di buona famiglia, relazione considerata sbagliata per la società di allora (seconda metà dell'Ottocento). Il padre di Alfredo, infatti, costringe Violetta a lasciare il figlio e quest'ultimo, arrabbiato perché non accetta la separazione, la offende in pubblico. L'opera si conclude con la morte di Violetta, già malata, che rivede per un'ultima volta Alfredo, e il pentimento del padre del giovane, che aveva separato gli amanti.

La *Tosca* è un'opera di **Giacomo Puccini**, presentata per la prima volta nel 1900 alla Scala. La protagonista della storia è l'affascinante* Tosca, cantante e amante del pittore Cavaradossi, che sta proteggendo un amico fuggitivo, Angelotti, accusato di sostenere Napoleone. Il capo della polizia Scarpia, che corteggia Tosca, imprigiona Cavaradossi e lo accusa di tradimento. Il poliziotto propone a Tosca di essere la sua amante se vuole salvare la vita di Cavaradossi. Nel frattempo Angelotti viene ucciso e Tosca uccide Scarpia per salvare il suo amato, che morirà comunque fucilato. Il dramma si conclude con il suicidio* di Tosca.

Cavaradossi:

Svanì per sempre il sogno mio d'amore.

L'ora è fuggita e muoio disperato!

E muoio disperato!

E non ho amato mai tanto la vita!

Tanto la vita!

Luciano Pavarotti nel ruolo di Cavaradossi

	A	B	C
1. È una storia d'amore ostacolata da un padre.		X	
2. La protagonista, alla fine, si toglie la vita.			X
3. È un'opera comica e divertente.	X		
4. Un altro autore ha ispirato quest'opera.		X	
5. I protagonisti sono vittime della società.		X	
6. Uno dei protagonisti chiede aiuto a un tuttofare.	X		
7. Quest'opera è più recente delle altre.			X
8. La trama "ricorda" quella di un'altra storia.		X	

I GIOVANI E LA LIRICA: DUE MONDI LONTANI

❝ I ragazzi che girano per strada con gli auricolari spesso ascoltano cose molto complesse. Quindi non è la "difficoltà" della musica classica a tenerli fuori dai teatri. Molte volte è l'ambiente che non si è mai rinnovato. Quanto vorrei non vedere... gli abiti scuri, l'ingresso sul palco dei "pinguini" col capo pinguino...

Sogno concerti dove i musicisti, vestiti come i loro ascoltatori, spiegano e condividono ciò che stanno per fare... ❞

Riccardo Muti

Teatro alla Scala, Milano

2 Leggete ora le parole di Riccardo Muti, direttore d'orchestra italiano di fama internazionale, nel riquadro a destra. Poi commentate con i compagni:

- Che cosa ne pensate?
- Perché secondo voi Muti parla di "pinguini"?
- A voi piace la lirica? Perché?

Attività online

Glossario. *obsoleto:* antiquato, non attuale, passato di moda; *cortigiana:* donna di corte, prostituta, ma non priva di cultura e raffinatezza; *affascinante:* tanto bella da rimanerne ammirati, incantati, attratti; *suicidio:* gesto di chi si toglie volontariamente la vita; *libretto:* fascicolo con il testo letterario musicato nelle forme d'opera.

Ma qual è la lingua delle opere liriche?

In genere dipende dal compositore: se è italiano, allora anche l'opera sarà in italiano*, anche se ci sono delle eccezioni (Mozart, ad esempio, ha composto tre opere in italiano, tra cui *Le nozze di Figaro*). È comunque sempre meglio portare il libretto* completo di traduzione o assicurarsi che in teatro ci siano gli schermi con i sottotitoli.

Un italiano antico, considerato il fatto che la maggior parte delle opere liriche sono dell'Ottocento o della prima metà del Novecento.

Che cosa ricordi delle unità 5 e 6?

1 Sai...? Abbina le due colonne.

1. dare ordini
2. dare consigli
3. esprimere un'opinione
4. esprimere stati d'animo
5. dare indicazioni stradali

2 a. *Mangi più frutta e verdura.*
5 b. *Giri a destra e poi vada dritto per 200 metri.*
4 c. *Mi dispiace che Teresa sia partita.*
3 d. *Penso che sia meglio mandare un'email.*
1 e. *Tolga gli occhiali e provi a leggere lì.*

2 Abbina le frasi.

1. Continui su questa strada e
2. Sara è l'unica che
3. Sabato andremo al mare, a meno che
4. Dal momento che
5. Se vuole stare meglio,

3 a. non piova tutto il giorno.
5 b. cominci a dormire almeno 7 ore a notte.
2 c. voglia accompagnarmi a vedere l'opera.
1 d. giri a sinistra tra 150 metri circa.
4 e. hai deciso, non ha senso provare a farti cambiare idea.

3 Completa.

1. Un'opera di Giuseppe Verdi: _La Traviata_
2. Sottolinea gli indefiniti che non hanno il plurale: <u>qualche</u>, <u>ogni</u>, tutto, altro
3. *Dimmelo* alla forma di cortesia: _me lo dica_
4. Lo sport con la bici: _ciclismo_
5. Ce la scrive il medico dopo una visita: _prescrizione_

4 Scopri le sei parole nascoste.

1. Il famoso t_enore_ Luciano Pavarotti nacque a Modena nel 1935.
2. Il medico mi ha consigliato alcune p_illole_ e un c_ollirio_ per il problema agli occhi.
3. Secondo me, ti conviene prendere l'a_utobus_ e scendere alla terza f_ermata_.
4. Gli s_pettatori_ hanno applaudito per 3 minuti alla fine dello s_pettacolo_
5. Dobbiamo usare gli a_ntibiotici_ solo se ce li ha prescritti il nostro medico!

Controlla le soluzioni a pagina 194.
Sei soddisfatto/a?

Uno spettacolo lirico all'*Arena* di Verona

Andiamo a vivere in campagna

Per cominciare...

1 Osservate queste due foto. In quale di queste due abitazioni vorreste vivere e perché?

2 In coppia, abbinate le seguenti parole alla foto corrispondente.

|a| aria pulita |b| inquinamento |a| verde |b| traffico |b| rumore

|b| smog |a| natura |a| tranquillità |b| negozi |b| mezzi pubblici

 3 Ascoltate il dialogo: cosa vorrebbe fare Daniela?

 4 Ascoltate di nuovo e completate le frasi (massimo quattro parole).

a. Ma in compenso avresti tante cose _a portata di mano_.
b. Magari trovassi qualcosa _in una piccola città_ vicino a Milano.
c. Non c'entra l'ecologia, è solo _qualità della vita_.
d. Ovvio, con tutte le tue allergie non potresti mai _vivere in campagna_.

In questa unità impariamo...	• a leggere e a scrivere un annuncio immobiliare • a presentare un fatto come facile • a parlare dell'impatto ambientale di alcune iniziative nelle nostre vite e nelle nostre città • a parlare del riciclaggio, dei problemi ambientali e della vivibilità di una città • a parlare del futuro del pianeta e di una coscienza ecologica	• il congiuntivo imperfetto: verbi regolari e irregolari • il congiuntivo trapassato
		• a conoscere alcune bellezze naturali d'Italia • a conoscere la sensibilità ambientale degli italiani

A Vivere fuori città

1 Leggete ora il dialogo e verificate le vostre risposte dell'attività precedente.

Lorenzo: Ma stai cercando in centro o in periferia?

Daniela: Veramente... fuori città!

Lorenzo: Davvero? Credevo che tu volessi vivere in centro.

Daniela: Ma è lo stesso: prenderei il treno e poi sempre con la metro arriverei all'università, 30 minuti invece di 20.

Lorenzo: Vero, ma non ho capito perché.

Daniela: Per tanti motivi Lorenzo: traffico, inquinamento, rumore!

Lorenzo: E va be', come in tutte le grandi città. Ma in compenso avresti tante cose a portata di mano: cinema, teatri, locali, palestre, negozi.

Daniela: Certo, solo che io, fratellino, mi voglio laureare in 3 anni, non in 10!

Lorenzo: E dai! Sarò un po' fuori corso, ma sto per laurearmi, eh?

Daniela: Sì, da tre anni... Comunque, magari trovassi qualcosa in una piccola città vicino a Milano: con più tranquillità, più verde, più aria pulita.

Lorenzo: Non sapevo che fossi ecologista.

Daniela: Non c'entra l'ecologia, è solo qualità della vita. All'inizio, quando venivo a trovarti, pensavo che tutto qui fosse bellissimo.

Lorenzo: Infatti, cos'è cambiato?

Daniela: Non avevo capito che gli studenti vivessero così: sempre di corsa e in appartamenti piccoli come il tuo!

Lorenzo: Dai, non è così piccolo.

Daniela: E non immaginavo che una cosa semplice, come prendere la metro all'ora di punta o trovare parcheggio, potesse essere così difficile.

Lorenzo: Mah, io ormai non ci faccio caso, a me la vita in città piace.

Daniela: Ovvio, con tutte le tue allergie non potresti mai vivere in campagna!

Lorenzo: Io?! Se lo vuoi sapere, domenica accompagnerò Gianna a un agriturismo.

Daniela: Ah... non pensavo che ti piacessero queste cose!

Lorenzo: Infatti, le dovevo un favore...

15-20

2 Rispondete per iscritto (15-20 parole) alle domande.

1. Dove vorrebbe trasferirsi Daniela e perché?
   Daniela vorrebbe trasferirsi fuori città perché c'è meno traffico e inquinamento.

2. Cosa pensa Lorenzo della città?
   A Lorenzo la città piace, perché si ha tutto a portata di mano: cinema, negozi ecc.

3. Cosa farà Lorenzo domenica?
   Domenica, Lorenzo andrà insieme a Gianna a un agriturismo.

3 Accanto ad ogni parola, scrivete il contrario, come nell'esempio.

    a. centro: *periferia*
    b. città: *campagna*
    c. aria pulita: *inquinamento*
    d. caos: *tranquillità*
    e. silenzio: *rumore*

4 Il giorno dopo Daniela telefona alla mamma. Completate il dialogo con i verbi dati.

foste ❖ *capissi* ❖ *fosse* ❖ *abitassi* ❖ *volessi*

mamma: Pronto?

Daniela: Ciao mamma! Come va?

mamma: Noi bene, voi piuttosto, Lorenzo?

Daniela: Bene, bene, non preoccupatevi!

mamma: Allora, hai fatto l'iscrizione all'università?

Daniela: Sì, ho fatto tutto. Ho guardato anche un po' gli annunci perché cerco un appartamento fuori Milano. Ho preso contatti anche con un'agenzia immobiliare.

mamma: Come fuori Milano? Non pensavo *volessi* (1) prendere in affitto una casa fuori città! Perché non un appartamentino vicino all'università, come avevamo detto? Affinché *foste* (2) vicini tu e Lorenzo.

Daniela: Sì, lo so mamma. Il problema è che sono stufa dello stress e dei ritmi frenetici della città. Non credevo che Milano *fosse* (3) così diversa da Bologna, tanto più caotica.

mamma: Mah... per me sarebbe meglio che tu *abitassi* (4) vicino a Lorenzo, anche per quando verrei a trovarvi... ma soprattutto sarei molto più tranquilla.

Daniela: Speravo che almeno tu mi *capissi* (5). Visto che dovrei comunque prendere un appartamentino per me, allora perché non prenderlo fuori città dove i prezzi sono anche più bassi?

mamma: Va be' Daniela, ne riparliamo con calma... anche con tuo padre. D'accordo?

Daniela: Ok mamma, ciao.

mamma: Ciao! E abbracciami Lorenzo.

5 Osservate e completate la tabella con i verbi che avete inserito nel dialogo precedente.

Congiuntivo imperfetto

	-are → -assi abitare	-ere → -essi volere	-ire → -issi capire
io	abitassi	volessi	capissi
tu	*abitassi*	*volessi*	*capissi*
lui/lei/Lei	abitasse	volesse	capisse
noi	abitassimo	volessimo	capissimo
voi	abitaste	voleste	capiste
loro	abitassero	volessero	capissero

La prima persona singolare dell'indicativo imperfetto ci aiuta a costruire le forme del congiuntivo imperfetto, infatti abbiamo:

bere - *bevessi* / dire - *dicessi* / fare - *facessi* / porre - *ponessi*

Fanno eccezione i verbi *essere, dare* e *stare*.

Potete consultare la tabella completa nell'Approfondimento grammaticale a pagina 221.

6 Completate le frasi con il congiuntivo imperfetto dei verbi tra parentesi.

1. Non sapevo che Ada *si trasferisse* (*trasferirsi*) a Siena. Beata lei!
2. Credevo che *volessi* (tu-*volere*) iscriverti ad Architettura, non a Ingegneria.
3. Quando ho visto i bambini non pensavo che *avessero* (*avere*) solo 10 anni. Sono alti per la loro età!
4. La mia famiglia non voleva che io *diventassi* (*diventare*) un attore.
5. Era necessario che *partiste* (voi - *partire*) il giorno del mio compleanno?
6. Nonostante *vivessimo* (*vivere*) in città, il nostro quartiere ci piaceva tanto e ci trovavamo benissimo.

Secondo voi, perché non possiamo usare il congiuntivo presente in queste frasi?

es. 1-4 p. 82

B   Cercare casa

1 Secondo voi, quali tra queste informazioni sono le più importanti quando si cerca casa?
A coppie, indicatene 5 in ordine di importanza.

- [ ] metri quadrati
- [ ] numero di camere
- [ ] zona
- [ ] modalità di pagamento
- [ ] piano
- [ ] riscaldamento (autonomo)
- [ ] prezzo
- [ ] numero di bagni
- [ ] vista
- [ ] ristrutturato o meno
- [ ] anno di costruzione
- [ ] arredato/ammobiliato
- [ ] parcheggio
- [ ] aria condizionata
- [ ] ascensore

2 In coppia, leggete gli annunci di case intorno a Milano e poi abbinateli all'immagine corretta.
Attenzione: c'è un annuncio in più.

2

AFFITTASI

Abbiategrasso (Milano): Affittasi in centro trilocale luminoso di 105 mq con ampio soggiorno, due stanze, cucina e bagno. Interni da ristrutturare. Palazzo d'epoca ben tenuto.

Prezzo: 850 euro spese incluse

CONTATTO ☎ _____

1

Cernusco (Milano): Affittasi luminoso bilocale di 60 mq con ingresso su soggiorno, cucina, camera da letto, bagno, balconi e box auto. Completamente ristrutturato. Riscaldamento autonomo.

Prezzo: 500 euro + spese

3

VENDESI

Gaggiano (Milano): Vendesi villa di recentissima costruzione su due piani, con giardino e ampio garage. Parte abitativa composta da 4 vani: salone, cucina abitabile, 3 camere da letto, doppi servizi e terrazza con vista.

Prezzo: 350.000 (trattabili)

PER INFORMAZIONI ☎ _____

4

Cercasi, vicino **Milano**, monolocale in zona residenziale, ristrutturato e arredato con letto matrimoniale, angolo cottura, bagno e posto auto.

Prezzo: MAX 400 euro + spese

a 2

b 3

c 1

3 Quando si cerca o si costruisce una casa è importante conoscere anche i materiali usati. Abbinate i materiali alla foto corrispondente, come nell'esempio.

a. marmo ❖ b. legno ❖ c. pietra ❖ d. ferro ❖ e. ceramica ❖ f. cemento ❖ g. vetro

1 g

2 d

3 b

4 a

5 e

6 c

7 f

4 Siete in Italia per un corso di italiano di 6 mesi e state cercando un appartamento. Scrivete un annuncio sul sito "CercoCASA" con le caratteristiche della casa che vorreste affittare (numero di stanze, zona, prezzo, ecc.).

5 In coppia o in piccoli gruppi. Lavorate nell'agenzia che sta aiutando Daniela a cercare casa: andate su internet e cercate la soluzione più conveniente per lei. Poi presentatela ai compagni e votate la migliore.

Cerco un monolocale vicino a Milano. In una zona residenziale, ristrutturato e arredato. Il prezzo deve essere massimo di 400 euro, spese escluse.

es. 5-6
p. 83

C Nessun problema...

1 Ascoltate il dialogo e indicate se le affermazioni sono vere (V) o false (F).

	V	F
1. Daniela è riuscita a trovare casa.	X	
2. Trovare casa è stato molto difficile.		X
3. L'agenzia ha proposto solo una casa a Daniela.		X
4. Il fratello di Daniela è disponibile per fare il trasloco.	X	
5. Da casa di Daniela all'università ci vogliono 30 minuti in bici.		X
6. Non c'è una pista ciclabile.		X

2 Ascoltate di nuovo. Quali espressioni usa Daniela per dire che è stato facile fare qualcosa? Confrontatevi tra di voi e scrivetele nel riquadro.

*È stato facile alla fine!
...è una cosa da nulla*

3 A turno, lo studente *A* fa una domanda e lo studente *B* risponde. Potete usare le espressioni ascoltate nel dialogo precedente. Poi, invertite i ruoli.

Sei A: chiedi a *B* come...

• *ha convinto i suoi genitori a mandarlo/a a studiare all'estero;*

• *è riuscito/a a passare il test di ammissione alla facoltà di Medicina.*

Sei B: chiedi ad *A* come...

• *è riuscito/a a vincere tutte le gare di nuoto della stagione.*

10
CD 2

4 Ascoltate e completate le due battute del dialogo dell'attività C1. Poi osservate la tabella.

"Non l'ho mai fatto, ma penso che non ......sia..... facile fare un trasloco."

"Guarda, credevo che ....fosse.... un problema, invece è una cosa da nulla!"

La concordanza dei tempi al congiutivo

Credo che Daniela
- **faccia** / farà il trasloco domani mattina nella nuova casa. (*domani, nel futuro*)
- **faccia** il trasloco oggi nella nuova casa. (*oggi, nel presente*)
- **abbia fatto** il trasloco ieri nella nuova casa. (*ieri, nel passato*)

Credevo che Daniela
- **facesse** / avrebbe fatto il trasloco nella nuova casa. (*il giorno dopo*)
- **facesse** il trasloco nella nuova casa. (*in quel momento/periodo*)
- **avesse fatto** il trasloco nella nuova casa. (*il giorno prima*)

5 Anche voi vivete in una città caotica e piena di smog oppure in un luogo più tranquillo e verde? Quali scelte possono migliorare la nostra qualità della vita nelle città? Parlatene.

6 Completate l'articolo con una delle alternative date.

Mobilità sostenibile a Milano?
Auto, scooter, bici: servizi green per muoversi senza inquinare

Secondo l'Organizzazione Mondiale della Sanità, il 92% della popolazione vive in luoghi dove la qualità dell'aria non è buona per la salute. I dati più allarmanti sono ....b.... (1) nelle aree metropolitane.

Le città devono cambiare e re-inventarsi seguendo ....c.... (2) sempre più ecologici e sostenibili. Diventare una "green city" oggi è l'....d.... (3) di molti centri urbani.

Secondo l'ultima analisi di Legambiente, Milano ....a.... (4) la metropoli più "green" d'Italia per minor numero di auto circolanti: il 58% ....a.... (5) spostamenti in città avviene con i mezzi ....c.... (6). Oggi solo un milanese su due utilizza la macchina per ....b.... (7). Inoltre, Milano sta investendo ....c.... (8) più nella mobilità condivisa.

Oltre alla condivisione, la città del Nord punta molto ....d.... (9) auto, scooter, biciclette, o addirittura monopattini, ma ....b.... (10) elettrici per muoversi senza inquinare.

1. a. stati	b. concentrati	c. previsti	d. visitati
2. a. guide	b. complessi	c. modelli	d. campioni
3. a. fine	b. ansia	c. intenzione	d. obiettivo
4. a. è	b. ha	c. sia	d. era
5. a. degli	b. dei	c. per gli	d. negli
6. a. comuni	b. privati	c. pubblici	d. personali
7. a. muovere	b. spostarsi	c. andare	d. traslocare
8. a. anche	b. troppo	c. sempre	d. solo
9. a. con	b. per	c. tra	d. su
10. a. estremamente	b. rigorosamente	c. fortemente	d. stabilmente

adattato da www.mentelocale.it

7 a Lavorate in coppia. Osservate la tabella e indicate le frasi che richiedono l'uso del congiuntivo.

b Completate liberamente le frasi della tabella.

Uso del congiuntivo (I)

	Congiuntivo	Indicativo
Era chiaro che voi...		✗
Credevo che le piste ciclabili...	✗	
È bene che le città...	✗	
Speravo che la mia nuova casa...	✗	
Vorrei che loro...	✗	
Non sapevo che Daniela...	✗	
Siamo sicuri che domani...		✗
Valerio ha paura che...	✗	

Ricordate: come abbiamo visto nell'unità 5 (pagina 80), usiamo i tempi del congiuntivo anche con alcune congiunzioni, come:
nonostante, sebbene, affinché, prima che ecc.

Per la tabella completa, andate all'Approfondimento grammaticale a pagina 222.

es. 7-9 p. 84

D Vivere in città

1 Secondo voi, quali sono i problemi ambientali che affrontano le grandi città? Scambiatevi idee.

2 Ascoltate il brano e indicate le affermazioni corrette.

1. La città più ecologica d'Italia è
   - [ ] a. Bolzano
   - [✗] b. Trento
   - [ ] c. Mantova

2. Agli ultimi posti di questa classifica troviamo
   - [ ] a. Napoli, Torino e Roma
   - [ ] b. Enna, Bari e Reggio Emilia
   - [✗] c. Palermo, Ragusa e Catania

Trento

3. Milano è la città italiana che offre
   - [✗] a. il miglior servizio nei trasporti pubblici
   - [ ] b. il peggior risultato nella raccolta differenziata
   - [ ] c. più aree verdi di ogni altra città

4. Ad Agrigento, come a Modena, ci sono
   - [ ] a. più biciclette che abitanti
   - [ ] b. più auto che abitanti
   - [✗] c. più alberi che abitanti

3 Ritroviamo il problema dell'aria inquinata e dello smog cittadino già in *L'aria buona*, un capitolo di *Marcovaldo, ovvero Le stagioni in città*, che Italo Calvino scrisse nel 1963. Leggete il testo e poi rispondete per iscritto alle domande.

Seguendo i consigli del medico, Marcovaldo porta i suoi quattro figli, che da poco sono guariti da una malattia, fuori città, per fargli respirare aria pulita e farli giocare sui prati.

Il pomeriggio d'un sabato, quando erano guariti, Marcovaldo prese i bambini e li accompagnò a fare una passeggiata in collina. Abitavano nel quartiere della città più distante dalle colline. Per raggiungerle fecero un lungo tragitto su un tram affollato e i bambini vedevano solo gambe di passeggeri intorno a loro. A poco a poco il tram si svuotò; dai finestrini finalmente liberi apparve un viale che saliva. Così arrivarono al capolinea e si misero in marcia.

Era appena primavera; gli alberi fiorivano a un tiepido sole. I bambini si guardavano intorno un po' spaesati. Marcovaldo li guidò per una stradina a scale, che saliva tra il verde. [...]

Man mano che saliva, a Marcovaldo pareva di staccarsi di dosso l'odore di muffa del magazzino in cui spostava pacchi per otto ore al giorno e le macchie di umido sui muri della sua casa, e la polvere che calava, dorata, nel cono di luce della finestrella, e i colpi di tosse nella

notte. I figli ora gli sembravano meno gialli e deboli, già quasi immedesimati di quella luce e di quel verde.

– Vi piace qui, sì?
– Sì.
– Perché?
– Non ci sono vigili.
– E respirare, respirate?
– No.
– Qui l'aria è buona.

Masticarono:
– Macché. Non sa di niente.

Salirono fin quasi sulla cresta della collina. A una svolta, la città apparve, laggiù in fondo, distesa senza contorni sulla grigia ragnatela delle vie. I bambini rotolavano su un prato come se non **avessero fatto** altro in vita loro. Venne un filo di vento; era già sera. In città qualche luce s'accendeva [...]. Marcovaldo risentì un'ondata del sentimento di quand'era arrivato giovane alla città, e da quelle vie, da quelle luci era attratto come se si aspettasse chissà cosa.

adattato da I. Calvino, Marcovaldo, Einaudi

1. Come arrivano sulla collina Marcovaldo e i suoi figli?
2. Secondo voi, ai suoi figli piace stare all'aria aperta? Motivate le vostre risposte.
3. Nell'ultima parte del testo a cosa pensa Marcovaldo? E come si sente?
4. Com'è la situazione oggi? Secondo voi, nelle città le persone vivono bene?

4 a Osservate ora il verbo evidenziato nel testo sopra e provate a completare la frase e la regola nella tabella.

Congiuntivo trapassato

Pensavo che ....*avessi chiamato*.... tu l'altra sera. (*chiamare*)

Il congiuntivo trapassato si forma con l'....*imperfetto*.... **congiuntivo di *essere* o *avere*** + il ....*participio*.... **passato del verbo.**

Osserva: Credo che abbia fatto la cosa giusta.
Credevo che avesse fatto la cosa giusta.

b Provate ora a completare le frasi con l'ausiliare corretto.

1. Nonostante io ....*avessi*.... già mangiato, sono andato in pizzeria con i miei amici.
2. Era strano che lei ....*fosse*.... partita senza avvertirmi.
3. Erano pallidi come se ....*avessero*.... visto un fantasma!
4. Credevamo che voi ....*aveste*.... comprato i biglietti una settimana fa.

5 I rifiuti sono un problema delle nostre città. Osservate le foto e descrivetele. Che cosa direste a qualcuno che getta i rifuti per strada? Voi fate la raccolta differenziata dei rifiuti? Perché, secondo voi, è sbagliato non riciclare?

es. 10-13
p. 85

E Salviamo la Terra!

1 Osservate la copertina del mensile *La nuova ecologia*: quali sono i problemi che mette in evidenza? Confrontatevi con i compagni.

2 a A coppie, osservate le foto e abbinatele ai fenomeni estremi conseguenza del riscaldamento globale.

1. siccità, desertificazione
2. innalzamento del livello del mare
3. scioglimento dei ghiacciai
4. incendi
5. alluvioni
6. fenomeni atmosferici estremi

 a 5

 b 6

 c 4

 d 1

 e 2

 f 3

b A coppie leggete l'infografica.

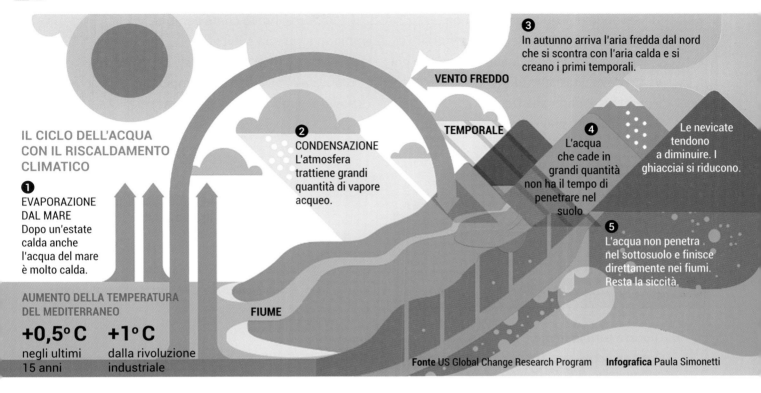

IL CICLO DELL'ACQUA CON IL RISCALDAMENTO CLIMATICO

❶ EVAPORAZIONE DAL MARE
Dopo un'estate calda anche l'acqua del mare è molto calda.

AUMENTO DELLA TEMPERATURA DEL MEDITERRANEO

+0,5°C **+1°C**
negli ultimi 15 anni | dalla rivoluzione industriale

❷ CONDENSAZIONE
L'atmosfera trattiene grandi quantità di vapore acqueo.

VENTO FREDDO

❸ In autunno arriva l'aria fredda dal nord che si scontra con l'aria calda e si creano i primi temporali.

TEMPORALE

❹ L'acqua che cade in grandi quantità non ha il tempo di penetrare nel suolo

Le nevicate tendono a diminuire. I ghiacciai si riducono.

❺ L'acqua non penetra nel sottosuolo e finisce direttamente nei fiumi. Resta la siccità.

FIUME

Fonte US Global Change Research Program   **Infografica** Paula Simonetti

3 Adesso rispondete alle seguenti domande e poi discutetene insieme.

1. Secondo voi, perché è importante analizzare questi fattori (l'aumento della temperatura, i temporali violenti che non danno il tempo all'acqua di penetrare nel terreno ecc.)?
2. Quali altri fattori, secondo voi, sono responsabili delle alluvioni?
3. Per voi, quali sono i fattori più importanti a cui fare attenzione perché il nostro futuro sia più vivibile e sostenibile?

4 Vediamo alcune espressioni che richiedono il congiuntivo: provate ad abbinare le frasi delle due colonne.

Quando usare il congiuntivo (II)

Gianna era l'unica che *conoscesse* — *avessi* mai *conosciuto*.
Magari *ti fossi allenato* — *fossi* sposato o single.
Era la persona più interessante che — tutte le opere di Verdi.
Mi hanno chiesto se tu — lo sapevamo già!
Che *fosse aumentata* la temperatura della Terra — come ti avevo consigliato!

Per una tabella completa con altre espressioni che richiedono il congiuntivo, consultate l'Approfondimento grammaticale a pagina 222.

5 Completate le frasi con il congiuntivo, quando è necessario.

1. Secondo noi, questo tenore non ....*è*........ (essere) bravo come sembra.
2. Era necessario che loro ....*cambiassero*.... (cambiare) strategia subito.
3. Era la partita di calcio più noiosa che noi ....*avessimo*.... mai ....*visto*........ (vedere).
4. Credevo che l'allenatore non ....*cambiasse*.... (cambiare) all'inizio del campionato.
5. Era necessario che Daniela ....*trovasse*.... (trovare) subito una casa nuova.
6. Sono sicuro che il giardino di questo trilocale ....*è*........ (essere) abbastanza grande.

Inquinamento a Milano

 6 *A* è un giornalista e fa alcune domande a *B*, che vive da pochi mesi in una grande città italiana molto inquinata, su:

- la qualità della vita nella città
- cosa pensa dell'inquinamento
- quali potrebbero essere delle soluzioni

 7 Giocate tutti insieme.

Ognuno scrive una frase su un bigliettino, formata da un verbo all'imperfetto indicativo e un imperfetto congiuntivo (Es. Credevo che venissi prima...) e la mette in un contenitore. In un altro contenitore (ad esempio uno zaino, una borsa ecc.), l'insegnante inserisce dei bigliettini con la seconda parte della frase (a suo piacere o prendendo le frasi sotto). Poi, uno ad uno, gli studenti pescano un bigliettino da entrambi i contenitori e leggono a voce alta la frase. Vince la frase più divertente!

1. ...e invece era vino. 2. ...ma poi ho cambiato idea 3. ...e allora l'abbiamo mangiato 4. ...invece ne aveva 100! 5. ...per la vostra salute. 6. ...e invece no. 7. ...e alla fine ha pianto. 8. ...ma era pure peggio! 9. ...divertente, no?

es. 14-16
p. 87

F   Vocabolario e abilità

1 Cos'è ecosostenibile e cosa no? In coppia, inserite nella colonna di sinistra quali di queste cose fanno bene all'ambiente e, in quella di destra, quali lo danneggiano. Poi aggiungetene altre che conoscete e alla fine confrontatevi con i compagni.

energie rinnovabili ❖ *deforestazione (tagliare gli alberi)* ❖ *viaggiare in aereo*
usare i mezzi pubblici ❖ *riciclare* ❖ *sprecare cibo* ❖ *macchine elettriche* ❖ *usare la plastica*
abiti in cotone organico ❖ *macchine a benzina* ❖ *pannelli solari* ❖ *risparmiare energia*
mangiare meno carne ❖ *polveri sottili* ❖ *isole pedonali* ❖ *raccolta differenziata* ❖ *piste ciclabili*

ECOSOSTENIBILE		DANNOSO PER L'AMBIENTE
energie rinnovabili	risparmiare energia	deforestazione
usare i mezzi pubblici	mangiare meno carne	viaggiare in aereo
riciclare	isole pedonali	sprecare cibo
macchine elettriche	raccolta differenziata	usare la plastica
abiti in cotone organico	piste ciclabili	macchine a benzina
pannelli solari		polveri sottili

2 Quanto è importante l'ambiente per voi? Cosa fate ogni giorno per proteggerlo? Cosa vorreste fare di più? Confrontatevi con i vostri compagni.

3 Osservate le immagini e provate a raccontare una storia.

es. 17-19
p. 88

 4 Ascolto Quaderno degli esercizi (p. 89)

12 CD 2

 5 Situazioni

Sei A: dopo anni, finalmente prendi la decisione di andare a vivere fuori città. Hai trovato tre villette a un prezzo conveniente (guarda gli annunci a pagina 197) e vorresti che tu, il/la tuo/a partner e i vostri figli vi trasferiste. Gliene parli, presentando anche le varie possibilità che offre ciascuna villetta.

Sei B: il/la tuo/a partner ti dice che vuole comprare una casa in campagna, o fuori città, e vuole che vi trasferiate lì. Tu ami il centro e non vuoi rinunciare alle comodità che offre la città. Cerca di fargli/farle cambiare idea.

120-140

6 Scriviamo

Il vostro Comune ha deciso di costruire, in un'area abbandonata della città, un altro centro commerciale. Scrivete un'email al sindaco e proponetegli un progetto più ecosostenibile, spiegando quali sarebbero i vantaggi per i cittadini.

Test finale

p. 189

L'Italia è famosa in tutto il mondo per le sue opere d'arte e per le sue città storiche, ma sul suo territorio si trovano anche delle bellezze naturali uniche al mondo. Queste sono alcune tra le più famose:

a 5

b 2

LE MERAVIGLIE NATURALI D'ITALIA

1 Leggete i testi e abbinateli alle fotografie.

Le **Dolomiti**, dette anche "monti pallidi" per il caratteristico colore chiaro, sono una catena montuosa che si estende nelle regioni del Trentino Alto Adige, Veneto e Friuli Venezia Giulia. Le sue cime* superano i 3.000 metri di altezza e al tramonto prendono un colore rosa che dà vita ad uno spettacolo meraviglioso.

1

Anche l'Italia ha il suo canyon: sono le **Gole di Celano**, che si trovano in Abruzzo, all'interno di un parco nazionale. Questo canyon è nato dall'erosione* di un piccolo fiume, che ha creato una frattura profonda 200 metri e lunga 4 chilometri. Oltre alla bellezza del luogo, i visitatori possono ammirare anche alcune specie protette di uccelli, come le aquile.

2

L'**Etna** è il più grande vulcano attivo in Europa, e rappresenta un laboratorio naturale. Le continue eruzioni* hanno trasformato la flora* e la fauna* mediterranea tipica della Sicilia in un ambiente suggestivo, quasi lunare. Un ambiente tutelato dal parco naturale dell'Etna. Il vulcano presenta diverse bocche, nelle quali vengono effettuate escursioni*, a varie altitudini di facile accesso da parte dei visitatori e dei ricercatori.

3

L'elegante isola di Capri, che si trova vicino a Napoli, "nasconde" un segreto: è la **Grotta Azzurra**, una grotta naturale a cui si arriva solo in barca e che ha all'interno delle acque di un colore blu intenso, che rendono questo luogo davvero magico.

4

c 4

Le **Rocce Rosse** sono una spettacolare scogliera che si affaccia sullo splendido mare della Sardegna, più precisamente ad Arbatax, e che ha un caratteristico colore rosso, che la rende unica, soprattutto alla luce del tramonto. **5**

d **1**

e **3**

QUANTO SONO "VERDI" GLI ITALIANI?

Secondo una recente ricerca realizzata da *LifeGate*, la sensibilità degli italiani per i problemi ambientali è in aumento: il 32% degli intervistati infatti dichiara di essere attento alla salvaguardia* dell'ambiente. Vediamo in breve quali sono le loro abitudini:

Glossario. *cima:* la parte più alta di qualcosa, in questo caso delle montagne; *erosione:* qui, azione dell'acqua che scava la superficie terrestre; *eruzione:* uscita di gas, lava, cenere dalla bocca di un vulcano; *flora:* insieme delle piante; *fauna:* insieme delle specie animali; *escursione:* qui, gita a scopo di studio; *salvaguardia:* protezione, tutela.

Il 92% dichiara di fare la raccolta differenziata

Il 77% dice di usare elettrodomestici a basso consumo

92%

77%

17%

40%

34%

Il 17% afferma di usare capi di abbigliamento sostenibili

Il 34% dice di consumare prodotti alimentari biologici

Il 40% afferma di limitare l'uso di bottiglie di plastica

2 E voi? Siete "sostenibili"? Discutete con i compagni e parlate delle vostre abitudini "verdi", cioè che rispettano l'ambiente. Fate degli esempi.

Attività online

Che cosa ricordi delle unità 6 e 7?

1 Sai...? Abbina le due colonne.

1. dare consigli
2. esprimere un desiderio
3. porre condizioni
4. presentare un fatto come facile
5. dare il permesso

[3] a. *Farò una passeggiata a patto che non piova.*
[1] b. *Non andare mai a vedere questo spettacolo.*
[4] c. *Aprire il nuovo conto è stato facile alla fine!*
[5] d. *Certo! Apra pure, non mi dà fastidio.*
[2] e. *Magari mi fossi laureato in Medicina!*

2 Abbina le frasi.

1. Non conosce la strada?
2. Abbiamo avuto l'impressione che
3. Ho conosciuto certi
4. Ma come ce l'hai fatta?
5. Li avessi conosciuti prima

[5] a. li avrei invitati.
[4] b. Semplice, con il suo aiuto.
[1] c. Chieda al vigile!
[3] d. ragazzi molto interessanti.
[2] e. il tenore fosse malato.

3 Completa.

1. Carla e Fabio vivono in un bel angolo / casa / bilocale in centro.
2. Le regioni italiane del Sud sono vittime di un processo di alluvione / desertificazione / incendi.
3. Presto le risorse / energie / bellezze del pianeta si esauriranno.
4. L'Italia ha investito molto sulla deforestazione / raccolta differenziata / energie rinnovabili.
5. Gli italiani sono più sensibili ai prodotti biologici / abiti in cotone organico / problemi ambientali.

4 Scopri le otto parole nascoste.

S	D	T	A	P	P	L	A	U	S	I	S
R	T	E	L	L	R	Z	O	R	I	N	O
G	C	N	I	C	I	A	T	P	C	R	T
T	C	O	D	E	N	L	Q	E	C	A	T
I	Q	R	A	N	C	L	E	B	I	L	O
F	T	E	L	S	E	O	F	H	T	Z	S
G	A	M	M	I	N	F	T	R	A	A	U
I	G	A	E	O	D	R	B	Q	G	Q	O
E	B	P	A	Z	I	E	N	T	E	F	L
A	L	L	U	V	I	O	N	E	N	T	O
P	A	L	C	O	S	C	E	N	I	C	O

Controlla le soluzioni a pagina 194.
Sei soddisfatto/a?

Per cominciare...

1 Osservate i disegni: in quale di queste immagini vi riconoscete? Cosa fate più spesso?

 2 Ascoltate l'inizio del dialogo: di quale delle attività precedenti si parla?
Secondo voi, come continua il dialogo?

3 Ora ascoltate tutto il dialogo e indicate le informazioni presenti.

- [ ] 1. Lorenzo ha già superato tutti gli esami.
- [x] 2. Lorenzo è rimasto sveglio fino a tardi.
- [ ] 3. Gianna ha molti amici su Facebook.
- [ ] 4. Lorenzo non ha superato gli esami per colpa di Instagram.
- [ ] 5. Sia Gianna che Lorenzo usano i social network per lavoro.
- [x] 6. Gianna pensa che Lorenzo esageri con l'uso dei social.
- [ ] 7. Alla fine Lorenzo pensa che Gianna abbia ragione.

In questa unità impariamo...

- a complimentarci con qualcuno
- a fare ipotesi realizzabili o no
- a esprimere approvazione e disapprovazione
- a parlare dei pro e dei contro della tecnologia

- il periodo ipotetico: 1°, 2° e 3° tipo
- gli usi delle particelle pronominali ci e ne
- alcune informazioni su scienziati, inventori e nobel italiani

A Se avessi voluto sentire delle critiche...

1 Riascoltate e leggete il dialogo per confermare le risposte dell'attività precedente.

Lorenzo: Se più tardi sei al bar, magari passo a trovarti.

Gianna: Ok, forse ci vediamo là. Senti, come va con lo studio? Manca poco ormai.

Lorenzo: Molto bene, guarda. Questa volta sono proprio deciso, supererò tutti gli esami.

Gianna: Ah, bene... No, perché ho visto che stamattina hai già fatto tre post su Facebook...

Lorenzo: Ma sì, è solo per rilassarmi.

Gianna: E ieri notte alle 2 eri su Instagram?

Lorenzo: Ma che fai, mi spii?

Gianna: No, caro, ma è evidente che sei sempre sui social network invece di studiare!

Lorenzo: Guarda che anche tu, se studiassi tutto il giorno, avresti bisogno di staccare per un po'...

Gianna: Ma sei sempre davanti a uno schermo Lorenzo!

Lorenzo: Gianna, mica posso isolarmi! Sai che ho 2.000 amici e followers. Tu se ne avessi tanti non faresti lo stesso?

Gianna: Sì, 2.000 amici di cui di persona non ne conosci nemmeno un terzo.

Lorenzo: Che c'entra? Perché tu i tuoi li conosci tutti?

Gianna: No, ma io uso i social soprattutto per lavoro, mica faccio la... collezione di "mi piace".

Lorenzo: Uffa, non fare la rompiscatole, mica sono l'unico che sta su Facebook.

Gianna: Sì, ma poi ti lamenti che non riesci a laurearti, gli altri superano gli esami e tu stai a chiacchierare sui social!

Lorenzo: Scusami se ho una vita sociale. Lo studio non è tutto, sai.

Gianna: Infatti, c'è anche il lavoro. Va be', lasciamo perdere.

Lorenzo: Gianna, se avessi voluto sentire delle critiche sarei tornato a vivere con i miei...

Gianna: Se continui a postare selfie e non ti laurei, mi sa che ci torni presto.

2 Osservate le espressioni evidenziate nel dialogo e abbinate le due colonne sull'uso di queste espressioni.

1. Ho lavorato troppo al PC,
2. Quando ti lamenti,
3. Dimmi come sono andate le cose, però
4. Hanno arrestato Mario,

3 a. dimmi la verità mica le solite bugie!
4 b. ma sono sicuro che non c'entra nulla.
1 c. devo staccare, sono stanco.
2 d. sei un vero rompiscatole!

3 Scegliete il verbo giusto e completate il dialogo tra Lorenzo e Gianna.

Gianna... A proposito di quello che dicevamo ieri, guarda che ho trovato!!

"ALESSIO ESPOSITO è tra i 5 influencer più famosi d'italia"

I suoi video divertenti sono seguiti dai giovani e dai loro genitori. Ha dichiarato: "Sono la mia seconda grande famiglia!"

"Il lavoro del futuro? L'INFLUENCER!"
Uno smartphone e una fotocamera: i giovani guadagnano così!

Lorenzo... Non penserai / vorrai (1) mica di essere un influencer?! Ahahahaha

Sto pensando che se riuscissi a gestire meglio il mio tempo, dovrei / potrei (2) studiare e curare la mia pagina Instagram.

Ma per fare cosa?

Ma fidati! Non fare la solita... ho letto che se si raggiungevano / si raggiungono (3) 10.000 follower, la pubblicità ti comincia a pagare! Non è una perdita di tempo!

Sì, certo... se tu avessi / fossi (4) qualcosa di interessante da postare, potrei anche capirlo... e poi, ti dico una cosa... se ti impegnavi / ti impegnassi (5) all'università così come ti impegni a scorrere le pagine Facebook, saresti già laureato e avresti un lavoro.

Grazie per il supporto, eh?!
Stai tagliando le ali a un futuro grande influencer!

4 Lavorate in coppia. Alcune coppie, a scelta, riassumono il dialogo di A1 con una frase di circa 10-15 parole, mentre le altre con due frasi di circa 15-20 parole. Poi, confrontate i vostri riassunti.

10-15/
15-20

5 Nel dialogo iniziale abbiamo visto "*Se più tardi sei al bar, magari passo a trovarti*", ora osservate e completate la tabella sul periodo ipotetico del 1° tipo.

Periodo ipotetico del *1° tipo*

Se oggi vai in palestra, vengo con te.

Se oggi andrai in palestra, verrò con te.

Il *presente* o il futuro semplice indicativo nella frase che esprime la condizione (che inizia con *se*)	Il presente o il *futuro semplice* indicativo nella frase che esprime la conseguenza

Il periodo ipotetico della **realtà** esprime un'ipotesi, nella condizione, reale o molto probabile.

6 Completate liberamente le frasi che seguono.

1. Se esce la nuova serie TV...
2. Se scarichi questa applicazione per la corsa...
3. Se ci sarà bel tempo questo fine settimana...
4. ...potremo partire anche domani.
5. ...non arrivano a teatro in tempo.
6. ...ti fa bene all'umore!

7 Sempre nel dialogo A1, Lorenzo dice:

Se studiassi tutto il giorno, avresti bisogno di staccare per un po'.

Completate la tabella sul periodo ipotetico del 2° tipo.

Periodo ipotetico del *2° tipo*

Se andassi in palestra, verrei con te.

L' *imperfetto* congiuntivo nella frase che esprime la condizione (che inizia con *se*)	Il *condizionale* presente nella frase che esprime la conseguenza

Il periodo ipotetico della **possibilità** esprime un'ipotesi, nella condizione, probabile ma non è sicuro che si realizzi.

8 a Completate il testo, coniugando i verbi tra parentesi.

Se mi *chiedessero* (1. *chiedere*) che libro vorrei essere *risponderei* (2. *rispondere*) un bel librone polveroso, lasciato lassù sull'ultimo scaffale della libreria, non perché brutto, bensì perché troppo difficile da capire. Se *fossi* (3. *essere*) un libro, *avrei* (4. *avere*) almeno quattrocento pagine, la copertina *sarebbe* (5. *essere*) grigia scura con qualche pennellata di rosso e di verde mare. Se *do* (6. *dare*) importanza ai colori non *è* (7. *essere*) un caso. In realtà, il mio desiderio sarebbe un altro, essere un quadro. E se *fossi* (8. *essere*) un quadro, *vorrei* (9. *volere*) essere dentro una cornice adeguata al soggetto, protetto da un vetro spesso e opaco che non riflette la luce ed esposto in una galleria o in una casa dove ci sono molti visitatori che si fermano davanti a me con le espressioni più varie. Bello. Mi piacerebbe proprio.

adattato da *www.illibro.it*

b In coppia, verificate le vostre risposte.

es. 1-5
p. 92

B Complimenti!

15
CD 2

1 Ascoltate i mini dialoghi e indicate in quali la reazione è positiva e in quali è negativa.

	positiva	negativa
1.	x	
2.	x	
3.	x	
4.		x
5.	x	
6.		x
7.		x
8.		x

15
CD 2

2 Ascoltate di nuovo e completate la tabella con le espressioni dei dialoghi.

Congratularsi - approvare

Congratulazioni !
Complimenti!
Che bravo/a!
Questa sì che è una bella idea!

Disapprovare

È assurdo !
Non è possibile !
Ma per favore !
Ma quando mai?!

3 Sei *A*: parla a *B*...

del nuovo cellulare che hai comprato

dello sciopero generale di domani

del torneo che hai vinto a calcetto con la tua squadra

Sei *B*: rispondi a quello che ti dice *A* con le espressioni appena ascoltate, poi parla ad *A*...

dell'esame all'università che hanno rimandato

della tua intenzione di rimanere a casa a vedere la TV

del nuovo video che hai postato su Instagram

4 Osservate e completate la tabella sul periodo ipotetico del 3° tipo.

Periodo ipotetico del *3° tipo*

Se fossi andato in palestra, sarei venuto con te.

Il *trapassato* congiuntivo nella frase che esprime la condizione *(che inizia con se)*

Il *condizionale* passato nella frase che esprime la conseguenza

Il periodo ipotetico dell'**impossibilità** esprime un'ipotesi improbabile, per questo irrealizzabile, che non può più diventare realtà perché si riferisce a una condizione passata.

5 Ora coniugate il verbo tra parentesi e completate le frasi.

1. Se mi ....*avessi avvisato*.......... (*avvisare* - tu), sarei venuto anche io alla riunione.
2. Se ieri fossi venuto con noi, ...*avresti conosciuto*......... (*conoscere* - tu) Daniela.
3. Se ....*avessimo prenotato*.... (*prenotare* - noi) ieri, avremmo trovato posto al ristorante.
4. Se avessi studiato abbastanza, ...*avresti superato*........ (*superare* - tu) l'esame senza problemi.

 6 Osservate la tabella e, in coppia, scrivete una frase simile.

Ipotesi al passato con conseguenza nel presente

Se non fossi andato in palestra, oggi non saresti così in forma.

Il *trapassato* congiuntivo nella frase che esprime la condizione *(che inizia con se)*

Il *condizionale* presente nella frase che esprime la conseguenza

Per un riepilogo e per vedere altre forme di periodo ipotetico, andate all'Approfondimento grammaticale a pagina 223.

es. 6-11
p. 95

C Non toglietemi lo smartphone!

 1 Osservate e commentate queste foto.

 2 Rispondete.

1. Quanto spesso usate lo smartphone durante la giornata e per fare cosa?

2. Secondo voi, fate un uso sano del cellulare? E i vostri amici?

3. Ormai gli smartphone sono indispensabili. Cosa provate quando non lo avete con voi?

4. Pensate, cosa vorreste o non vorreste fare con lo smartphone in futuro?

3 Leggete il testo e rispondete alle domande.

66 COSÌ MI SONO LIBERATA DA FACEBOOK

ROMA - Ho disattivato il mio account Facebook da oltre un mese. Dopo otto anni in cui, dei miei 900 amici, ho visto nascere i loro figli, morire i loro gatti, crescere i loro amori, ho condiviso gioie e dolori, alla fine ho scelto di smettere di guardare le foto delle loro vacanze e dei loro panini.

L'ho fatto perché di Facebook ero diventata dipendente. Dalla mattina - ancora nel letto - alla colazione, passando per il bagno. Poi in macchina, al lavoro, dopo il lavoro, durante l'aperitivo mentre l'amico parla e tu lo ascolti ma non lo guardi perché gli occhi sono incollati sulla pagina biancoblu, a cena, dopocena, al cinema, al concerto, a letto. Addormentarsi su Facebook. Come se fosse normale.

Ne ho parlato con gli amici e ho capito che non ero la sola ad avere il problema. Per noi, gente con più di trenta anni, senza figli, spesso senza lavoro, abbondante vita sociale e tanto tempo a disposizione, "scrollare" è diventato una dipendenza. E con scrollare intendo quel movimento del dito indice che accarezza verso l'alto lo schermo di un cellulare per visualizzare a cascata gli aggiornamenti dei principali social network.

Io il 4 agosto ho deciso e ho disattivato il mio account. Facebook mi ha chiesto perché e io ho risposto perché passavo troppo tempo online; lui mi ha suggerito che avrei potuto ridurre le notifiche, io gli ho detto che non mi interessava più; lui ha giocato la carta del senso di colpa mostrandomi le foto dei miei migliori amici e dicendomi che a loro sarei mancata, non ho vacillato e così io e Facebook ci siamo lasciati.

Da più di un mese non sono più su Facebook e non ne ho mai sentito la mancanza. Quando mi sveglio accendo la radio, faccio colazione e guardo fuori dalla finestra magari leggendo le mail e i messaggi che ora gli amici mi scrivono più numerosi, in bagno leggo una rivista e durante l'aperitivo riscopro quanto sono belli gli occhi verdi del mio amico. A cena, seduta davanti a Maria e Silvia le trovo entrambe intente a scrollare mentre parlo. Glielo faccio notare, si scusano e spero che presto possano tornare a guardarmi anche loro. La sera mi addormento leggendo un libro. Che belle le sere senza Facebook.

Da più di un mese mi diverte riscoprire il piacere di telefonare o andare a trovare gli amici ogni volta che avrei dovuto scrivergli un messaggio privato e mi emoziona ascoltare i racconti delle loro vacanze, immaginare spiagge e canoe, senza averli già visti fotografati sulle loro bacheche. C'è il timore di perdere il contatto con il virale e le nuove mode, di dimenticare il compleanno di Giulio, di venire a conoscenza con 48 ore di ritardo della morte dell'ultimo famoso. L'ho vissuto, ma la soddisfazione di essere fuori da una dipendenza che mi stava rendendo una versione peggiore di me stessa è più forte dell'emozione per l'invito al party più ambito della stagione.

Eppure qualcosa sento di averlo perso. Si tratta dell'effetto megafono, di quel passaparola veloce e intrusivo che solo un annuncio su Facebook può garantire. Così per trovare un monolocale per un amico ora mi tocca uscire di casa e parlare con i vicini, chiedere informazioni. Forse l'esito della ricerca non sarà così rapido e certo come quello di un post, ma nel percorso verso la mia informazione avrò stretto la mano a tre persone nuove.

adattato da inchieste.repubblica.it

1. Cosa pensate della scelta fatta dalla protagonista? In quali delle situazioni che descrive vi riconoscete?

2. Quali sono, secondo voi i pregi e i difetti dei social network? Motivate la vostra risposta.

 4 Vi piacciono i videogiochi? Ci giocate spesso o conoscete qualcuno che ci gioca? Secondo voi, quali sono gli aspetti positivi e negativi di questo passatempo? Discutetene insieme.

5 Quali di queste parole conoscete già? Riuscite a immaginare l'argomento del brano che ascolteremo?

dipendenza ❖ patologia ❖ rabbia
abuso ❖ terapia ❖ eccessivo

 6 Ascoltate il brano "Giovani e dipendenza da videogiochi" e indicate quale affermazione è vera o falsa.

	V	F
1. In vacanza i giovani non dovrebbero portare né tablet né computer.		X
2. Spesso i giovani chattano con sconosciuti.	X	
3. I giovanissimi sono soprattutto dipendenti da giochi violenti.	X	
4. La dipendenza dai videogiochi è la semplice dipendenza dalla rete.		X
5. I genitori dovrebbero conoscere i giochi usati dai figli.	X	
6. I genitori dovrebbero imparare a giocare meglio dei loro figli.		X

16
CD 2

7 Osservate la tabella su alcuni dei più importanti usi della particella *ci* e provate ad abbinarli alle funzioni che esprimono, come nell'esempio.

Usi di *ci*

Ci ha visto e ci ha salutato. ——— Pronome indiretto (a noi)

Ci regalò i biglietti per lo spettacolo. Avverbio di luogo

Mi ha detto una bugia e ci ho creduto. Pronome riflessivo

Ci prepariamo in 5 minuti! Pleonastico

Non ci vengo alla tua festa. Pronome diretto (noi)

A Matera? Ci vado domani. espressioni particolari (verbi pronominali)

Non ce la faccio più ad ascoltarti! a qualcuno/a qualcosa

Per una lista completa degli usi di ci *potete consultare l'Approfondimento grammaticale a pagina 224.*

es. 12-14
p. 98

D Sempre connessi

1 Leggete queste pagine web promozionali e poi individuate l'offerta migliore per ogni cliente.

1. **Caterina, 30 anni**, disoccupata, trascorre le sue giornate a leggere annunci di lavoro e a inviare il suo curriculum. Segue dei corsi online e si rilassa chiamando i suoi amici la sera. È alla ricerca di qualcosa di economico.

2. **Renato, 55 anni**, professore universitario di Filosofia, viaggia molto spesso in tutta Europa per tenere seminari e conferenze. È alla ricerca di una tariffa che gli permetta di poter inviare email, di fare videoconferenze e di poter vedere film durante i suoi viaggi. Il cinema, infatti, è la sua passione.

3. **Alessandra, 18 anni**, studentessa di liceo, ha tantissime passioni e vuole condividerle con i suoi amici. È alla ricerca di una tariffa economica ma che le permetta di essere sempre connessa per ascoltare musica, postare foto e storie sui social e guardare le sue serie tv preferite.

2 In gruppi. Scegliete un'offerta dell'attività precedente, create un poster pubblicitario con slogan e informazioni principali e presentatelo alla classe. Poi votate il migliore.

3 Osservate la tabella, poi abbinate gli esempi agli usi della particella *ne*.

Usi di *ne*

1. • Hai saputo di Gianni e Elisa? • No, non ne so niente. Racconta!
2. • È così grave la situazione? • Sì, e non sanno come uscirne.
3. • Quante mail inviate al giorno? • Poche, ma ne riceviamo moltissime.

| 3 | ne partitivo | 1 | di qualcosa/qualcuno | 2 | da un luogo/da una situazione |

Per una lista completa degli usi di ne, *consultate l'Approfondimento grammaticale a p. 225.*

4 Completate le frasi con *ci* o *ne*.

1. Mi ha offerto di lavorare nella sua azienda e gli ho risposto che ..... *ci* ..... penserò.
2. Le confesso che purtroppo di tecnologia non ..... *ne* ..... so molto.
3. Credevo che ..... *ci* ..... fosse anche lei a vedere l'ultimo spettacolo alla Scala.
4. Di cellulari ..... *ne* ..... avrò cambiati almeno una decina. Non ..... *ci* ..... credete?
5. Che bello cenare in giardino! Dovremmo approfittar ..... *ne* ..... di più, sai?
6. Michele ..... *ci* ..... ha convinti a fare l'esame il prossimo lunedì. Speriamo di riuscir ..... *ci* .....!

es. 15-16
p. 99

5 Tra gli strumenti tecnologici, sicuramente lo smartphone è quello che ci permette di fare più cose. Voi per quali scopi lo usate? Vi è mai capitato di guardare un film o la vostra serie preferita sul cellulare? Confrontatevi e parlate di com'era il vostro primo cellulare e di com'è invece oggi. Quali sono le innovazioni tecniche che più apprezzate nel vostro ultimo smartphone?

6 Leggete i testi (A e B) e poi indicate a quale dei due si riferiscono le affermazioni sotto.

	A	B
1. C'è un incremento degli spettatori nelle sale.	X	
2. I film che vengono distribuiti arrivano in poche sale e per poco tempo.		X
3. Le piattaforme come Netflix non offrono solo streaming ma producono anche film.	X	
4. I film pensati per piattaforme di streaming non sono adatti al grande schermo.		X
5. Netflix permette di realizzare film che alcuni produttori non vorrebbero produrre.	X	
6. C'è chi crede che non sia giusto far partecipare agli Oscar i film offerti in streaming.		X
7. I guadagni di Netflix provengono dagli abbonamenti.		X

A

La tesi che Netflix o altre piattaforme di streaming uccidano il cinema in realtà è stata smentita da alcuni studi realizzati da *EY's Quantitive Economics e Statistics* sulla relazione tra la frequenza nelle sale e lo streaming.

I risultati mostrano che coloro che guardano abitualmente contenuti in streaming, sono anche tra le persone che vanno al cinema con più frequenza. Quindi Netflix non determina la diminuzione di persone nelle sale.

Al contrario, pare che il numero di persone che vanno al cinema sia aumentato. L'anno scorso, infatti, c'è stato un aumento del 5% sul numero di biglietti venduti. Inoltre, l'analista Micheal Pachter, ha affermato che, secondo le sue stime, il numero dovrebbe aumentare ancora dell'1% quest'anno, stabilendo un nuovo record.

Un ulteriore motivo per cui Netflix non sia un pericolo per il cinema non si basa su dati statistici, ma è un dato oggettivo.

Netflix non è più una semplice piattaforma di streaming che distribuisce contenuti ma adesso produce e investe cifre esorbitanti per offrire film e serie tv di qualità.

A questo proposito, Edward Norton ha lodato Netflix proprio perché ha deciso di produrre un film in bianco e nero e interamente in lingua spagnola, in cui probabilmente nessun produttore cinematografico avrebbe mai investito.

B

Ci sono alcuni elementi per cui la piattaforma di streaming Netflix, come altre piattforme, può essere considerata deleteria per l'industria del cinema.

In primo luogo, non tutti i film prodotti da Netflix sono distribuiti poi in sale cinematografiche. Inoltre, quelli che vengono distribuiti, sono disponibili in cinema selezionati per un periodo di tempo limitato.

Christopher Nolan è convinto della pericolosità delle piattaforme di streaming. Il regista e produttore britannico, infatti, ritiene che un film adatto al formato televisivo non possa essere considerato al pari dei film prodotti dai grandi studi cinematografici. Di conseguenza, se un film viene distribuito per un periodo limitato nelle sale non dovrebbe nemmeno poter essere candidato agli Oscar.

Una sottile differenza, che però – per Nolan – è determinante per capire cos'è vero cinema e cosa non lo è.

Tutte le piattaforme streaming sono un grande cambiamento nell'industria cinematografica. Gli *studios* attualmente guadagnano dalla distribuzione dei film in sala. Netflix non ha bisogno di sfondare il botteghino per generare profitto perché guadagna grazie agli abbonati che gli consentono di avere un'entrata più o meno fissa. Quest'entrata, però viene completamente spesa per i contenuti. Infatti, per mantenere stabile il numero di abbonati è necessario avere continuamente contenuti in arrivo.

adattati da *www.ciackclub.it*

7 Fate un unico riassunto dei due testi che avete letto, includendo gli aspetti positivi e quelli negativi delle piattaforme di streaming. Poi discutete con i compagni ed esprimete la vostra opinione riguardo al tema.

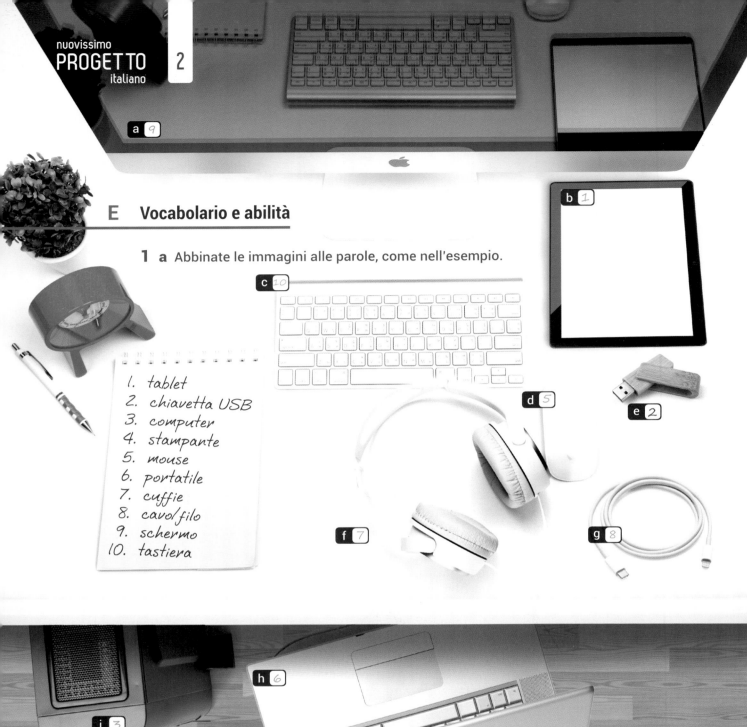

E Vocabolario e abilità

1 a Abbinate le immagini alle parole, come nell'esempio.

1. tablet
2. chiavetta USB
3. computer
4. stampante
5. mouse
6. portatile
7. cuffie
8. cavo/filo
9. schermo
10. tastiera

b Lavorate in coppia. Completate le frasi con le parole date e abbinatele alle immagini.

cartella ❖ batteria ❖ pagine web ❖ tasti
app (applicazione) ❖ email

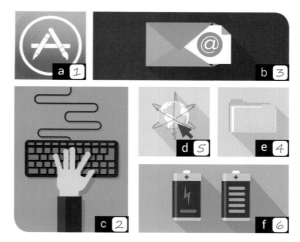

1. Questa _app (applicazione)_ per organizzare il programma quotidiano è fantastica!

2. Per copiare un testo con la tastiera, prima lo seleziono e poi premo i ...._tasti_.............. Ctrl + C.

3. Ieri ho ricevuto un'.............._email_.............. da Stefania, erano mesi che non mi scriveva!

4. I file del progetto sono tutti nella ...._cartella_.............. che si chiama "ufficio".

5. Queste ...._pagine web_.............. le ha create Massimo, te lo dicevo che è veramente in gamba.

6. La ...._batteria_.............. di questo cellulare si scarica subito, ormai è da sostituire.

2 Obbligo-verità

Tutti i giocatori si dispongono in cerchio. Un giocatore (che chiamiamo "primo giocatore") sceglie un altro giocatore ("secondo giocatore") e gli chiede di rispondere a una domanda di questo tipo: *"Cosa faresti se...?"*.

Il secondo giocatore deve rispondere prima di tutto in modo sincero, se risponde anche in modo corretta guadagna 2 punti e ne toglie 1 al primo giocatore che ha formulato la domanda. Se risponde in maniera errata perde 1 punto e ne fa guadagnare 1 al primo giocatore.

Se si rifiuta di rispondere, perché non vuole dire la verità, dovrà fare un "obbligo" deciso sempre dal primo giocatore (ad esempio, *Scrivi alla lavagna il congiuntivo del verbo "supporre"*, *Trova due sinonimi della parola "bello"*, ecc.).

Se alla domanda "obbligo" risponde correttamente vince 1 punto, se risponde in maniera errata ne perde 1 e ne fa guadagnare 1 al primo giocatore che ha formulato la domanda "obbligo". In ogni caso, il turno passa al secondo giocatore che a sua volta sceglie un terzo giocatore e il gioco continua.

Il gioco potrebbe finire quando hanno giocato tutti e lo scopo è fare quanti più punti possibile. Buon divertimento!

17 **3 Ascolto** Quaderno degli esercizi (p. 103)
CD 2

4 Situazioni

1. **A**: ti sei appena trasferito in Italia e vuoi comprare una scheda SIM italiana. Entri in un negozio di telefonia e chiedi informazioni.
   B: Sei il/la commesso/a di un negozio di telefonia e devi aiutare **A** a scegliere l'offerta più adatta a lui/lei. Puoi utilizzare le informazioni dell'attività D1 a pagina 125.

2. **A**: stai viaggiando in treno e il passeggero seduto accanto a te, che è **B**, decide di guardare tutti gli episodi della sua serie preferita sul suo smartphone, ma senza cuffie o auricolari. Fagli capire che ti sta disturbando.
   B: rispondi ad **A** ed esprimi il tuo punto di vista.

120-140 **5 Scriviamo**

1. Nonostante tu abbia pagato regolarmente l'abbonamento mensile a una piattaforma di streaming, il tuo profilo non funziona e ti appare un messaggio di errore che ti invita a pagare nuovamente. Scrivi un'email al servizio clienti per spiegare il tuo problema e per chiedere assistenza.

2. "La tecnologia dovrebbe migliorare la tua vita, non diventare la tua vita." Rifletti su questa affermazione e spiega, secondo te, qual è il rapporto che abbiamo con la tecnologia al giorno d'oggi e quali conseguenze ne derivano.

 es. 17-21 Test finale
p. 101   p. 190

Leonardo da Vinci (1452-1519)

Uno dei personaggi italiani più famosi al mondo: non è stato solo un grande pittore, ma anche scrittore, scenografo, architetto, scienziato, un precursore* dei tempi. Le sue opere di ingegneria e le sue innumerevoli invenzioni* ne sono la prova.

Sopra uno dei tanti progetti di macchine idrauliche di Leonardo, ma anche la bicicletta e una ricostruzione dell'automobile che ideò.

L'ITALIA E LA SCIENZA

1 Leggete il testo e associate ogni scienziato alla sua invenzione.

Molti sono gli scienziati italiani che, con invenzioni e scoperte, hanno dato il loro contributo al progresso dell'umanità. Vediamo i più famosi:

Galileo Galilei (1564-1642)

È stato il fondatore del metodo scientifico sperimentale*. Tra le sue invenzioni ricordiamo il termoscopio*, il compasso*, il microscopio* e il perfezionamento del telescopio*. Grazie a quest'ultimo ha potuto scoprire i satelliti di Giove e le macchie solari.

Occupandosi di astronomia, Galilei sosteneva la teoria di Copernico, secondo la quale è la Terra a girare intorno al Sole e non il contrario, come invece sosteneva la Chiesa in quei secoli. Infatti, per evitare la condanna della Chiesa, Galilei ha dovuto rinnegare* pubblicamente le sue teorie.

Alessandro Volta (1745-1827)

Dal suo nome deriva il Volt, l'unità di misura dell'elettricità. Nel 1779, insegna Fisica sperimentale all'Università di Pavia ed è già conosciuto per l'invenzione dell'elettroforo, uno strumento che serviva per accumulare* cariche elettriche*. Ma è del 1800 la sua grande invenzione: la batteria elettrica, che ha dato inizio all'uso pratico dell'elettricità.

Antonio Meucci (1808-1889)

Nel 1863 ha costruito un apparecchio telefonico, usando la tecnica di trasmissione della voce che usiamo ancora oggi. Purtroppo non aveva i soldi né per brevettare* né per produrre la sua invenzione. Dopo aver combattuto una lunga battaglia legale contro Graham Bell, che aveva registrato nel frattempo il brevetto di un apparecchio simile a quello di Meucci, è morto in povertà. Nel 2002 però anche il Congresso americano ha finalmente riconosciuto Meucci come l'inventore del telefono.

Guglielmo Marconi (1874-1937)

È stato il primo a intuire la possibilità di utilizzare le onde elettromagnetiche per trasmettere messaggi a distanza senza l'uso di fili. Nel 1896 ha brevettato il suo apparecchio trasmittente (una specie di radio) e l'anno seguente è riuscito a trasmettere segnali a una nave ad oltre 15 km di distanza. Negli anni successivi ha realizzato altri impressionanti esperimenti, come il primo collegamento radiotelegrafico attraverso l'Oceano Atlantico, e nel 1909 ha ottenuto il premio Nobel per la Fisica.

Con le sue invenzioni, Marconi ha cambiato il mondo ed è giustamente considerato il "padre" delle telecomunicazioni.

1. Alessandro Volta ❖ 2. Galileo Galilei
3. Guglielmo Marconi ❖ 4. Antonio Meucci

Alcuni Nobel italiani in campo scientifico

Enrico Fermi ha ricevuto il Nobel per la Fisica nel 1938 per la scoperta della radioattività artificiale. Partecipò alla creazione della prima bomba atomica.

Giulio Natta ha ricevuto il Nobel per la Chimica nel 1963 insieme a Karl Ziegler per la scoperta del propilene isotattico (Moplen), cioè la plastica leggera di molti utensili quotidiani.

Rita Levi-Montalcini ha ricevuto il Nobel per la Medicina nel 1986 per le sue scoperte sul sistema nervoso, utili per la cura di malattie come l'Alzheimer.

2 Ci sono stati degli scienziati o inventori famosi nel vostro Paese? In piccoli gruppi, fate una ricerca e poi presentate le informazioni ai vostri compagni.

Attività online

Glossario. *precursore*: chi anticipa nel tempo idee e scoperte; *invenzione*: oggetto ideato, progettato, creato e che prima non esisteva; *sperimentale*: detto di un metodo che si basa sull'esperienza e sugli esperimenti; *termoscopio*: strumento capace di indicare, ma non di misurare, un cambiamento di temperatura in un corpo; *compasso*: strumento usato per disegnare circonferenze o per misurare brevi distanze; *microscopio*: *strumento capace di ingrandire oggetti molto piccoli, che non si vedono ad occhio nudo*; *telescopio*: strumento per vedere oggetto molto lontani; *rinnegare*: non riconoscere più un'idea, una teoria, una fede in cui si credeva; *accumulare*: raccogliere in gran quantità; *carica (elettrica)*: quantità di elettricità contenuta in un corpo; *brevettare*: avere il brevetto, cioè un documento ufficiale che riconosce a una persona la proprietà di un'invenzione e il diritto di sfruttarla.

Che cosa ricordi delle unità 7 e 8?

1 Sai...? Abbina le due colonne.

1. fare un'ipotesi realizzabile
2. presentare un fatto come facile
3. fare una domanda indiretta
4. fare un'ipotesi impossibile
5. disapprovare

5 a. *Vogliono 400 euro di caparra? Ma per favore!*
2 b. *L'esame... è stato facile alla fine!*
4 c. *Se avessi comprato la moto, avrei fatto un viaggio in Puglia.*
1 d. *Se chiami alle 13, ti risponderà Marzia.*
3 e. *Mi chiedo chi abbia scritto una cosa così.*

2 Abbina le frasi. Attenzione, nella colonna a sinistra c'è una frase in più.

1. Marta non sa scaricare il programma.
2. Credevo che in Italia
3. Non è possibile!
4. Se mi portasse il software
5. Complimenti, come avete fatto?
6. Ricordate Chiara?

3 a. Hanno bocciato Anna all'esame.
4 b. potrei installarlo sul tuo PC.
6 c. Ci ha invitato a casa sua in montagna.
1 d. È assurdo... è così facile!
2 e. producessero più energia solare.

3 Completa.

1. Il più grande vulcano attivo in Europa: *Etna*
2. Il "padre" delle telecomunicazioni: *Guglielmo Marconi*
3. *Ci* può sostituire vari tipi di pronomi, scrivine tre: *riflessivo* *diretto* *indiretto*
4. Il congiuntivo trapassato di *essere* (*noi*): *noi fossimo stati*
5. Nome del luogo dove tengo tutti i miei file: *cartella*

4 Scrivi i verbi o i nomi derivati.

1. installazione *installare*
2. connettersi *connessione*
3. stampare *stampante*
4. riciclaggio *riciclare*
5. spreco *sprecare*
6. inventare *invenzione*
7. salvaguardare *salvaguardia*

Controlla le soluzioni a pagina 194.
Sei soddisfatto/a?

Duomo di Amalfi, Campania

Per cominciare...

1 In coppia, fate gli abbinamenti e poi discutete con i compagni: quale di queste opere e di questi artisti vi piace di più? Perché?

b [5]

c [4]

a [8]

1. **Caravaggio**, *Ragazzo con il liuto* (XVI sec.); 2. **Leonardo da Vinci**, *La Gioconda* (XVI sec.); 3. **Michelangelo**, *Il Giudizio Universale* (XVI sec.); 4. **Tiziano**, *Donna allo specchio* (XVI sec.); 5. **De Chirico**, *Mistero e malinconia di una strada* (XX sec.); 6. **Botticelli**, *La Primavera* (XV sec.); 7. **Giotto**, *Ultima Cena* (XIV sec.); 8. **Raffaello**, *La scuola di* Atene (XVI sec.)

18 CD 2

2 Ascoltate il dialogo. Quali artisti del punto precedente avete sentito nominare?

18 CD 2

3 Ascoltate di nuovo e indicate le affermazioni corrette.

1. Michela vuole:
   - ☐ a. rilassarsi insieme a Gianna facendo un quiz sull'arte;
   - ☒ b. testare le conoscenze sull'arte di Gianna;
   - ☐ c. aiutare Gianna a prepararsi per un esame sull'arte;
   - ☐ d. fare un quiz online sull'arte per vincere un premio.

2. *La Gioconda* di Leonardo da Vinci:
   - ☐ a. rappresenta una scena della Madonna con Cristo;
   - ☐ b. è stata sostituita con una copia;
   - ☒ c. è stata rubata e ritrovata;
   - ☐ d. è esposta in un museo inglese.

3. Caravaggio è stato:
   - ☐ a. il più grande pittore del Sedicesimo secolo;
   - ☐ b. un pittore del Rinascimento;
   - ☒ c. un grande artista del 1600;
   - ☐ d. un artista contemporaneo a Botticelli.

4. Gianna:
   - ☐ a. non vuole chiedere aiuto a Lorenzo;
   - ☐ b. ha vinto 300 euro al quiz;
   - ☐ c. è vittima di uno scherzo di Michela;
   - ☒ d. deve comprare un quadro e una cornice.

In questa unità impariamo...	• *a riportare una notizia di cronaca* • *a confermare e chiedere conferma* • *a leggere e interpretare un'opera d'arte* • *a parlare di arte* • *a dare istruzioni e vietare in modo formale* • *alcuni proverbi italiani*	• *la forma passiva* • *il si passivante* • *alcune informazioni e curiosità sui musei, le opere d'arte e gli artisti italiani*

A   Cos'è, un quiz sull'arte?

1 Leggete il dialogo e verificate le risposte all'attività precedente. Poi completate gli spazi. Le soluzioni sono nella pagina accanto.

Michela: Gianna, vieni che facciamo insieme questo quiz!

Gianna: Cos'è, un quiz sull'arte? Perché no? Vai.

Michela: Allora... La statua di *David* di Michelangelo in Piazza della Signoria a Firenze è una copia. Dove è esposto l'__originale__ (1)?

Gianna: Facile, nell'Accademia, no?

Michela: Esatto, brava. Due: nel 1911 un famosissimo dipinto è stato rubato dal Louvre ed è stato ritrovato solo dopo due anni. Di quale opera si tratta?

Gianna: *La Gioconda* di Leonardo da Vinci. E la rubò un italiano, se non sbaglio.

Michela: Ma tu sei proprio brava. Prossima __domanda__ (2).

Gianna: Ma... rispondo solo io?

Michela: Eh, sì, vediamo quanti punti farai. Quante persone vengono raffigurate nel *Cenacolo*?

Gianna: Beh, 13: Cristo e i 12 apostoli.

Michela: Sì, questa era facile. Quarta domanda: viene chiamato Barocco il periodo artistico __prima__ (3) o dopo il Rinascimento?

Gianna: Dopo credo.

Michela: Esatto, 4 punti, mi sa che mi batterai. Quinta e ultima domanda: quale di questi artisti è considerato il più grande pittore del '600? a. Raffaello, b. Caravaggio o c. Botticelli?

Gianna: Beh, solo Caravaggio è del '600, no?

Michela: Brava, hai __superato__ (4) la prova!

Gianna: Quale prova, il quiz!

Michela: Veramente era una prova: dovevo selezionare la persona che andrà a comprare un __quadro__ (5) per l'ufficio del direttore! Sei stata selezionata!

Gianna: Ahaha, mi sento onorata. Cosa devo fare?

Michela: Scegliere un dipinto italiano del Rinascimento o del Barocco e una cornice. Hai 300 euro a __disposizione__ (6).

Gianna: Bene, mi piace. Magari mi faccio aiutare da Lorenzo.

Michela: Ah, si intende di arte?

Gianna: Ma no, nel caso il quadro fosse pesante!

2 Trovate i derivati delle parole date, seguendo i suggerimenti tra parentesi.

1. dipinto: (verbo) .....*dipingere*.....
2. collezione: (verbo) .....*collezionare*.....
3. mostrare: (sostantivo) .....*mostra*.....
4. scultore: (sostantivo) .....*scultura*.....
5. affrescare: (sostantivo) .....*affresco*.....
6. artista: (aggettivo) .....*artistico*.....
7. copiare: (sostantivo) .....*copia*.....

3 Leggete ora l'articolo sul furto de *La Gioconda* avvenuto nel 1911, di cui parla Michela nel dialogo iniziale. Completate il testo con i verbi che seguono.

era stato rubato ❖ sono ospitati ❖ sono stati portati ❖ sono sospettati ❖ è stato dato ❖ era stato messo

IL MATTINO

Anno XXI = N. 132

ABBONAMENTI MATTINO

(EDIZIONE DELLA NOTTE)

La Gioconda è stata rubata!

Secondo le fonti della polizia francese, l'allarme .....*è stato dato*..... (1) ieri mattina dal pittore francese Louis Béroud, che era andato al Louvre proprio per realizzare una copia del celebre quadro di Leonardo da Vinci.

Doveva essere una normale giornata di lavoro per l'artista Louis Béroud, che si era recato al Louvre, durante il giorno di chiusura, per copiare uno dei capolavori che .....*sono ospitati*..... (2) nel museo parigino. Ieri mattina era il turno della Monna Lisa, l'affascinante donna ritratta da Leonardo da Vinci. Il pittore ha però trovato davanti a sé una cornice vuota, senza il famoso quadro. All'inizio l'artista e il signor Poupardin, il guardiano che .....*era stato messo*..... (3) in allarme proprio da Béroud, hanno pensato che il quadro fosse in uno studio fotografico, autorizzato dal museo. Ma, dopo un controllo, si sono accorti che effettivamente il quadro .....*era stato rubato*..... (4).

La polizia francese ha iniziato subito le ricerche: i guardiani e gli operai, che lavorano nel museo, ...*sono stati portati*..... (5) già in caserma e vengono interrogati proprio in queste ore. Persino due grandi artisti, Guillaume Apollinaire e Pablo Picasso, ...*sono sospettati*..... (6) e potrebbero essere accusati del furto a causa di alcune dichiarazioni fatte in passato.

80

4 Secondo voi, come è finita la storia (vera) del furto de *La Gioconda*? Usando la vostra fantasia, scrivete la seconda parte della vicenda. Poi controllate su internet se il vero finale corrisponde al vostro.

5 Rileggete il dialogo A1 e individuate i verbi alla forma passiva. A quale tempo verbale sono coniugati: passato, presente, futuro? E i verbi incontrati nell'articolo in A3?

1. originale, 2. domanda, 3. prima, 4. superato, 5. quadro, 6. disposizione

6 Osservate e completate la tabella.

La forma passiva

| Forma attiva: | Il ladro | ruba | un dipinto. |
| Forma passiva: | Un dipinto | è rubato | dal ladro. |

Attiva	Passiva
Gli spettatori guardano la mostra.	La mostra *è/viene guardata* dagli spettatori.
Giorgione .... *ha dipinto* .... *La tempesta*.	*La tempesta* è stata dipinta da Giorgione.
Tutte le domeniche i miei zii offrivano sempre il dolce.	Tutte le domeniche, il dolce *era/veniva offerto* dai miei zii.

Usiamo la costruzione passiva, solo con i verbi transitivi, quando vogliamo dare importanza all'azione (*un dipinto è rubato*) e non a chi la compie (*il ladro*).

Per fare la forma passiva:

- l'oggetto dell'azione diventa il soggetto e il soggetto diventa l'agente, cioè chi compie l'azione
- il verbo è composto dall'ausiliare *essere* o *venire* (coniugati al tempo del verbo attivo) + il *participio passato*

Attenzione! Possiamo usare l'ausiliare *venire* **solo** con i tempi semplici:

Es. Molti leggerebbero l'articolo. ➡ L'articolo verrebbe letto da molti.

Per i pronomi diretti alla forma passiva, consultate l'Approfondimento grammaticale a pagina 226.

7 Completate le frasi mettendo il verbo tra parentesi alla forma passiva.

1. La notizia (*pubblicare*) ieri su tutti i social network italiani. *è stata pubblicata*
2. Questa mostra (*organizzare*) a Palazzo Strozzi a Firenze il prossimo anno. *sarà/verrà organizzata*
3. A Ferrara, la bicicletta (*usare*) da moltissimi cittadini. *è/viene usata*
4. Le auto elettriche (*comprare*) da molte più persone, se costassero meno. *sarebbero comprate*
5. Roberto spera che il libro (*pubblicare*) da una grande casa editrice. *sia/venga pubblicato*

8 Create una frase usando le seguenti parole. Attenzione, le parole non sono in ordine.

1. casa | ristrutturare | prossima primavera
2. vendere | opere d'arte | collezionista | Antonio | un mese fa
3. a livello internazionale | condurre | Interpol | indagine
4. inaugurazione | critico d'arte | invitare | qualche giorno fa
5. quadro | esporre | Galleria Borghese | questa settimana

es. 1-7
p. 106

B   Vietato non amare l'arte

1 Ascoltate i mini dialoghi e abbinateli alle foto. Attenzione c'è un mini dialogo in più!

1 d

2 b

3 c

4 e

2 Ascoltate di nuovo e completate la tabella con alcune espressioni che avete ascoltato.

Confermare	Chiedere di confermare
Non c'è dubbio, è certo!	È vero che...?
Ti/Le posso garantire che...	Ma _veramente_...?
Lo so bene/perfettamente!	Mi segui/segue?
È sicuro che...!	Davvero...?
Le/_Ti assicuro_ che...	Sul _serio_...?
Non scherzo...!	È (tutto) chiaro?
È noto!	Scusa/Scusi, ha detto...?

3 A coppie. Scrivete due mini dialoghi con le espressioni viste nell'attività precedente.

....

....

....

4 Osservate la tabella.

La forma passiva con *dovere* e *potere*

Tutte le opere dovranno essere esposte il giorno prima dell'inaugurazione della mostra.
Un grande capolavoro deve essere ammirato da tutti.
Un quadro d'autore non può essere comprato da tutti, perché spesso costa molto.

Con i verbi modali non è possibile usare l'ausiliare *venire*, ma usiamo:
verbo modale + ausiliare *essere* all'infinito + participio passato

5 Completate le frasi.

1. Mi raccomando Marco, il pacco (*dovere inviare*) entro oggi. *deve/dovrà essere inviato*
2. Questo quadro (*potere dipingere*) con delle tonalità di colore più scure. *poteva essere dipinto*
3. I Musei Vaticani non (*potere visitare*) in sole due ore. *possono essere visitati*
4. Quest'opera d'arte non (*potere vendere*) per così poco! *può/poteva essere venduta*

es. 8-11
p. 108

6 Leggete il testo e le didascalie delle immagini e indicate le affermazioni presenti.

MICHELANGELO BUONARROTI

È uno dei più grandi artisti di tutti i tempi. Nasce a Caprese nel 1475. Dopo le prime opere si trasferisce a Roma dove, nel 1500, scolpisce la *Pietà* che può essere ammirata in San Pietro in Vaticano. Tornato a Firenze, dipinge *La sacra famiglia* (Uffizi) e scolpisce il *David*, allora collocato in Piazza della Signoria mentre oggi l'originale si trova nell'Accademia. Nel 1508 Michelangelo comincia a realizzare l'affresco della Cappella Sistina. Con gravi problemi alla vista, a causa delle difficili condizioni di lavoro, nel 1512 termina il lavoro e l'anno dopo scolpisce un'altra statua importante nella sua produzione, il *Mosè*, che si trova in San Pietro in Vincoli. Dopo un altro soggiorno a Firenze, nel 1534 torna a Roma dove, fino al 1541, lavora all'affresco del *Giudizio Universale* sempre nella Cappella Sistina. Nell'ultima fase della sua vita si dedica soprattutto all'architettura, con la progettazione di Piazza del Campidoglio, oggi sede del Comune di Roma, e l'edificazione della cupola di San Pietro. Muore nel 1564 a Roma.

Gli affreschi della volta della Cappella Sistina dopo il restauro (durato molti anni e costato parecchi milioni di euro): uno dei più grandi capolavori artistici di tutti i tempi. Tra le figure e gli episodi biblici si possono osservare Il peccato originale *(1) e, più in basso,* La creazione dell'uomo *(2).*

Il restauro del Giudizio Universale ha fatto riemergere dopo cinque secoli gli autentici e vivaci colori usati dal grande maestro. L'opera rappresenta la fine del mondo e la condanna definitiva dei peccatori che si trovano intorno a Dio.

- ☐ 1. Il talento di Michelangelo fu riconosciuto molto presto.
- ☒ 2. Il lavoro nella Cappella Sistina gli provocò problemi di salute.
- ☐ 3. Preferiva scolpire statue piuttosto che dipingere.
- ☐ 4. Il *David* è la sua opera più importante.
- ☐ 5. Concluse gli affreschi della Cappella Sistina in circa vent'anni.
- ☒ 6. Fu l'architetto della famosa cupola di San Pietro.
- ☒ 7. I soggetti delle sue opere erano soprattutto religiosi.
- ☐ 8. L'ultimo restauro della Cappella Sistina è durato cinque anni.

C   Opere e artisti

1 Roma è famosa anche per le sue fontane. Nelle foto sotto abbiamo le più visitate dai turisti. Sapete come si chiamano? Ascoltate il brano e verificate le vostre risposte.

Fontana di Trevi   *Fontana della Barcaccia*   *Fontana dei Quattro Fiumi*

2 Ascoltate il brano e completate le affermazioni (massimo quattro parole).

1. I lavori, su progetto di Nicola Salvi, *terminarono infatti nel 1762*.

2. Una celebre tradizione vuole che porti fortuna lanciare una moneta nella fontana, perché in questo modo si *tornerà sicuramente nella città*.

3. Il Papa potè finanziare la fontana disegnata da Bernini grazie ad alcune *impopolari tasse sul pane*.

4. Il gigante che rappresenta il Rio della Plata è stato raffigurato con il braccio alzato *a protezione della testa*.

5. La fontana della Barcaccia, in piazza di Spagna, è la meno appariscente *delle fontane barocche*.

6. Bernini progettò una vecchia barca semiaffondata, una "barcaccia", che giace *in una bassa vasca*.

3 Rispondete alle domande.

1. Perché è famosa la Fontana di Trevi? *Perché la troviamo nel celebre film La dolce vita di Fellini.*
2. Dove si trova la Fontana dei Quattro Fiumi? *Si trova al centro di Piazza Navona.*
3. Cosa hanno in comune la Fontana dei Quattro Fiumi e la Barcaccia? *Sono entrambe del Bernini.*

4 Osservate la tabella e poi riformulate le frasi che seguono, cambiando le parti evidenziate.

La forma passiva con il verbo *andare*

Questo problema va risolto subito.	=	Questo problema deve essere risolto subito.
I rifiuti vanno riciclati.	=	I rifiuti devono essere riciclati.

Consultate l'Approfondimento grammaticale a pagina 226.

1. La legge deve essere rispettata da tutti.
2. Il portone del condominio deve essere chiuso a chiave dopo le 22:00.
3. Le tasse devono essere pagate entro il 30 giugno.
4. I bambini devono essere accompagnati dai genitori.
5. Questi pacchi dovevano essere spediti ieri. Perché sono ancora qui?

es. 12-14 p. 110

5 Leggete la biografia di Gian Lorenzo Bernini. Poi ascoltate il brano. Quale opera descrive?

Gian Lorenzo Bernini (Napoli 1598 - Roma 1680) è considerato uno dei più grandi artisti italiani di sempre e uno dei massimi esponenti del Barocco. Insieme al padre Pietro, anche lui famoso scultore, si trasferisce a Roma dove conosce le famiglie più potenti dell'epoca, che gli affidano la realizzazione di varie opere scultoree. Nel 1623 Maffei Barberini, mecenate dell'artista, diventa Papa e da allora a Bernini vengono affidati anche importanti progetti architettonici e urbanistici. Alla morte di Papa Urbano VIII, Bernini incontra delle difficoltà dovute alla poca simpatia che il nuovo Papa, Innocenzo X, prova per le persone vicine al suo predecessore. Ma, grazie alla sua arte, l'artista riesce comunque a farsi apprezzare e a "trasformare"

Apollo e Dafne, Roma

e impreziosire Roma. Tra le sue opere più famose ricordiamo numerose sculture, tra cui *Apollo e Dafne*, il *Ratto di Proserpina*, l'*Estasi di Santa Teresa*, il baldacchino all'interno della Basilica di San Pietro e il colonnato di Piazza San Pietro, la *Fontana dei Quattro Fiumi* e le statue che decorano il ponte di Castel Sant'Angelo.

Si descrive la scultura "Apollo e Dafne"

6 Riascoltate il brano e indicate se le affermazioni sono vere (V) o false (F).

CD 2

	V	F
1. Bernini realizzò la scultura quando era giovane.	X	
2. Lo scultore non è mai stato soddisfatto del risultato, nemmeno 40 anni dopo.		X
3. Bernini, per il soggetto della scultura, si ispirò a Ovidio.	X	
4. Apollo era stato colpito da Eros da una freccia di piombo e si era innamorato di Dafne.		X
5. Dafne non ricambiava l'amore di Apollo.	X	
6. L'opera rappresenta la scena della trasformazione di Dafne in una pianta di alloro.	X	
7. L'iscrizione alla base della scultura indica il nome dell'autore e la data di realizzazione dell'opera.		X

D Che belle mostre! Ci andiamo?

 1 In coppia. Osservate le locandine di queste mostre e rispondete alle domande.

La mostra è sospesa. Si invitano gli interessati a seguire la pagina Facebook del Museo Civico Archeologico di Bologna.

1. Se si segue una conferenza a quale mostra andiamo?
2. Cosa viene rappresentato nelle fotografie della mostra di Milano?
3. Se si incontrano gli artisti a quale mostra si va?
4. Dove e a che ora si tiene l'inaugurazione della mostra su Mantegna? Cosa ha di particolare questa mostra?
5. Perché seguire la pagina Facebook del Museo Civico Archeologico di Bologna?

2 Completate la tabella.

Il *si* passivante

Nei musei italiani vengono fatte molte mostre.	➜	Nei musei italiani si fanno molte mostre.
Ogni giorno sono postate milioni di foto.	➜	Ogni giorno ...... *si postano* ...... milioni di foto.
I giornali vengono letti sempre meno.	➜	I giornali si leggono sempre meno.
In futuro saranno usate di più le auto elettriche.	➜	In futuro ...... *si useranno* ...... di più le auto elettriche.

Il *si* passivante è una forma passiva impersonale ed è spesso preferibile quando non sappiamo chi compie l'azione. Il verbo (*si useranno*) ha sempre un soggetto (*le auto*) con cui concorda.

Per ulteriori spiegazioni, consultate l'Approfondimento grammaticale a pagina 227.

3 Abbinate le frasi di sinistra con quelle di destra, come nell'esempio.

1. Per questo lavoro
2. Grazie al commercio online, la spesa
3. In Italia, si producono
4. Ci sarebbe meno inquinamento
5. Ormai quasi tutti i musei

5	a. si possono visitare online.
4	b. se si prendessero i mezzi pubblici.
2	c. si fa su internet.
3	d. moltissimi tipi di verdura e frutta.
1	e. si richiede la conoscenza di due lingue.

es. 15-16
p. 112

 22
CD 2

4 Ascoltate i mini dialoghi e completate la tabella.

Dare istruzioni	Vietare in modo formale
Si avvisa... / Si avvisano... ...... *Siete pregati di* ...... *Si pregano...* ...... *Preferirei* ...... *che...*	...... *È severamente vietato* .... *Non è permesso* ......

Mostra di Arte povera al Colosseo Quadrato

 5 A coppie. Inventate due mini dialoghi con queste espressioni.

6 Osservate le prime due frasi e completate le altre due.

Il *si* passivante nei tempi composti

Se si fosse costruito un altro parcheggio vicino alla stazione della metro, sarebbe stato meglio.

Questi ottimi risultati si sono ottenuti dopo molte prove con l'orchestra.

In Italia non (*investire*) si ...... *sono* ...... mai ...... *investiti* ...... abbastanza soldi nella ricerca e nell'università.

Per vincere il campionato, (*dovere*) si ...... *sono dovute* ...... vincere molte partite, anche difficili.

Consultate l'Approfondimento grammaticale a pagina 227.

es. 17-19
p. 112

E L'arte prende vita

1 a Leggete e completate il testo. Scegliete una delle proposte di completamento.

Il protagonista di questo racconto ha convinto Liana, la compagna di un suo amico, che lavora come guardiana al Louvre, a farlo entrare di nascosto nel Museo perché pare che, quando i turisti non ci sono, i quadri si "animino" e inizino a parlare tra di loro.

Dopo l'orario di chiusura andammo, con un taxi, al Museo e, giunti ad una porta laterale, Liana mi presentò una delle guardie, che mi osservò ben bene e finì per intascare la busta contenente il denaro necessario a lasciarmi passare.

Il mio cauto ingresso avvenne due ore più tardi, quando scese la notte, e la vita, intorno al Louvre, *...iniziò...* (1) a calmarsi. Dalla guardia, che continuava a portarsi l'indice alla bocca, fui condotto alla Grand Galerie, nella Quinta Sala, dove c'era Liana che abbandonò la sua sedia per venirmi incontro e suggerirmi di rimanere accanto a lei e di aspettare. A non più di sette-otto metri pendeva dal muro il *...dipinto...* (2) della Belle Ferronnière che, con le luci attenuate, pareva non meno misterioso di quello di Monna Lisa. Restammo in silenzio per mezz'ora, fissando il *...quadro...* (3), fino a quando un rumore sottile non ne uscì e, mentre rabbrividivo, l'immagine della Belle Ferronnière si materializzò e prese a parlare. «Finalmente se ne sono andati. Li aspettano i loro pullman, pullman di provinciali, di pensionati: gente che non ha mai capito niente della vita, figurarsi *...dell'...* (4) arte. Gente incompetente, priva della minima idea personale, incapace di osservare un quadro senza il commento di una guida. Le guide! Cresciute con l'ambizione di essere artisti, professori, critici. E ridotti a pastori di pecore umane. C'è quel Roussillot, specialista secondo lui di italiano, la mia lingua, che ripete *...da...* (5) ventisette anni lo stesso discorso. Arriva davanti a me, controlla che sia lì intatta, e inizia: "La Belle Ferronnière, ritratto di cerchia leonardesca, attribuito da alcuni allo stesso Da Vinci. Così chiamato in seguito a una confusione con la Belle Ferronnière amante di Francesco I, anche perché ferronnière indicava nel Sedicesimo *...secolo...* (6) il nastro che tratteneva i capelli sulla fronte. Come si poteva meglio apprezzare quando era appeso a

Ritratto di dama (Belle Ferronnière) di Leonardo

fianco della Gioconda, la *...tecnica...* (7) di realizzazione avvicina i due dipinti. Sia dunque essa una Duchessa di Mantova; o Cecilia Gallerani nata nel 1465, favorita di Ludovico il Moro, duca di Milano (1452-1508); o ancora Lucrezia Crivelli amante dello stesso duca, il *...ritratto...* (8) della Ferronnière, dicevo, non può paragonarsi a quello della Gioconda, che vedremo non appena si sarà diradata la folla che sempre l'assedia, nella Salle des Etats". E qui, senza non dico un inchino, ma un semplice saluto, quel pappagallo mi lascia.

adattato da Una notte con la Gioconda di G. Clerici

1. a. comincia   b. finì   c. iniziò   d. volle
2. a. volto   b. dipinto   c. bronzo   d. pittore
3. a. quadro   b. muro   c. paesaggio   d. vuoto
4. a. per l'   b. con l'   c. come   d. dell'
5. a. da   b. per   c. in   d. di
6. a. anno   b. periodo   c. secolo   d. piano
7. a. cornice   b. tecnica   c. pittura   d. fantasia
8. a. ritratto   b. marito   c. gesto   d. artista

b Poco dopo, nel racconto di Clerici, anche la Gioconda inizia a parlare. Secondo voi, cosa dice? Scrivete un breve testo, immaginando le parole di Monna Lisa.

2 Sapete cosa sono i *tableau vivant*? Osservate l'immagine a destra e, con i compagni, fate delle ipotesi.

3 Lavorate in coppia. Osservate questi proverbi italiani e scegliete l'opzione che secondo voi è più corretta come nell'esempio.

1. I panni sporchi si lavano in lavanderia / in famiglia.
2. Una rondine non fa primavera / male.
3. Tra il dire e il lavorare / fare c'è di mezzo il mare.
4. Quando il gatto non c'è i topi lo cercano / ballano.
5. L'abito non fa il monaco / la moda.
6. Non tutto il male vien per nuocere / da solo.
7. Impara l'arte e mettila / prendila da parte.
8. L'appetito / la fame vien mangiando.
9. Le bugie hanno le gambe lunghe / corte.
10. Il buongiorno si vede dal mattino / a mezzogiorno.
11. Il mattino / Il ricco ha l'oro in bocca.
12. Il lupo perde il pelo ma non i denti / il vizio.

4 Rispondete alle domande e confrontatevi con i compagni.

1. Quali di questi proverbi non avete capito e cosa non è chiaro? Quale invece vi ha colpito di più e perché? Parlatene con i vostri compagni.
2. Quali esistono anche nella vostra lingua? Li usate spesso? Cercate di tradurre in italiano due o tre proverbi del vostro Paese. Poi leggeteli ai vostri compagni e, se non capiscono, spiegateli.

es. 20
p. 113

F Vocabolario e abilità

1 In coppia, trovate tra queste tutte le parole relative al mondo dell'arte.

pittura

ufficio architetto

collezione

muro opera statua

capolavoro scultore

galleria astratta

affresco mostra

volto

2 Abbinate le parole alle immagini.

a. natura morta
b. ritratto
c. paesaggio

3 Raccontate, oralmente o per iscritto, la storia che segue.

 4 Ascolto Quaderno
degli esercizi (p. 115)

Cattedrale, Palermo

5 Situazioni

1. **Sei A**: sei appena arrivato a Palermo e, scendendo dalla nave, vedi un'ufficio informazioni. Ne approfitti per chiedere alcune informazioni su luoghi e monumenti che vorresti visitare:
   - *la Cattedrale di Palermo*
   - *la Valle dei Templi di Agrigento*
   - *il Palazzo dei Normanni*

2. **Sei B**: lavori all'ufficio informazioni. Con l'aiuto delle informazioni a pagina 203, rispondi alle domande di **A**.

 6 Scriviamo

Hai scoperto un sito internet che si occupa di raccolte fondi per restaurare opere d'arte e monumenti in pericolo o abbandonati del tuo Paese. Decidi di scrivere anche tu un post su un'opera d'arte a rischio a cui sei affezionato, per convincere gli altri utenti a fare una donazione.

es. 21-24
p. 114   p. 191   Test finale

Botticelli, *La Primavera*, 1480 circa

MUSEI D'ITALIA

L'Italia ha il merito di concentrare sul suo territorio una straordinaria quantità di musei, siti archeologici* e monumenti, visitati ogni anno da milioni di turisti. Vediamone alcuni tra i più famosi.

FIRENZE

GALLERIA DEGLI UFFIZI

Giorgio Vasari costruisce questo edificio tra il 1560 e il 1580. È uno dei musei più visitati in Italia, con più di 4 milioni di visitatori ogni anno, e ospita una collezione di opere di scultura e di pittura che coprono otto secoli di storia dell'arte, dal Duecento al Novecento. Gli Uffizi ospitano capolavori di Cimabue, Giotto, Botticelli, Michelangelo, Raffaello, Tiziano e Caravaggio.

Caravaggio, *Deposizione*, 1600-04 ca.

Michelangelo, *Tondo Doni*, 1504-06

Raffaello, *La Scuola di Atene*, 1509-11

I **10** MUSEI
PIÙ VISITATI IN ITALIA:

1. *Parco archeologico del Colosseo*
2. *Galleria degli Uffizi*
3. *Parco archeologico di Pompei*
4. *Galleria dell'Accademia di Firenze*
5. *Castel Sant'Angelo*
6. *Museo Egizio*
7. *La Venaria Reale*
8. *Reggia di Caserta*
9. *Villa Adriana e Villa D'Este*
10. *Museo Archeologico Nazionale di Napoli*

ROMA

MUSEI VATICANI

Nel centro di Roma, nello Stato del Vaticano, troviamo uno dei musei con il maggior numero di visitatori al mondo (è il quarto in classifica, con più di 6 milioni di visitatori ogni anno): i Musei Vaticani. Oltre al *Polittico* Stefaneschi*, una delle opere più importanti di Giotto, i Musei ospitano le Stanze di Raffaello, con la famosissima *Scuola di Atene*, e l'opera più grandiosa di Michelangelo, la Cappella Sistina.

Michelangelo, *La Cappella Sistina*, 1508-12

Giuseppe Pelizza da Volpedo, *Quarto Stato*, 1898-1901

Amedeo Modigliani,
Ritratto di Paul Guillaume, 1916

MUSEO DEL NOVECENTO

MILANO

È uno dei musei di arte contemporanea più famosi d'Italia: inaugurato* nel 2010, il museo si trova nel cuore di Milano, in piazza Duomo.

Nelle sue sale possiamo ammirare circa 400 opere che coprono il secolo scorso: tra gli artisti esposti troviamo Pelizza da Volpedo, Modigliani, Boccioni, oltre che opere di artisti delle avanguardie* internazionali, quali Picasso, Klee, Braque e Kandinskij.

---

1 Leggete i testi e indicate se le affermazioni sono vere (V) o false (F).

	V	F
a. La Galleria degli Uffizi è il museo italiano più visitato d'Italia, con più di 4 milioni di visitatori.		X
b. Agli Uffizi possiamo trovare anche opere di arte contemporanea.	X	
c. Le Stanze di Raffaello si trovano all'interno della Cappella Sistina.		X
d. Possiamo ammirare opere di Giotto sia nelle Gallerie degli Uffizi sia nei Musei Vaticani.	X	
e. Nel Museo del Novecento a Milano sono esposte solo opere del XX secolo.	X	
f. Il Museo del Novecento ospita solo opere di artisti italiani.		X

L'ARTE RUBATA

Quando passeggiamo per le sale dei musei e delle gallerie non immaginiamo che su quei muri possano mancare delle opere d'arte. E invece si calcola che le opere italiane che sono state rubate durante le dominazioni e le guerre del XIX e XX secolo siano più di 1600, tra cui un'importante statua di Michelangelo, due tele* di Canaletto e dipinti della scuola di Tiziano. L'Italia, con l'aiuto di esperti d'arte e un reparto specializzato dei Carabinieri, continua a cercare queste opere per restituirle ai musei o ai collezionisti a cui sono state rubate.

Glossario. *sito archeologico:* luogo di interesse archeologico, dove abbiamo resti di edifici o monumenti e testimonianze dell'antichità; *polittico:* dipinto su tavola, su legno, questo di Giotto è un trittico perché costituito da tre pezzi o elementi; *inaugurare:* aprire un'opera pubblica e non, ad esempio un museo o un ospedale, all'uso di tutti; *avanguardia:* movimento artistico o letterario che sperimenta nuove forme, di solito in contrasto con la tradizione; *tela:* opera pittorica, quadro, dipinto.

Attività online

Che cosa ricordi delle unità 8 e 9?

1 Sai…? Abbina le due colonne. Attenzione, nella colonna di destra c'è una frase in più.

1. fare un'ipotesi possibile	X	a.	*Potessi andare al mare, lo farei.*
2. chiedere conferma	4	b.	*Complimenti per il monolocale!*
3. approvare	5	c.	*È severamente vietato utilizzare bicchieri di plastica.*
4. congratularsi	2	d.	*Sul serio è un quadro di Modigliani?*
5. vietare	1	e.	*Potremmo andare al mare, se tu prendessi le ferie.*
	3	f.	*Andare alla mostra? È una bella idea!*

2 Abbina le frasi.

1. Presto sapremo	3	a.	che avrà indietro i soldi del suo biglietto.
2. Ma è assurdo	5	b.	Lo ha aiutato suo fratello.
3. Le possiamo garantire	4	c.	preferirei parlare dell'organizzazione delle vacanze.
4. Quando ci sentiremo al telefono,	1	d.	se avevano detto la verità.
5. Ma ha fatto tutto da solo?	2	e.	che la gente usi così tanto lo smartphone.

3 Completa le frasi con i verbi mancanti.

1. Con le moderne misure di sicurezza è molto difficile che si _____*riesca*_____ (riuscire) a rubare una famosa opera d'arte.
2. Ieri i ladri del quadro di Schifano _____*sono stati arrestati*_____ (arrestare) dai Carabinieri.
3. Se Meucci _____*avesse avuto*_____ (avere) il denaro necessario, _____*avrebbe brevettato*_____ (brevettare) la sua invenzione, il telefono.
4. Per essere assunti in questo lavoro, _____*sono/vengono richieste*_____ (richiedere) competenze informatiche.
5. _____*Sono state ritrovate*_____ (ritrovare) tutte le opere che erano state rubate.

4 Trova l'intruso.

1. dipendenza **I** abuso **I** terapia **I** <u>denaro</u> **I** patologia
2. collezione **I** capolavoro **I** <u>calore</u> **I** restauro **I** affresco
3. si postano **I** <u>si alzano</u> **I** si ristrutturano **I** si vedono **I** si attivano
4. Botticelli **I** Leonardo **I** Michelangelo **I** <u>Picasso</u> **I** Modigliani

Controlla le soluzioni a pagina 194.
Sei soddisfatto/a?

Per cominciare...

1 Lavorate in coppia.
Osservate i titoli delle notizie
e commentateli con i vostri
compagni: cos'è successo,
secondo voi?

2 Ascoltate l'inizio del dialogo tra Lorenzo e il suo amico Ugo.
Secondo voi, a quale reato dell'attività precedente si riferiscono?

3 Ascoltate ora l'intero dialogo e completate le frasi (massimo quattro parole).

1. Signora, noi vendiamo polizze per la casa, sa, ci sono tanti *furti in questo periodo*
2. Devo chiamare mio nipote che si ricorda meglio dove sono i *vari oggetti di valore*
3. E ha chiamato me, non la polizia, in modo che il ladro *non sospettasse nulla*
4. Le ho detto: "Nonna, secondo me *questi sono dei ladri*
5. Quindi, ho chiamato la polizia che è arrivata subito e *li ha arrestati*

In questa unità impariamo...	• a raccontare un'esperienza negativa • a riportare le parole di qualcuno • a gestire i turni di parola • a esprimere indifferenza • a parlare di problemi sociali	• il discorso indiretto • quali sono i maggiori problemi che affliggono la società italiana

A   Ci sono tanti furti in questo periodo...

1 Leggete il dialogo e verificate le vostre risposte dell'attività precedente.

Ugo: È ufficiale: ho una super nonna!

Lorenzo: Perché?

Ugo: Allora ieri le sono entrati i ladri in casa: due persone con la scusa di venderle un'assicurazione.

Lorenzo: Oddio poverina! E lei che ha fatto?

Ugo: Le hanno detto: «Signora, noi vendiamo polizze per la casa, sa ci sono tanti furti in questo periodo!»

Lorenzo: Ma guarda che faccia tosta!

Ugo: Mentre uno si è seduto con lei in cucina l'altro le ha detto: «Io devo valutare gli oggetti che ha in casa» e ha cominciato a girare per le camere.

Lorenzo: Ma questo è il colmo! E lei non si è insospettita?

Ugo: Come no! Ha finto di collaborare e poi ha detto al ladro: «Senta, devo chiamare mio nipote che si ricorda meglio dove sono i vari oggetti di valore e quanti soldi abbiamo in casa». E ha chiamato me, non la polizia, in modo che il ladro non sospettasse nulla.

Lorenzo: Hai capito la nonna?!

Ugo: Mi ha detto: «Ugo, sai dov'è quell'anello d'oro di tua madre? Lo voglio far vedere ai signori dell'assicurazione».

Lorenzo: E tu?

Ugo: Io ho capito che qualcosa non andava e le ho detto: «Nonna, secondo me questi sono dei ladri» E lei ha risposto: «Ovvio, perciò ho telefonato a te così mi aiuti... a ricordare». Quindi, ho chiamato la polizia che è arrivata subito e li ha arrestati!

Lorenzo: Caspita! Davvero una super nonna!

Ugo: Eh, sì, i poliziotti le hanno detto: «Signora Elsa, lei è un fenomeno, la nomineremo 'agente Baldini'»!

Lorenzo: Un attimo: tua nonna si chiama Elsa Baldini?! Oddio, ma lo sai che la settimana scorsa abbiamo avuto una conversazione telefonica... come dire... interessante? Va be', ora ti racconto...

2 Indicate il significato di queste espressioni all'interno del dialogo.

1. Lorenzo dice "Che faccia tosta" per dire che i ladri:

   ☐ a. avevano il viso coperto

   ☒ b. non hanno avuto vergogna

   ☐ c. non hanno sorriso alla nonna

2. Con "Ma questo è il colmo!" Lorenzo intende che la situazione è:

   ☒ a. assurda

   ☐ b. divertente

   ☐ c. rischiosa

3. Lorenzo esclama "Hai capito la nonna?!", riferendosi alla nonna di Ugo, perché non:

   ☐ a. capisce il comportamento di lei

   ☒ b. si aspettava la reazione avuta da lei

   ☐ c. ha capito cosa ha detto lei

4. Il poliziotto dice alla nonna "Lei è un fenomeno!" perché la nonna:

   ☐ a. è stata vittima di una truffa

   ☒ b. è stata molto brava a reagire

   ☐ c. ha arrestato i due ladri

3 Lorenzo e Gianna parlano al telefono. Completate il dialogo con i verbi dati.

avrebbero ❖ doveva ❖ sono ❖ sapeva ❖ doveva

Lorenzo: Ehi Gianna! Tutto bene?

Gianna: Ciao Lorenzo!

Lorenzo: Ciao! Ah... senti, ieri ho incontrato Ugo, non immagini che storia mi ha raccontato! Mi ha detto che ieri _____*sono*_____ (1) entrati i ladri in casa della nonna con la scusa di venderle un'assicurazione. Mi ha spiegato che erano due: uno si è seduto in cucina con la nonna a parlare e l'altro le ha detto che _____*doveva*_____ (2) valutare gli oggetti che la nonna aveva in casa.

Gianna: Noo, povera signora! Le hanno rubato qualcosa?

Lorenzo: No! Ma non è finita qui! La nonna ha capito la situazione e ha inventato una scusa per chiamare Ugo, dicendo al ladro che _____*doveva*_____ (3) chiamare il nipote perché lui _____*sapeva*_____ (4) meglio dove erano gli oggetti di valore! Ugo ha capito che si trattava di ladri, così ha chiamato la polizia e li hanno arrestati.

Gianna: Che storia! È riuscita a mantenere il sangue freddo, incredibile! Io non so se ci sarei riuscita! Potevano farle del male...

Lorenzo: Sì hai ragione, ma, senti, ora arriva il colpo di scena! Alla fine, i poliziotti hanno detto alla signora che era un fenomeno e che l' *avrebbero* (5) nominata AGENTE BALDINI!

Gianna: Baldini?... ma è la stessa Elsa Baldini che conosciamo noi?!

4 Siete dei giornalisti dell'ANSA (Agenzia Nazionale Stampa Associata), la prima e la più importante agenzia di informazione in Italia, e dovete scrivere una breve notizia in cui raccontate il tentativo di truffa nei confronti della nonna di Ugo.

50-70

5 Osservate le frasi tratte dai dialoghi e individuate le differenze.

...l'altro le ha detto: «io devo valutare gli oggetti che ha in casa»	→	...l'altro le ha detto che doveva valutare gli oggetti che la nonna aveva in casa
...i poliziotti le hanno detto: «Signora Elsa, lei è un fenomeno, la nomineremo 'agente Baldini'!»	→	...i poliziotti le hanno detto che era un fenomeno e l'avrebbero nominata 'agente Baldini'!

6 Completate la tabella.

Discorso diretto e indiretto (I)

Discorso diretto	Discorso indiretto
PRESENTE Lorenzo ha detto: "Sono io il vincitore."	**IMPERFETTO*** Lorenzo ha detto che _____*era*_____ lui il vincitore.
IMPERFETTO Lui disse: «Quando ero piccolo, nuotavo spesso al mare.»	**IMPERFETTO** Lui disse che quando era piccolo, nuotava spesso al mare.
PASSATO PROSSIMO Disse: "Non ho mai rubato nulla."	**TRAPASSATO PROSSIMO*** Disse che non _____*aveva*_____ mai _____*rubato*_____ nulla.
TRAPASSATO PROSSIMO Mi ha detto: "Ero entrato prima di te."	**TRAPASSATO PROSSIMO** Mi ha detto che era entrato prima di me.
FUTURO Ha detto: "Ti chiamerò."	**CONDIZIONALE COMPOSTO*** Ha detto che mi avrebbe chiamato.
CONDIZIONALE SEMPLICE O COMPOSTO Disse: "Non *dovresti* aprire agli sconosciuti." Ha detto: "*Avrei* voluto stare con te."	**CONDIZIONALE COMPOSTO** Disse che non _____*avrei dovuto*_____ * aprire agli sconosciuti. Ha detto che _____*avrebbe voluto*_____ stare con lei.

Per altri esempi, consultare l'Approfondimento grammaticale a pagina 228.
**Il cambio di tempo verbale non è necessario se gli effetti dell'azione permangono ancora nel tempo.*

7 Trasformate le frasi al discorso indiretto.

1. "Ogni anno passiamo volentieri le nostre vacanze a Capri."
   – I signori Bassani dissero che *ogni anno passavano volentieri le loro vacanze a Capri.*

2. "I ladri si sono presentati come assicuratori."
   – La testimone ha detto che *i ladri si erano presentati come assicuratori.*

3. "Quando ero piccolo, le scuole cominciavano il primo ottobre."
   – Daniele mi ha detto che *quando era piccolo, le scuole cominciavano il primo ottobre.*

4. "Le faremo sapere quando avremo i risultati."
   – L'infermiere disse che *mi avrebbero fatto sapere quando avrebbero avuto i risultati.*

5. "Avrei preferito venire in bicicletta."
   – Cecilia ha detto che *avrebbe preferito venire in bicicletta.*

es. 1-5
p. 120

B Me ne infischio!

 1 Ascoltate i dialoghi e abbinateli alle immagini.

a 1

b 3

c 2

 2 Quali espressioni per gestire i turni di parola o per esprimere indifferenza ricordate dall'ascolto? Scrivetele nella tabella e dopo ascoltate di nuovo per verificare le vostre risposte.

Gestire i turni di parola	Esprimere indifferenza
Non mi interrompere, lasciami parlare Adesso tocca a me! Secondo me, invece,... Vorrei dire *anch'io una cosa*! *Non mi parli* sopra!	Ma *chi se ne frega*! E con ciò? *Non me ne importa* niente! Me *ne infischio*! E allora?!

 3 Lavorate in gruppi di tre persone. Lo Studente A chiede un'opinione allo Studente B, il quale esprime indifferenza. Lo Studente C non è d'accordo e vuole intervenire anche lui per spiegare il suo punto di vista. Ogni studente può scegliere uno degli argomenti.

È giusto installare un allarme e un sistema di telecamere nel condominio?

Pensate che sia una buona idea il poliziotto di quartiere per garantire la sicurezza dei cittadini e dei commercianti?

È giusto o sbagliato chiudere gli stadi al pubblico dopo atti di violenza?

 4 Nel passaggio dal discorso diretto a quello indiretto cambiano anche gli indicatori di spazio e di tempo. In coppia completate le frasi con *quel giorno*, *dopo*, *quel*, *il giorno precedente*.

Discorso diretto e indiretto (II)

Discorso diretto	Discorso indiretto
«*Questo* biglietto è mio.»	Gianna ha detto che ___*quel*___ biglietto era suo.
«*Ora* non si può fare niente.»	Disse che in quel momento non si poteva fare niente.
«*Oggi* non mi voglio allenare.»	Disse che ___*quel giorno*___ non si voleva allenare.
«Lo faremo domani.»	Abbiamo detto che lo avremmo fatto il giorno seguente.
«Non ti preoccupare. L'ho fatto *ieri*.»	Alessandro disse che non mi dovevo preoccupare perché lo aveva fatto ___*il giorno precedente*___.
«Tornerò *fra* tre giorni.»	Ha detto che sarebbe tornato ___*dopo*___ tre giorni.

Nota: il cambiamento di questi indicatori non è sempre obbligatorio.

Massimo dice (oggi): "Ti chiamerò *domani*."   Massimo ha detto (oggi) che ti chiamerà *domani*.

Per altri esempi di indicatori con i loro corrispettivi indiretti, consultate l'Approfondimento grammaticale a pagina 228.

es. 6-8
p. 122

5 Trasformate le frasi dal discorso diretto a quello indiretto e viceversa.

1. La signora Falchi dice: "I miei gioielli erano qui e ora non ci sono più."
   La signora Falchi ha detto che i suoi gioielli erano lì e che allora non c'erano più.

2. L'ispettore ha detto che i ladri erano entrati la notte precedente.
   L'ispettore dice: "I ladri sono entrati la notte prima."

3. Il direttore dice: "Queste saranno le vostre nuove scrivanie."
   Il direttore ha detto che quelle sarebbero state / saranno le loro nuove scrivanie.

4. Elena mi disse che solo allora capiva cosa era successo.
   Elena mi disse: "Solo ora capisco cosa è successo."

5. Luca dice: "L'anno scorso sono andato a Venezia con la mia compagna."
   Luca ha detto che l'anno prima era andato a Venezia con la sua compagna.

C   Dipendenze

1 Osservate l'immagine e descrivetela.

2 Ora rispondete alle domande e confrontatevi con i vostri compagni.

1. Qual è, secondo voi, lo scopo di questa immagine?
2. Ci sono state campagne di sensibilizzazione simili nel vostro Paese?
3. Secondo voi, è facile dire di no alla droga?

3 In coppia, osservate e commentate l'infografica sul consumo di droghe in Italia, sul guadagno che ricavano le varie mafie e sulle persone in cura presso i servizi sanitari. Qual è il dato che vi colpisce di più? Perché?

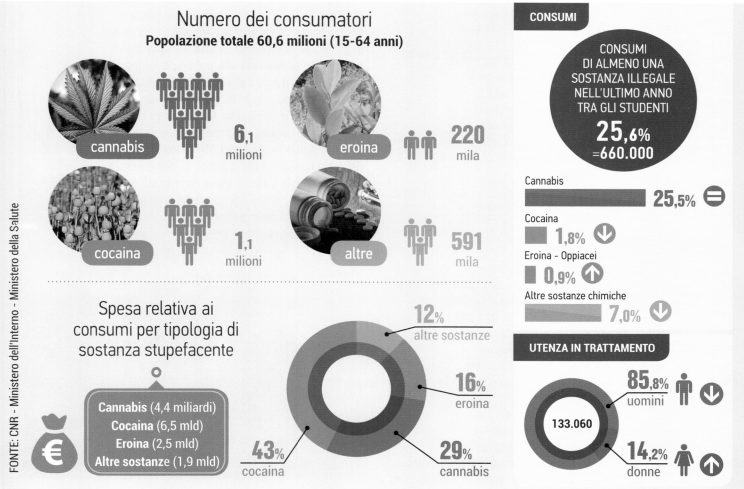

FONTE: CNR - Ministero dell'Interno - Ministero della Salute

Numero dei consumatori
Popolazione totale 60,6 milioni (15-64 anni)

cannabis — **6,1** milioni
eroina — **220** mila
cocaina — **1,1** milioni
altre — **591** mila

Spesa relativa ai consumi per tipologia di sostanza stupefacente

Cannabis (4,4 miliardi)
Cocaina (6,5 mld)
Eroina (2,5 mld)
Altre sostanze (1,9 mld)

12% altre sostanze
16% eroina
43% cocaina
29% cannabis

CONSUMI

CONSUMI DI ALMENO UNA SOSTANZA ILLEGALE NELL'ULTIMO ANNO TRA GLI STUDENTI
25,6% =660.000

Cannabis **25,5%**
Cocaina **1,8%**
Eroina - Oppiacei **0,9%**
Altre sostanze chimiche **7,0%**

UTENZA IN TRATTAMENTO

133.060
85,8% uomini
14,2% donne

4 Ascoltate il servizio del telegiornale e indicate le affermazioni presenti.

[x] 1. Spesso l'aspetto di queste droghe è simile a quello delle caramelle.
[ ] 2. Sono soprattutto i giovani in età scolastica i maggiori consumatori di droghe leggere.
[x] 3. Uno dei sintomi che provoca l'uso di queste droghe è l'alterazione dell'umore.
[ ] 4. Spesso per i consumatori di queste droghe è difficile superare lo stato depressivo.
[ ] 5. Queste droghe sintetiche danneggiano in maniera momentanea il cervello con stati di delirio.
[x] 6. Il cervello viene danneggiato sia dall'uso prolungato che dalla tossicità della droga.
[ ] 7. La pericolosità delle altre sostanze contenute nelle pasticche è maggiore della droga stessa.
[x] 8. Non c'è possibilità di guarire dai danni causati al cervello da queste droghe.

es. 9-12 p. 123

D Cos'è la mafia?

1 Osservate il titolo della sezione e leggete la canzone "I cento passi" dei Modena City Ramblers, tratta dall'omonimo film di Marco Tullio Giordana. Riuscite a immaginare di cosa parla?

Nato nella terra dei vespri e degli aranci,
tra Cinisi e Palermo parlava alla sua radio
Negli occhi si leggeva la voglia di cambiare,
la voglia di Giustizia che lo portò a lottare.
Aveva un cognome ingombrante e rispettato,
di certo in quell'ambiente da lui poco onorato.
Si sa dove si nasce ma non come si muore
e non se un ideale ti porterà dolore.
Ma la tua vita adesso puoi cambiare
solo se sei disposto a camminare,
gridando forte senza aver paura
contando cento passi lungo la tua strada
Allora
1,2,3,4,5,10,100 passi! (x4)
Poteva come tanti scegliere e partire,
invece lui decise di restare.
Gli amici, la politica, la lotta del partito
alle elezioni si era candidato.
Diceva da vicino li avrebbe controllati,
ma poi non ebbe tempo perché venne ammazzato.
Il nome di suo padre nella notte non è servito,
gli amici disperati non l'hanno più trovato.
Allora dimmi se tu sai contare,
dimmi se sai anche camminare,
contare, camminare insieme a cantare
la storia di Peppino e degli amici siciliani
Allora
1,2,3,4,5,10,100 passi! (x4)
Era la notte buia dello Stato Italiano,
quella del nove maggio settantotto.
La notte di via Caetani, del corpo di Aldo Moro,
l'alba dei funerali di uno stato.
Allora dimmi se tu sai contare,
dimmi se sai anche camminare,
contare, camminare insieme a cantare
la storia di Peppino e degli amici siciliani.
Allora
1,2,3,4,5,10,100 passi! (x4)

 2 Ascoltate o guardate il videoclip della canzone su Youtube e in gruppo fate delle ipotesi sulla storia di Peppino Impastato. Chi era? Cosa faceva? Cosa sognava? Confrontatevi con i compagni per ricostruire la vicenda.

3 Leggete il testo e verificate le vostre ipotesi.

Protagonista del film è Peppino Impastato (1948-1978), giornalista, attivista e poeta che dedica la sua vita alla lotta contro la mafia. Nato in provincia di Palermo, in una famiglia mafiosa, al liceo si avvicina alla politica e ha grandi contrasti con il padre che lo caccia di casa. Con gli amici creano prima un giornale, poi un circolo culturale e infine Radio Aut, da dove denuncia e prende in giro i boss mafiosi. Viene ucciso la notte dell'8 maggio del 1978, ma la gravità del fatto passa subito in secondo piano perché la stessa notte a Roma viene ritrovato il corpo di Aldo Moro, il presidente della Democrazia Cristiana rapito dalle Brigate Rosse.

4 La drammatica storia di Peppino, a cui sono dedicati il film e la canzone, è comune a molte altre vittime di mafia. Insieme ai compagni, rispondete alle seguenti domande e discutete dell'argomento:

1. Potete dare una definizione del termine *mafia*?
2. Quali sono gli stereotipi legati alla mafia che conoscete?
3. Secondo voi, come si manifesta la mafia nella vita di tutti i giorni?
4. Nel vostro Paese è presente? Se lo è, in quali zone e in quali settori è presente?

5 In coppia: *A* legge il testo 1 e *B* legge il testo 2, ciascuno prende appunti.
Poi chiudete il libro e riassumete al compagno il testo letto.

1 La mafia al Nord e al Sud
Come si "nasconde" la mafia nell'Italia settentrionale

La mafia, o meglio le varie "mafie", nascono nel Sud Italia, ma si sono sviluppate e operano anche nel Nord Italia. Qui le mafie si mimetizzano all'interno della politica che amministra i beni pubblici, molto ambiti dagli imprenditori ai quali permettono di aggiudicarsi appalti di valore economico enorme grazie a procedure poco trasparenti, in cambio di grandi somme di denaro.

La mafia è presente anche nelle Società pubbliche nelle quali permette facili assunzioni e avanzamenti di carriera. È quest'ultima la mafia "in giacca e cravatta", espressione di persone insospettabili, ben vestite e profumate.

La mafia del Nord è quella che ha rapporti con le banche e l'alta finanza, quella che decide chi deve lavorare e chi no. Certo non uccide fisicamente, ma uccide il sistema economico, il rispetto del diritto e della giustizia. La mafia che opera nel Sud fa paura con le armi e la violenza ed è al servizio di quella radicata al Nord, che dà ordini di sotterrare nei territori del Meridione veleni tossici e morte.

adattato da www.antimafiaduemila.com

2 L'ECOMAFIA E LO SMALTIMENTO ILLEGALE DI RIFIUTI

Nell'ultima relazione della Direzione Investigativa Antimafia (DIA) si evidenzia come già da alcuni decenni le organizzazioni criminali hanno compreso la reale portata del business dei rifiuti, soprattutto grazie alle pene meno severe rispetto agli altri settori criminali.

Il lungo processo dei rifiuti (produzione – raccolta – trasporto – smaltimento) vede la presenza di diversi "attori", ma un ruolo fondamentale viene svolto dagli imprenditori che hanno la necessità di liberarsi dei rifiuti prodotti dalla propria azienda. Spesso c'è la volontà di liberarsi illegalmente dei rifiuti per abbattere i costi di produzione e ottenere una posizione di vantaggio rispetto ad altre aziende che affrontano tutte le spese previste dalla legge. Ed è qui che entra in gioco l'organizzazione mafiosa.

30 anni fa *Legambiente* e l'Arma dei carabinieri presentarono il primo "Rapporto sulla criminalità ambientale in Italia": in quell'occasione, fu creato il termine *ecomafia*, che entrò nei dizionari della lingua italiana. Già allora emergeva un quadro preoccupante sull'illegalità ambientale nel nostro Paese e sul ruolo che giocava in questo settore la criminalità organizzata, riconfermato proprio dall'ultima relazione della DIA.

adattato da www.snpambiente.it

 6 Indovina cosa penso.

In squadre da 4 persone. L'insegnante scrive delle categorie, che trova anche nella Guida didattica, su dei foglietti che mette in un contenitore. Un giocatore di ogni squadra pesca una categoria e scrive su un foglio 5 parole collegate a quella categoria. Il giocatore comunica ai compagni la categoria e loro diranno 5 parole ciascuno, cercando di indovinare quelle scritte sul foglio. Per ogni parola indovinata, la squadra vince due punti.

es. 13-14
p. 125

E Migranti di oggi, migranti di ieri

1 a Osservate queste due foto di italiani all'estero e descrivetele. Quando sono state scattate?
Quali differenze notate?

b Gli italiani sono sempre
stati un popolo di migranti. Rispetto
al passato, cosa è cambiato, chi sono
i nuovi migranti italiani?

Osservate:

emigrare – → andare via dal
emigrato   proprio Paese

immigrare – → venire qui dal
immigrato   proprio Paese

2 Leggete il testo e indicate se le affermazioni sono vere o false.

Caro Direttore,

in questo momento, l'Italia non è un Paese che si prende cura dei suoi giovani.
Il nostro è un Paese in grande affanno, incapace di trattenere i propri laureati,
che sta rapidamente invecchiando e che sui giovani ha smesso di credere e
investire. In particolare, al Sud l'emigrazione verso il Nord Italia o all'estero sta
portando ad un impoverimento del capitale umano, e non solo, impressionante. Un vero dramma sociale: lo spopolamento di interi paesi e città, destinati a
morire.

Non siamo più di fronte ai viaggi con la valigia di cartone che sono rimasti scolpiti
nella nostra memoria verso Ellis Island di chi nulla aveva da perdere e sognava un nuovo mondo da conquistare e dove ripartire da zero. Oggi assistiamo alla "fuga dei cervelli", i nostri
giovani, preparati, qualificati e ben istruiti, con già alcune esperienze estere, lasciano il Paese dopo
un'attenta pianificazione, con il supporto economico dei genitori (quando possibile) e con la possibilità di iniziare una nuova vita all'estero da classe dirigente. E non è una tendenza che coinvolge
soltanto gli studenti laureati o universitari. L'età in cui matura l'idea di partire riguarda appieno gli
studenti delle scuole superiori. L'Italia, non solo sta perdendo la propria futura classe dirigente, ma
sta rinunciando anche solo alla formazione dei ragazzi.

Le cause sono tante, molto complesse, e vengono da lontano. Questa però non può essere una
giustificazione per non provare a reagire. Il primo passo per risolvere un problema è riconoscerne
l'esistenza. Cosa fare quindi? Quali opportunità e prospettive concrete il Paese può offrire ai nostri
giovani per evitare di perderli?

adattato da www.agenziagiovani.it

	V	F
1. L'Italia sta investendo molto sui giovani.		x
2. I giovani lasciano il Paese e l'età media della popolazione aumenta.	x	
3. I giovani italiani migrano e portano con loro educazione e competenze.	x	
4. Tra vent'anni l'Italia non avrà più una classe dirigente.		x
5. Bisogna riconoscere l'esistenza del problema per provare a risolverlo.	x	

3 Rispondete alle domande.

1. Secondo voi, quali sono le cause o le motivazioni che spingono le persone a emigrare? Quali emozioni vive una persona costretta a lasciare il suo Paese?

2. Il fenomeno della "fuga dei cervelli" è presente anche nel vostro Paese oppure ci sono altri tipi di emigrazione?

3. Come si potrebbe arginare questo problema o come si potrebbe trasformare in un fenomeno positivo?

4 Osservate la tabella.

Il periodo ipotetico nel discorso indiretto

Discorso diretto		Discorso indiretto
«Se *investiamo* nella ricerca, i nostri giovani non *lasciano* il Paese.»	→	Giorgia ha detto che se investiamo nella ricerca, i nostri giovani non lasciano il Paese.
Questa ipotesi è contemporanea al momento in cui Giorgia la dice: i tempi e i modi non cambiano.		
«Se *investiamo* nella ricerca, i nostri giovani non *lasciano* il Paese.»	→	Giorgia ha detto che se avessimo investito nella ricerca, i nostri giovani non avrebbero lasciato il Paese.
Questa ipotesi è anteriore al momento in cui Giorgia la dice: il periodo ipotetico diventa del terzo tipo.		
«Se *investissimo* nella ricerca, i nostri giovani non *lascerebbero* il Paese.»	→	Giorgia ha detto che se avessimo investito nella ricerca, i nostri giovani non avrebbero lasciato il Paese.
Questa ipotesi è anteriore al momento in cui viene detta: il periodo ipotetico diventa del terzo tipo.		
«Se *avessimo investito* nella ricerca, i nostri giovani non *avrebbero lasciato* il Paese.»	→	Giorgia ha detto che se avessimo investito nella ricerca, i nostri giovani non avrebbero lasciato il Paese.
Il periodo ipotetico di terzo tipo non cambia.		

 100-120

5 Pensate e scrivete una lettera al Ministro per le politiche giovanili in cui spiegate una vostra idea o un vostro progetto per attirare in Italia giovani preparati e con titoli di studio.

es. 15-17
p. 126

F   Essere donna

1 a Osservate l'immagine della copertina del libro: a cosa vi fa pensare? Secondo voi, a cosa si riferisce il titolo? Perché è al femminile?

b Leggete la recensione del libro e rispondete alle domande.

Forse prima che come libro, *Ferite a morte*, è conosciuto per lo spettacolo teatrale che la stessa Dandini ne ha tratto, chiamando sul palco figure diverse di donne, giornaliste, scrittrici, attrici, tutte vestite di nero, ciascuna a dare la propria voce raccontando in prima persona la storia di una donna uccisa da un uomo. Il libro è appunto la raccolta di alcune di queste storie. Come dice la stessa Dandini: «Ho letto decine di storie vere e ho immaginato un paradiso popolato da queste donne e dalla loro energia vitale. Sono mogli, ex-mogli, sorelle, figlie, fidanzate, ex-fidanzate che non hanno rispettato le regole assegnate dalla società, e che hanno pagato con la vita questa disubbidienza. Così mi sono chiesta: «E se le vittime potessero parlare?» ...*Ferite a morte* vuol dare voce a chi da viva ha parlato poco o è stata poco ascoltata, con la speranza di dare coraggio a chi può ancora salvarsi.»

Dunque si tratta di storie scritte dalle protagoniste da 'dopo morte', una sorta di *Antologia di Spoon River* al femminile, ogni storia molto breve e rivolta al momento conclusivo, quello dell'uccisione. La prima comincia con una frase formidabile: «Avevamo il mostro in casa e non ce ne siamo accorti».

A differenza di parecchi libri usciti ultimamente in Italia riguardo alla violenza sulle donne, *Ferite a morte* non ha lo sguardo rivolto solo al femminicidio in Italia ma, nella seconda parte del libro, si parla della situazione in altri paesi del mondo. L'autrice, in collaborazione con Maura Misiti, demografa e ricercatrice del CNR, raccoglie sotto forma di schede informative, la descrizione di pratiche molto diverse tra loro, ma con una radice comune, l'avere come oggetto della violenza la donna in quanto donna. Dalle uccisioni e stupri di donne in situazioni di guerra, alle donne bruciate a causa della dote in alcuni stati dell'Asia meridionale, dall'aborto di feti femmine e l'infanticidio delle bambine in Cina, India e Bangladesh alle uccisioni in massa di donne in Messico (pensiamo alla città messicana di Ciudad Juàrez, diventata simbolo del femminicidio oggi): sono solo alcune delle situazioni illustrate nelle schede, che nel linguaggio molto asciutto e diretto dei dati, danno un quadro impressionante della vastità e trasversalità della violenza che gli uomini esercitano sulle donne.

Nella parte finale, sono segnalate invece politiche e misure adottate da vari Stati per far fronte alla gravità della situazione.

adattato da www.donnecontroviolenza.it

- Chi è l'autrice e da che cosa è stato tratto il libro?
- Di che cosa parla il libro nella prima e nella seconda parte?
- Sapete cos'è la violenza di genere? Com'è la situazione nel vostro Paese?
- "Femminicidio" è un termine composto da due parole che già conoscete: che cosa significa secondo voi?

2 a Nel testo dell'attività 1b si parla di "regole assegnate dalla società" alle donne. Secondo voi, è giusto che una società imponga delle "regole" solo alle donne? Quali sono le regole che la società impone alle donne? Si tratta di regole scritte o non scritte?

b Leggete e commentate alcune "regole" tratte da *La guida della buona moglie* pubblicata negli anni '50 del secolo scorso da un giornale americano. Cosa è cambiato da allora? Quale tra queste "regole" vi sembra più strana e assurda? Quale quando eravate piccoli/e vi sembrava "più normale"/ meno strana?

1. Prepara la cena prima in modo da averla pronta al ritorno del marito: fagli capire che lo hai pensato e che ti prendi cura dei suoi bisogni anche durante la sua assenza.

2. Smetti di occuparti delle faccende domestiche almeno 15 minuti prima del suo ritorno a casa per sistemarti, indossare qualcosa di pulito, ritoccare il trucco e mettere un fiocco nei capelli.

3. Fagli trovare la casa pulita: prima del suo arrivo entra nelle stanze un'ultima volta e controlla che sia tutto in ordine, che non ci sia polvere.

4. Prepara i bambini per il suo arrivo: lavagli le mani, il viso, mettigli i vestiti puliti, calmali se piangono o sono agitati.

5. Anche se avrai tante cose da dirgli non farlo al suo arrivo perchè non è il momento giusto. Aspetta che sia lui ad iniziare e ricorda sempre che i suoi argomenti sono più importanti dei tuoi.

3 Ora leggete l'articolo 3 della Costituzione Italiana e scrivete due o tre regole nel rispetto della parità di genere tra uomo e donna.

LA PARITÀ DI GENERE NELLA COSTITUZIONE ITALIANA – ARTICOLO 3:

Tutti i cittadini hanno pari dignità sociale e sono eguali davanti alla legge, senza distinzione di sesso, di razza, di lingua, di religione, di opinioni politiche, di condizioni personali e sociali.

È compito della Repubblica rimuovere gli ostacoli di ordine economico e sociale, che, limitando di fatto la libertà e l'eguaglianza dei cittadini, impediscono il pieno sviluppo della persona umana e l'effettiva partecipazione di tutti i lavoratori all'organizzazione politica, economica e sociale del Paese.

G   Vocabolario e abilità

1 Scrivete i sostantivi che derivano dai verbi e viceversa.

arrestare ▶ ...... *arresto* ......
minacciare ▶ ...... *minaccia* ......
aiutare ▶ ...... *aiuto* ......
disubbidire ▶ *disubbidienza*
violentare ▶ ...... *violenza* ......

rapina ▶ ...... *rapinare* ......
spaccio ▶ ...... *spacciare* ......
migrante ▶ ...... *migrare* ......
assassinio ▶ ...... *assassinare* ......
investimento ▶ ...... *investire* ......

28 CD 2

2 Ascolto
Quaderno degli esercizi
(p. 129)

3 Parliamo

1. **Studente A**: tua figlia vuole sposarsi con un ragazzo ma tu sai che in passato questo ragazzo è stato accusato di spaccio di droga. Hai paura per tua figlia e quindi cerchi di convincerla a cambiare idea.

2. **Studente B,** sei la figlia: cerchi di spiegare ai tuoi genitori che il tuo ragazzo non è mai stato dichiarato colpevole e cerchi di tranquillizzarli.

120-140

4 Scriviamo

Leggete questi titoli di cronaca, sceglietene uno e provate a scrivere un articolo per la sezione cronaca del giornale.

1. Trova la forza di denunciare anni di violenze: arrestato il compagno.

2. Chiusa un'azienda e arrestato il proprietario: faceva affari con la mafia.

3. Novara, due giovani arrestati. Spacciavano nei boschi.

 es. 18-20
p. 128   p. 192   Test finale

I PROBLEMI DELL'ITALIA

1 Leggete i testi e completateli con le seguenti parole:

finiscono ❖ nero ❖ anziani ❖ stranieri ❖ giovanile
sicurezza ❖ aumentare ❖ genitori

DISOCCUPAZIONE e SOTTOCCUPAZIONE

Uno dei principali problemi della società italiana è sicuramente la disoccupazione: il Belpaese è infatti ai primi posti della classifica europea per percentuale di disoccupati (circa il 10%) e, soprattutto, per la disoccupazione _giovanile_ (1) (circa il 26%, dai 15 ai 24 anni). Una diretta conseguenza del problema della disoccupazione è la sottoccupazione, cioè il lavoro precario, il lavoro saltuario* e quello in _nero_ (2), che gli italiani spesso sono costretti ad accettare per non restare disoccupati. Questa situazione economica instabile impedisce ai giovani di crearsi una famiglia e spesso li costringe a vivere con i loro _genitori_ (3) o a emigrare all'estero.

L'IMMIGRAZIONE IRREGOLARE

Nonostante i numerosi problemi che ogni giorno affronta, l'Italia è ancora considerato un Paese di grandi opportunità: proprio per questo è meta* di molti _stranieri_ (4) che cercano una vita migliore. Alcuni di questi, entrano clandestinamente* nel Paese e spesso _finiscono_ (5) nelle mani della criminalità organizzata, che li sfrutta e li costringe a lavorare in nero. Altri, appena arrivati in Italia, chiedono asilo politico* perché sono in pericolo nel loro Paese e vengono assistiti dalle strutture pubbliche.

CALO DEMOGRAFICO

L'Italia conta circa 60 milioni di abitanti, ma la sua crescita demografica ha un segno negativo già da alcuni anni: a causa della mancanza di lavoro e di una _sicurezza_ (6) economica, molti giovani tardano a creare una famiglia e l'età di quando si ha il primo figlio cresce sempre di più, il risultato è che ogni anno nascono sempre meno bambini. Nel frattempo, aumenta il numero di _anziani_ (7), rendendo l'Italia un Paese "vecchio". Per fortuna, a rallentare questi dati ci sono gli immigrati: i cittadini stranieri infatti fanno _aumentare_ (8) la popolazione del Belpaese sia perché richiedono la cittadinanza italiana, sia perché fanno più figli.

LA MAFIA NEL CINEMA E NELLA REALTÀ

Il cinema e la televisione hanno spesso la tendenza* a romanzare la realtà, cioè ad aggiungere elementi di fantasia che possano rendere le storie raccontate più interessanti e affascinanti.

Attraverso il grande e il piccolo schermo la mafia si è fatta conoscere in tutto il mondo, con un'immagine però molto diversa dalla realtà.

Nella maggior parte dei film e delle serie tv, infatti, il mondo mafioso viene rappresentato come un mondo legato alle tradizioni, all'ordine, all'onore e al rispetto degli anziani; un mondo in cui la famiglia è un valore fondamentale.

La realtà invece, è molto diversa. La mafia è un'organizzazione criminale fortemente gerarchica* e che usa la violenza per imporsi sulla società. Gestisce numerose attività legali e illegali, come lo spaccio di droga e l'estorsione. Nel corso degli anni, si è macchiata* di numerosi omicidi, non solo per eliminare i membri di altri gruppi mafiosi, ma anche politici, giornalisti, avvocati, magistrati, attivisti che volevano contrastare l'organizzazione criminale, e semplici cittadini uccisi per sbaglio.

I nomi della mafia

I nomi delle organizzazioni criminali cambiano in base alle diverse aree geografiche di origine:

Sacra Corona Unita - **Puglia**
Camorra - **Campania**
Ndrangheta - **Calabria**
Cosa Nostra - **Sicilia**

19 luglio 1992. In via D'Amelio a Palermo la mafia fa esplodere una bomba che uccide il magistrato Paolo Borsellino e i suoi 5 agenti di scorta.

2 Avete mai visto un film o una serie che parla di mafia? Leggete il testo qui in basso e commentate con i vostri compagni quello che scrive l'insegnante: siete d'accordo con le opinioni dei ragazzi? Voi che idea avete della mafia?

L'EFFETTO DELLA MAFIA IN TV SUI GIOVANI

Scrive un insegnante:

"La fiction, la serie TV che ha come protagonista il boss mafioso Totò Riina, corre il rischio di far assumere a Riina il ruolo di modello da seguire e imitare: potente, ricco, vincente. [...] I mafiosi sono ricchi e potenti, mentre i poliziotti conducono vite modeste quando non squallide*. L'immagine che ne risulta è quella dei VINTI in una società tutta basata sui valori dell'apparire, in cui esisti solo se hai e appari. [...] I ragazzi sono stati profondamente attratti dalle figure vincenti, tanto [...] da improntare i loro giochi sulla emulazione* di quanto vedevano. Sconvolgente soprattutto la constatazione che nel gioco delle parti tutti volevano essere Riina o uno dei suoi scagnozzi* e venivano scelti i nomi dei mafiosi persino per le squadre di calcio. Intervistati, i ragazzi dicevano che lui è da ammirare perché fa quello che vuole, dà lavoro a tante persone e non si fa prendere."

adattato da www.centroimpastato.com

Glossario. *lavoro saltuario:* lavoro occasionale, non continuo; *meta:* punto d'arrivo del viaggio; *clandestinamente:* di nascosto; *asilo politico:* rifugio dato agli stranieri per motivi politici; *tendenza:* orientamento, predisposizione; *gerarchico:* tipo di organizzazione basata su un ordine graduato, i gradi superiori controllano e comandano i gradi inferiori; *macchiarsi:* coprirsi di gravi colpe, "sporcando" il proprio onore; *squallido:* misero, povero; *emulazione:* imitare cosa fa o come si comporta un'altra persona; *scagnozzo:* persona che è al servizio di un potente e ne esegue passivamente gli ordini

3 Sapete cosa significa *omertà*? In coppia, cercate su un dizionario italiano il significato.

Attività online

Che cosa ricordi delle unità 9 e 10?

1 Sai...? Abbina le due colonne.

1. confermare qualcosa   `5`   a. *Posso dire una cosa? E la prego di non interrompermi!*
2. esprimere indifferenza   `2`   b. *Non me ne frega niente del calcio.*
3. riportare il discorso di qualcuno   `1`   c. *Le assicuro che si risolverà tutto!*
4. chiedere conferma   `3`   d. *Carlo mi disse che doveva partire con la famiglia.*
5. gestire i turni di parola   `4`   e. *È vero che l'uso di droga è diffuso anche tra i giovanissimi?*

2 Abbina le frasi.

1. Mi ha detto che non ero necessario.   `3`   a. che non avrei dovuto comprare casa in campagna.
2. Mio nonno è anche su Instagram!   `4`   b. siete pregati di dirigervi verso le uscite.
3. Mia madre mi disse   `1`   c. Ma che faccia tosta e che maleducato!
4. Gentili spettatori,   `5`   d. ci sarebbero molti più visitatori.
5. Se si pagassero meno i biglietti dei musei   `2`   e. Veramente?! Hai capito il nonnetto!

3 Completa.

1. Nel discorso indiretto "domani" diventa: *il giorno dopo/seguente*
2. Il nome della mafia pugliese: *Sacra Corona Unita*
3. Cosa significa emigrare: *andare via dal proprio Paese*
4. Castel Sant'Angelo si trova a: *Roma*
5. Cosa significa "spacciare": *vendere droga*

4 Abbina le parole alle definizioni:

clientelismo ❖ *disobbedire* ❖ *calo demografico*
stupefacente ❖ *affresco* ❖ *abuso* ❖ *femminicidio*

1. Un'opera d'arte dipinta su un muro: *affresco*
2. Diminuzione della percentuale delle nascite: *calo demografico*
3. Utilizzo o consumo eccessivo di qualcosa: *abuso*
4. In politica, favorire qualcuno per proprio interesse: *clientelismo*
5. Uccisione di una donna: *femminicidio*
6. Rifiutarsi di rispettare un ordine o un'indicazione: *disobbedire*
7. Un altro modo per dire "droga": *stupefacente*

Controlla le soluzioni a pagina 194.
Sei soddisfatto/a?

I trulli di Alberobello, Puglia

Per cominciare...

1 In coppia, abbinate a ciascun libro il genere letterario. Attenzione: c'è un'immagine in meno!

b	romanzo storico
d	giallo
a	fiaba
f	opera teatrale
e	saggio
x	romanzo d'amore
c	biografia

2 Vi piace leggere? Qual è il vostro genere preferito? Qual è l'ultimo libro che avete letto?

3 Ascoltate il dialogo e indicate le informazioni presenti.

- [ ] 1. Gianna ha chiesto a Lorenzo di leggerle l'oroscopo.
- [ ] 2. Lorenzo inizia sempre la sua giornata leggendo l'oroscopo.
- [x] 3. Lorenzo in realtà legge l'oroscopo per abitudine.
- [x] 4. Gianna in passato ci credeva, ma ora non lo legge più.
- [ ] 5. Lorenzo non riesce a ricordare il giorno del compleanno di Gianna.
- [ ] 6. Ieri era il compleanno della nonna di Lorenzo e lui l'ha dimenticato.
- [x] 7. La nonna di Lorenzo e il padre di Gianna compiono gli anni lo stesso giorno.
- [ ] 8. Alla fine Lorenzo decide di comprare alla nonna un libro.

In questa unità impariamo...	• a parlare di libri e di testi letterari • a parlare dell'oroscopo	• il gerundio semplice e passato • il participio semplice e passato • l'infinito semplice e passato
		• curiosità e informazioni sulla letteratura italiana

A   Un problema da risolvere

1 Leggete o riascoltate il dialogo per verificare le vostre risposte all'attività precedente.

Lorenzo: "Oggi potrebbe essere una bella giornata..."

Gianna: In che senso?

Lorenzo: "...se riuscite a risolvere un problema in fretta!"

Gianna: Che problema, Lorenzo?!

Lorenzo: "Però attenzione: la memoria non è il vostro forte!"

Gianna: Ma che stai dicendo? Ah, stai leggendo l'oroscopo!

Lorenzo: Sì, perché lo dici così?

Gianna: Ma credi ancora a queste cose? Ti facevo più intelligente...

Lorenzo: Guarda che c'è tanta gente che inizia la giornata consultando l'oroscopo.

Gianna: Lo so, ma tu ci credi o no?

Lorenzo: Mah... non è che ci creda proprio... diciamo che leggere l'oroscopo è più un'abitudine...

Gianna: Sai, anch'io lo facevo un tempo, ma poi, dopo aver capito che erano solo cretinate, ho smesso: avevo 16 anni...

Lorenzo: Comunque, tranquilla, lo so che non bisogna prenderlo sul serio...

Gianna: Meno male! ...Ma secondo te, in che modo "potrebbe essere una bella giornata"?

Lorenzo: Non lo so, guarda! E poi dice che "la memoria non è il mio forte!"

Gianna: E chissà che problema dovrai risolvere...

Lorenzo: Mannaggia, ho proprio un vuoto, non riesco a ricordare!

Gianna: Eh... un incontro, un compleanno, forse?

Lorenzo: Un compleanno?! Non mi viene niente in mente.

Gianna: Di tua nonna per caso?

Lorenzo: Eh? Oddio, è vero! Come fai a saperlo?

Gianna: Perché compie gli anni lo stesso giorno di mio padre, ne parlavamo l'altro giorno, non ti ricordi?

Lorenzo: Ah... auguri! E perché non l'hai detto subito?

Gianna: Ma non ci ho pensato, credevo che lo ricordassi già!

Lorenzo: Ecco il problema da risolvere... A quest'ora che faccio, che regalo le compro?

Gianna: Boh, io a mio padre ho preso un libro... potresti fare lo stesso!

Lorenzo: Brava, un libro! Che libro?

Gianna: Il problema lo devi risolvere tu, mica io... Però hai visto? Alla fine, l'oroscopo era tutto giusto, non sei contento?

 2 Lavorate a coppie e spiegate a voce cosa esprimono queste espressioni tratte dal dialogo.

"mica io..."   "Meno male!"

"Ti facevo più..."   "Mannaggia!"

"In che senso?"

"ho proprio un vuoto..."

3 Gianna è a cena con il fratello, la cognata e i genitori per festeggiare il compleanno del padre. Completate il dialogo con le parole date.

facendo ❖ avendo perduto ❖ guardando ❖ spendere ❖ prendere ❖ avendo vinto

Gianna: Papà, questo è il mio regalo. Spero ti piaccia.

padre: Ma no, Gianna! Ragazzi, quante volte vi ho detto che non dovete ....*spendere*........... (1) soldi per me... Vediamo..."Il ladro di merendine" di Camilleri. Grazie Gianna, non dovevi!

Gianna: Ti piace? ....*Avendo vinto*......... (2) un premio letterario, ho pensato che valesse la pena leggerlo, che ti sarebbe piaciuto.

padre: Brava, hai fatto bene! Proprio ieri sera ....*guardando*........ (3) in TV una puntata di Montalbano, pensavo di comprare alcuni libri di Camilleri.

Gianna: Questo non è proprio un giallo, è un romanzo poliziesco che ha come protagonista il commissario Montalbano che cerca gli elementi tra due omicidi. Ma quando c'è Montalbano c'è anche il lato umano: François, il bambino protagonista, *avendo perduto* (4) entrambi i genitori, viene adottato grazie a Montalbano e alla sua compagna Livia.

Carlo: Io l'ho letto, papà, è davvero bello, molto avvincente. Ma ....*facendo*........ (5) Camilleri un uso continuo del dialetto siciliano insieme all'italiano... sei sicuro di riuscirlo a capire?

padre: Beh, se non capisco qualcosa, ti chiamo, così mi aiuti tu!

Gianna: A proposito di Sicilia... Carlo, dov'è la cassata che ci hai portato da Palermo?

Carlo: In frigo. La vado a ....*prendere*........ (6), così papà spegne le candeline!

4 Dopo aver letto il dialogo precedente, completate la tabella.

Il gerundio presente

consultare	leggere	sentire
consult*ando*	legg*endo*	sentendo

Il gerundio presente o semplice indica sempre un'azione contemporanea a quella della frase principale.

Sorridendo, Lorenzo è tornato a casa.

La lista dei verbi irregolari al gerundio è nell'Approfondimento grammaticale a pagina 230.

5 Osservate le frasi e poi abbinatele alla funzione che esprime il gerundio.

1. Ieri sera guardando in TV una puntata di Montalbano, pensavo di comprare alcuni libri di Camilleri. *(b)*
2. C'è tanta gente che inizia la giornata consultando l'oroscopo. *(a)*
3. Sbrigandoti, potresti arrivare in tempo in stazione. *(d)*
4. Essendo stanco, ho preferito non uscire *(c)*

a. Modo
b. Azioni simultanee
c. Causa
d. Ipotesi

6 Osservate l'esempio tratto dal dialogo dell'attività A3 e completate la tabella.

"Ti piace? Avendo vinto un premio letterario, ho pensato che valesse la pena leggerlo, che ti sarebbe piaciuto."

Il gerundio passato

Gerundio semplice di *avere* o *essere* + participio passato

Il gerundio passato o composto esprime un'azione avvenuta prima di un'altra.
Avendo già letto questo libro, ne compro un altro.

Per ulteriori informazioni sul gerundio consultate l'Approfondimento grammaticale a pagina 231.

ARTE E FOTOGRAFIA

7 Completate le frasi inserendo il gerundio semplice o composto.

1. *Uscendo* (uscire) di casa, ho incontrato Roberta che andava in libreria.
2. *Leggendo* (leggere) un romanzo storico, potresti imparare anche qualcosa di interessante.
3. *Avendo trovato* (trovare) in casa i gioielli rubati, i Carabinieri li hanno arrestati.
4. *Svegliandomi* (svegliarsi) presto ogni mattina, la sera vado a dormire alle 10.
5. *Avendo studiato* (studiare) bene, Lorenzo ha superato l'esame.

es. 1-6
p. 133

B Di che segno sei?

 1 a In coppia. Conoscete i nomi dei segni zodiacali in italiano? Scrivete il nome giusto sotto ogni simbolo, come negli esempi. Aiutatevi con il testo dell'attività 2.

b Anche nella vostra cultura sono gli stessi? Con un compagno, confrontatevi sui nomi che i segni zodiacali hanno nella vostra lingua.

1. Vergine
2. Ariete
3. Gemelli
4. Leone
5. Cancro
6. Toro
7. Capricorno
8. Acquario
9. Bilancia
10. Scorpione
11. Pesci
12. Sagittario

2 Leggete il vostro segno zodiacale. Siete davvero così? Parlatene.

Ariete Le parole d'ordine per loro sono passionalità e coraggio. Grandi lavoratori, preferiscono dedicare all'amore pochi, ma intensi momenti.

Toro I nati sotto il segno del Toro amano molto gli amici e la semplicità. Pazienti e poco romantici, preferiscono storie lunghe e tranquille.

Gemelli Spiritosi e intelligenti. Particolarmente sensibili agli stati d'animo e ai pensieri di chi li circonda, giocano sulle frasi e le parole a doppio senso.

Cancro Sono i più romantici e sognatori dello zodiaco; cercano negli altri tenerezza e protezione. Hanno bisogno di emozioni e di parole dolci e sono molto fedeli.

Leone Amano esibire la loro bellezza, esteriore e interiore. Sono seducenti e hanno un'energia straordinaria. Ma si annoiano facilmente.

Vergine Le loro caratteristiche sono la puntualità, la precisione e l'altruismo. Non sempre trovano il coraggio di esprimere i loro sentimenti, perciò preferiscono scriverli.

Bilancia Non molto stabili, soprattutto in momenti di particolare stanchezza. In compenso, sono estroversi e creativi. Tolleranti, sanno evitare gli scontri con gli altri.

Scorpione Sono provocatori, ma anche molto ambiziosi e attratti dal potere. Spesso si lasciano catturare da relazioni difficili, ma sanno sempre riprendersi dalle difficoltà.

Sagittario Molto ottimisti, non perdono mai il loro buon umore. Si innamorano facilmente, ma si sposano tardi, a volte dopo lunghi fidanzamenti.

Capricorno Sono capaci di sopportare la fatica. Tipi molto concreti non sprecano tempo né energia. Di solito vivono a lungo e con gli anni sembrano ringiovanire.

Acquario Sono eccentrici, fantasiosi e attratti dalla libertà di pensiero: gli studi lunghi non sono per loro. Sanno stupire con sorprese e idee originali.

Pesci Essendo forse troppo romantici, per loro i sentimenti contano più della razionalità. Alcune volte si comportano in modo imprevedibile.

3 In genere, credete all'oroscopo? Quando e quanto può influenzarvi? Che cosa cambiereste nella descrizione del vostro segno zodiacale? E negli altri?

4 Osservate e completate le tabelle inserendo le parole date.

oggetto ❖ participio ❖ impersonale ❖ esclamative ❖ ordini ❖ preposizioni

L'infinito presente

Allacciarsi le cinture. / Non *superare* la linea gialla. / *Compilare* il modulo. / Luca, non *mangiare* tutta la cioccolata!	→ per dare ......*ordini*...... o istruzioni in modo ...*impersonale*... o come imperativo negativo.
Camminare fa bene. / Tra il *dire* e il *fare* c'è di mezzo il mare. / Questo *discutere* mi uccide.	→ come soggetto o ......*oggetto*...... e può essere preceduto da articoli, *preposizioni* e aggettivi.
A *vederli* prima!	→ in alcune frasi ...*esclamative*... che esprimono un'ipotesi (Se li avessi visti prima!) o un desiderio (Magari li avessi visti...)

Altre funzioni dell'infinito nell'Approfondimento grammaticale a pagina 232.

L'infinito passato

Nelle frasi secondarie l'infinito presente esprime un'azione contemporanea all'azione principale.

Ho visto Lorenzo *andare* a casa. = Ho visto Lorenzo mentre andava a casa. (io-lui)

Ho visto Lorenzo *andando* a casa. = Ho visto Lorenzo mentre andavo a casa. (io-io)

L'infinito passato esprime un'azione avvenuta prima di un'altra.

Sono venuti a casa mia dopo *essere passati* in libreria.

L'infinito passato si forma con:

ausiliare *essere* o *avere* + ...*participio*... passato

5 Trasformate le frasi usando l'infinito quando possibile.

1. Se avessimo cercato prima i biglietti, li avremmo trovati sicuramente! →
   ....X...

2. Solo dopo che avrete finito i compiti, potrete andare al parco. →
   Solo dopo aver finito i compiti, potrete andare al parco

3. Ho sentito un giornalista che parlava di questo nuovo romanzo. →
   Ho sentito un giornalista parlare di questo nuovo romanzo

4. Usate le uscite di emergenza e non correte. →
   Usare le uscite di emergenza e non correre

5. Matteo ha deciso che si trasferirà a Napoli prima della fine dell'anno. →
   Matteo ha deciso di trasferirsi a Napoli prima della fine dell'anno

es. 7-12
p. 135

C Due classici da leggere!

1 Leggete le due recensioni e poi indicate a quale dei due testi corrispondono le affermazioni sotto.

La Storia è il romanzo più celebre, ma anche il più discusso di Elsa Morante. Pubblicato nel 1974, racconta la storia di Ida Ramundo, una vedova ebrea che vive a Roma insieme a suo figlio Ninuzzo, negli anni difficili della Seconda guerra mondiale e delle leggi razziali. La protagonista, che fa la maestra elementare, viene violentata da un soldato tedesco e dà alla luce il piccolo Useppe, un bambino fragile e sofferente. Ida dovrà combattere per la sua sopravvivenza e per quella dei figli non solo durante la guerra, ma anche negli anni successivi: perderà la casa a causa dei bombardamenti e dovrà trasferirsi insieme ad altri sfollati nel quartiere di Pietralata; sarà costretta addirittura a rubare per nutrire il figlio più piccolo.

Con la drammatica vicenda di Ida, l'autrice mostra e critica apertamente i traumi che la guerra lascia sul popolo che la subisce, condannando le persone a una vita di miseria e povertà, senza alcuna speranza per il futuro.

adattato da www.italialibri.net

Ragazzi di vita è un'opera neorealista del 1955, ambientata nelle borgate romane, i quartieri più popolari di Roma. Lo scrittore, Pier Paolo Pasolini, non crea un vero e proprio romanzo con una trama lineare, ma narra le vicende interessanti ed emozionanti di un gruppo di ragazzi dei quartieri poveri della periferia romana, e i loro tentativi di guadagnarsi un po' di soldi, più o meno onestamente. I personaggi, nonostante vivano in condizioni difficili e di estrema povertà, sono giovani e desiderano godersi la vita proprio come i loro coetanei benestanti. Purtroppo, quando ci riescono, i soldi che hanno guadagnato o rubato si perdono altrettanto velocemente.

Con la sua opera Pasolini mostra ai lettori la vita dell'altra Italia del boom economico, quella che vorrebbe vivere nel benessere ma che è condannata a un'esistenza tragica.

adattato da www.centrostudipierpaolopasolinicasarsa.it

	A	B
1. È un romanzo ambientato a Roma durante la guerra.	x	
2. L'opera è stata pubblicata circa 10 anni dopo la fine della Seconda guerra mondiale.		x
3. Descrive le storie di giovani che vivono nei quartieri poveri di Roma.		x
4. I protagonisti sono costretti a rubare, per poter vivere la vita che desiderano.		x
5. La storia mostra le drammatiche conseguenze del dopoguerra in Italia.	x	
6. Il dolore e la miseria non scompaiono con la fine della guerra.	x	

2 Rispondete: 1. Che cosa hanno in comune i due romanzi?
2. Quale dei due romanzi vi sembra più interessante? Perché?

80-100 **3** Inserite negli spazi sotto i verbi, i sostantivi e gli aggettivi evidenziati presenti nelle recensioni. Poi usate quelli che volete per scrivere la recensione di un libro che avete letto.

SOSTANTIVI	VERBI
romanzo	pubblicato
storia	racconta
protagonista	critica
vicenda	ambientata
autrice	narra
opera	
scrittore	**AGGETTIVI**
trama	sofferente
personaggi	interessanti
lettori	emozionanti

4 Nei due testi precedenti abbiamo incontrato participi come *benestante*, *pubblicato*, *sofferente*. In coppia, osservate e completate la tabella.

Il participio

Participio presente

parlare ➔ parlante | sorridere ➔ sorridente | uscire ➔ uscente

aggettivo: Questo è un libro molto _interessante_ (*interessare*)!

sostantivo: Elisa è una brava _cantante_ (*cantare*).

verbo: La nostra è una squadra _vincente_ (*vincere*)?

Participio passato

pubblicare ➔ pubblicato | vendere ➔ venduto | capire ➔ capito

aggettivo: Ho comprato una macchina _usata_ (*usare*).

sostantivo: Andiamo a fare una _passeggiata_ (*passeggiare*).

verbo: (esprime un'azione avvenuta prima di un'altra): Una volta _partito_ (*partire*), non sono più tornato indietro.

Per ulteriori informazioni, consultate l'Approfondimento grammaticale a pagina 233.

5 Completate le frasi con la parola mancante (aggettivo, sostantivo o verbo) derivato dal verbo tra parentesi.

1. Devo comprare una nuova _stampante_ per l'ufficio. (*stampare*)
2. Solo una volta _usciti/e_ di casa, abbiamo notato che nevicava. (*uscire*)
3. _Finita_ la cena, Mario ha deciso di andare a fare una passeggiata. (*finire*)
4. Visto che mi ero perso, ho chiesto indicazioni a un _passante_ (*passare*)
5. _Messe_ tutte le valigie in macchina, Martina salutò l'amica e partì. (*mettere*)

es. 13-17
p. 138

D   Il teatro come opera letteraria

1 Vi piace il teatro? Secondo voi, vedere uno spettacolo a teatro o leggere un'opera teatrale è uguale? Cosa apprezzate dell'uno e cosa dell'altro?

2 Ascoltate il brano che parla di due grandi autori italiani e indicate le affermazioni corrette.

1. Le opere di Pirandello si basano sulla convizione che la realtà sia:
   - [x] a. falsa
   - [ ] b. oggettiva
   - [ ] c. relativa

2. I personaggi di Pirandello:
   - [ ] a. cercano di definire la loro identità
   - [ ] b. sono vittime della follia
   - [x] c. sono dei personaggi inconclusi

3. Secondo Pirandello, gli uomini hanno costante bisogno di:
   - [x] a. mentire a se stessi
   - [ ] b. ingannare gli altri
   - [ ] c. non crearsi illusioni

4. De Filippo debuttò al San Carlo di Napoli con *Napoli milionaria*:
   - [ ] a. prima della II guerra mondiale
   - [ ] b. durante la II guerra mondiale
   - [x] c. dopo la II guerra mondiale

5. L'opera *Filumena Marturano*:
   - [x] a. diventa un film grazie alla regia di De Sica
   - [ ] b. è diretta al cinema da De Filippo stesso
   - [ ] c. al cinema, ha come protagonista De Sica

6. Filumena Marturano, alla fine:
   - [ ] a. convince Domenico a riconoscere il loro figlio
   - [x] b. si sposa con l'amato Domenico
   - [ ] c. dice a Domenico che sono tutti e tre figli suoi

3 Completate il testo inserendo una parola in ogni spazio, come nell'esempio.

Il successo: «Nel 1942, con i miei fratelli decidemmo di passare al teatro, con una compagnia nostra e con copioni scritti da noi. Debuttammo a Milano, ...*all'*...... (1) Odeon. Ma chi ci conosceva? Le poltrone ......*erano*...... (2) per metà vuote, però alla fine il pubblico gridava: "Viva Napoli". Un ...*giornalista*... (3) scrisse un lungo articolo e nei giorni seguenti tutte le file ......*si*...... (4) riempirono!».

Il più bel ricordo: «È nella mia città che ho avuto la commozione più profonda. Fu ......*alla*...... (5) prima di Napoli milionaria nel '45. C'era la fame e tanta gente disperata. Ottenni il teatro San Carlo per una ......*sera*...... (6). [...] lo facevo Gennaro Esposito, un povero e bravo uomo, che viene portato via dai tedeschi e, ...*quando*...... (7) torna, trova un figlio ladro, la moglie che fa il mercato nero, si è arricchita e ......*l'*...... (8) ha tradito, e la figlia che ha fatto l'amore con un soldato americano. Gennaro, con tolleranza, ...*fa*...... (9) capire ai famigliari che non è finito niente, che la ......*vita*...... (10) continua. Recitavo e sentivo intorno a me un silenzio terribile. ......*Quando*...... (11) dissi l'ultima battuta: "Deve passare la nottata" e scese il sipario, ci fu un silenzio ancora ......*di*...... (12) otto, dieci secondi, poi scoppiò un applauso furioso e anche un pianto irrefrenabile; tutti piangevano e anch'io piangevo. Avevo detto il dolore di tutti».

tratto da *un'intervista a Eduardo De Filippo*

Luigi Pirandello, al centro, con i tre fratelli De Filippo (da sinistra: Peppino, Eduardo e Titina). Pirandello aveva un'immensa stima per i De Filippo, che avevano già interpretato con successo una sua commedia, *Il berretto a sonagli*. Secondo lui costituivano una forza nuova e autentica del teatro.

4 Abbinate le parole ai disegni. Che cosa notate?

a. teatro ❖ b. teatrino ❖ c. libro ❖ d. librone ❖ e. ragazzo ❖ f. ragazzaccio

5 Osservate la tabella.

Le parole alterate

In italiano possiamo alterare le parole in base alla:	
dimensione	**qualità**
Diminutivo: • ino/a: *fiorellino, stradina* • ello/a: *alberello, storiella* • etto/a: *libretto, casetta*	**Dispregiativo/Peggiorativo:** • accio/a: *tempaccio, giornataccia, parolaccia*
Accrescitivo: • one: *tavolone, librone* • ona: *macchinona, casona*	**Vezzeggiativo:** • uccio/a: *cavalluccio, casuccia, boccuccia*

6 Completate le frasi con la forma alterata corretta delle parole date.

1. È da tre ore che piove a dirotto! Che ......*tempaccio*......! (tempo)
2. Ti faccio vedere un ......*trucchetto*...... per far ripartire il PC quando si blocca. (trucco)
3. Hai acceso anche il camino? Ecco perché c'è questo bel ......*calduccio*...... (caldo)
4. Per le persone del Toro non andrà bene nulla, sarà una ......*giornataccia*...... (giornata)
5. Per mangiare tutti insieme ci siederemo intorno a questo ......*tavolone*...... (tavolo)

es. 18-21
p. 139

E Librerie e libri

1 In coppia, discutete con un compagno:

- Che rapporto avete con i libri? Quanti libri leggete in un anno?
- In quale momento della giornata e dove vi piace leggere? C'è un periodo dell'anno in cui leggete di più?
- Preferite i libri cartacei o digitali? Vi piace andare in libreria o acquistare online? Motivate le vostre risposte.

2 Ascoltate ora un'intervista a un libraio. Secondo voi, anche nel vostro Paese i risultati sarebbero gli stessi?

3 Ascoltate di nuovo e completate le informazioni con le parole mancanti (massimo quattro).

1. Gli italiani storicamente sono poco .... *abituati a leggere* ....
2. Bene o male, si invoglia poco il bambino o la bambina di turno a confrontarsi con letture .... *un pochino più interessanti* ....
3. Il lettore "forte" è un... intanto si dice da sempre .... *che è donna* ....
4. Le grandi case editrici spesso scelgono di pubblicare cose già in qualche modo sapendo e scegliendo .... *a chi proporlo* ....
5. Il pubblico femminile si confronta ancora .... *con i grandi romanzi* .... , romanzi d'amore ma anche non.
6. I giovani, come al solito, sono anche il tipo di pubblico più ...... *influenzabile dalla pubblicità* ....

4 Leggete il testo e indicate solo le affermazioni presenti.

L'AVVENTURA DI UN LETTORE

Da tempo Amedeo tendeva a ridurre al minimo la sua partecipazione alla vita attiva. [...] L'interesse all'azione sopravviveva però nel piacere di leggere; la sua passione erano sempre le narrazioni di fatti, le storie, l'intreccio delle vicende umane. Romanzi dell'Ottocento, prima di tutto, ma anche memorie e biografie; e via via fino ad arrivare ai gialli e alla fantascienza, che non disdegnava ma che gli davano minor soddisfazione anche perché erano libretti brevi: Amedeo amava i grossi tomi e metteva nell'affrontarli il piacere fisico dell'affrontare una grossa fatica. [...]

Nel libro trovava un'adesione alla realtà molto più piena e concreta, dove tutto aveva un significato, un'importanza, un ritmo. Amedeo si sentiva in una condizione perfetta: la pagina scritta gli appariva la vera vita, profonda e appassionante, e alzando gli occhi ritrovava un casuale ma gradevole accostarsi di colori e

sensazioni, un mondo accessorio e decorativo, che non poteva impegnarlo in nulla. La signora abbronzata, dal suo materassino, gli fece un sorriso e un cenno di saluto, lui rispose pure con un sorriso e un vago cenno e riabbassò subito lo sguardo. Ma la signora aveva detto qualcosa:

– Eh?

– Legge, legge sempre?

– Eh...

– È interessante?

– Sì.

– Buon proseguimento!

– Grazie.

Bisognava che non alzasse più gli occhi. Almeno fino alla fine del capitolo. Lo lesse d'un fiato. [...]

– Ma...

Amedeo fu costretto ad alzare il capo dal libro.

La donna lo stava guardando, ed i suoi occhi erano amari.

– Qualche cosa che non va? – lui chiese.

– Ma non si stanca mai di leggere? – disse la donna. – Non sa che con le signore si deve fare conversazione? – aggiunse con un mezzo sorriso che forse voleva essere solo ironico, ma ad Amedeo, che in quel momento avrebbe pagato chissà cosa per non staccarsi dal romanzo, sembrò addirittura minaccioso. "Cos'ho fatto, a mettermi qui!", pensò. Ormai era chiaro che con quella donna al fianco non avrebbe più letto una riga.

adattato da Gli amori difficili di Italo Calvino

- [x] 1. Amedeo preferisce leggere libri lunghi e voluminosi.
- [ ] 2. Amedeo è un tipo sportivo.
- [ ] 3. Ha comprato un libro da leggere in spiaggia.
- [x] 4. Per Amedeo, la letteratura è più importante della vita reale.
- [ ] 5. La signora sta leggendo una rivista di moda.
- [x] 6. La signora sorride e interrompe Amedeo dalla lettura.
- [ ] 7. Amedeo ha voglia di parlare del suo libro con la signora.
- [x] 8. La signora vorrebbe che Amedeo parlasse con lei.
- [ ] 9. Amedeo finisce il libro prima di parlare con la signora.
- [ ] 10. La signora è in compagnia delle sue amiche.

5 Racconta la mia storia

Gli studenti si mettono in cerchio e l'insegnante comincia una storia, tratta da un libro famoso (che però non svela). Gli studenti dovranno continuare a turno la storia, per almeno 30 secondi, inventando se non la conoscono o raccontandola se hanno riconosciuto il romanzo. Chi non riesce a continuare la storia, esce dal cerchio.

Vince lo studente che rimane al suo posto fino alla fine.

F   Vocabolario e abilità

1 Vita da libri! Immaginate di essere un libro e di voler raccontare la vostra vita. Aiutatevi con le immagini e con le parole date.

editore ❖ presentare ❖ lettore ❖ pubblicare ❖ personaggi ❖ libraio ❖ vetrina
autore ❖ successo ❖ copie ❖ titolo ❖ tipografo ❖ stampare ❖ copertina ❖ comprare

 2 Ascolto Quaderno degli esercizi (p. 141)

 es. 22-24
p. 141

 3 Situazione

Sei A: devi fare un regalo di compleanno e hai pensato di comprare un bel libro. Vai in una libreria italiana e chiedi aiuto al libraio per scegliere il romanzo giusto. A pagina 198 trovi informazioni sulle persone a cui dovresti fare il regalo (devi sceglierne una).

Sei B: sei il libraio e conosci abbastanza bene la letteratura italiana. A pagina 204 trovi le informazioni per aiutare A e rispondere alle sue domande.

 120-140 **4 Scriviamo**

«Ho scoperto che i migliori compagni di viaggio sono i libri: parlano quando si ha bisogno, tacciono quando si vuole silenzio. Fanno compagnia senza essere invadenti. Danno moltissimo, senza chiedere nulla». A partire da questa affermazione, rifletti sull'importanza dei libri e della lettura nella vita di ognuno di noi ed esponi il tuo punto di vista.

Test finale
p. 193

CLASSICI DELLA LETTERATURA ITALIANA

1 Leggete e completate i testi con le parole date a destra.

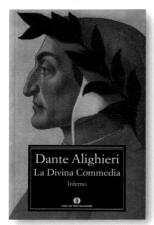

La Divina Commedia

È il capolavoro di Dante Alighieri, ma anche un'opera fondamentale per la letteratura italiana e mondiale. Composto tra il 1306-07 e il 1321 circa, è un poema diviso in tre _parti_ (1) (chiamate cantiche): Inferno, Purgatorio e Paradiso, ciascuna a loro volta suddivise in 33 canti, più uno introduttivo nell'Inferno. Dante è il primo poeta a utilizzare la lingua volgare per gli scritti letterari.

L'Orlando furioso

Ludovico Ariosto pubblica il suo _poema_ (2) epico* cavalleresco nel 1516. L'opera narra con elegante ironia le vicende dei cavalieri di Carlo Magno, seguendo due temi principali: la guerra dei cristiani contro i musulmani e la ricerca di Angelica da parte di Orlando e degli altri cavalieri, tutti innamorati di lei.

I promessi sposi

Il romanzo di Alessandro Manzoni, pubblicato nel 1827, è uno dei primi grandi _romanzi_ (3) in lingua italiana. Si tratta di un romanzo storico e narra la storia di Renzo e Lucia, due giovani innamorati nella Lombardia dei primi decenni del 1600 sotto la dominazione spagnola, i quali sono costretti a superare diversi ostacoli per vivere il loro amore.

Il fu Mattia Pascal

È un romanzo, che potremmo definire psicologico, di Luigi Pirandello pubblicato nel 1904. _Racconta_ (4) la storia di Mattia Pascal, che decide di cominciare una nuova vita con un nuovo nome, lontano dalla sua vecchia famiglia. Questo tentativo fallisce e il protagonista decide di ritornare alla sua vita "precedente", ma trova tutto cambiato e soprattutto non c'è più posto per lui.

GLI ITALIANI E LA LETTURA

Nell'ultimo anno, solo il 41% degli italiani ha letto un libro

41%

59%

- chi non ha letto un libro
- chi ha letto un libro

Le donne leggono più degli uomini

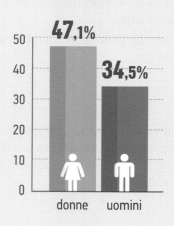

47,1%
34,5%

donne | uomini

Il Trentino Alto Adige è la regione con più lettori, la Sicilia quella con meno

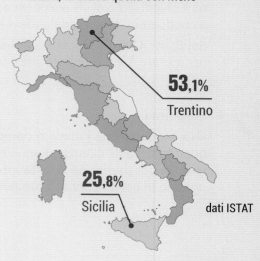

53,1% Trentino

25,8% Sicilia

dati ISTAT

romanzi ❖ poema ❖ racconta ❖ ambientandolo ❖ realista
parti ❖ protagonista ❖ pubblica

Il nome della rosa

Nel 1980 viene pubblicato il romanzo più famoso di Umberto Eco. È un giallo in cui il _protagonista_ (5), il frate Guglielmo da Baskerville, indaga su una serie di delitti* (sette in sette giorni) avvenuti all'interno di un'abbazia, un monastero.

Gli indifferenti

Nel 1929, in pieno regime fascista, Alberto Moravia realizza un ritratto critico e _realista_ (6) della borghesia italiana. I protagonisti del romanzo, "indifferenti" a tutto vivono la loro vita nell'ipocrisia, nel loro mondo borghese privo di valori.

La storia

Elsa Morante pubblica nel 1974 il suo romanzo storico più noto ma anche più discusso, _ambientandolo_ (7) nella Roma della guerra e dell'immediato dopoguerra.

Con estremo realismo, descrive la tragica storia di una maestra elementare, vedova con due bambini, che lotta per la sua sopravvivenza e per quella dei suoi figli, ma inutilmente.

Se questo è un uomo

Sopravvissuto al campo di concentramento di Auschwitz, Primo Levi scrive tra il dicembre del 1945 e il gennaio del 1947 il suo primo libro, che _pubblica_ (8) nello stesso anno. Con una scrittura diretta e chiara, Levi riporta la sua testimonianza della terribile esperienza, affinché tutti possano conoscere e ricordare la tragedia immane*, disumana* dei lager nazisti.

> **Glossario.** _epico:_ si riferisce alla poesia che narra avvenimenti eroici; _delitto:_ omicidio; _immane:_ di enorme grandezza, immenso, smisurato; _disumano:_ che non ha nulla di umano; _riscuotere successo:_ avere successo; _tetralogia:_ insieme di quattro opere letterarie.

FENOMENI EDITORIALI ITALIANI

Tra gli autori contemporanei che hanno riscosso* più successo nelle vendite, in Italia e all'estero, ci sono sicuramente Elena Ferrante con la tetralogia* _L'amica geniale_, tradotta in 40 lingue, e Andrea Camilleri con i suoi romanzi polizieschi che vedono protagonista il _Commissario Montalbano_. Da entrambi questi capolavori è stata tratta una serie tv, distribuita anche all'estero.

PREMI NOBEL

6 sono gli italiani a cui è stato assegnato il Nobel per la letteratura:

il poeta **Giosuè Carducci** (1906), la romanziera **Grazia Deledda** (1926), lo scrittore **Luigi Pirandello** (1934), il poeta **Salvatore Quasimodo** (1959), il poeta **Eugenio Montale** (1975) e lo scrittore e attore **Dario Fo** (1997).

Attività online

Che cosa ricordi delle unità 10 e 11?

1 Sai...? Abbina le due colonne. Attenzione: nella colonna di destra c'è una frase in meno.

1. esprimere indifferenza
2. riportare le ipotesi di qualcuno
3. parlare di segni zodiacali
4. gestire i turni di parola
5. esprimere ordini nella forma negativa
6. chiedere conferma

3. a. *Le persone gemelli sono sensibili e curiose.*
4. b. *Per favore, non parlatemi sopra e lasciate dire una cosa anche a me!*
5. c. *Non pagare con la carta di credito!*
2. d. *Gli disse che se avesse letto le istruzioni, ora funzionerebbe tutto.*
1. e. *Me ne infischio di quello che dice il Direttore!*

2 Abbina le frasi.

1. Lea disse che
2. Stasera studierò fino a tardi!
3. Leggendo Calvino,
4. A pensarci bene
5. La polizia arrestò alcune persone

3. a. mi sono appassionato alla letteratura italiana.
4. b. mi piacerebbe comprare un nuovo romanzo.
5. c. ritenute responsabili.
1. d. quel giorno le avrebbe aspettate lì.
2. e. Bravo, ogni tanto è necessario.

3 Scegli la parola giusta.

1. Ci sono <u>scrittori</u> / lettori / editori / pittori che firmano i loro libri con un altro nome, uno pseudonimo.
2. La libreria / biblioteca / <u>letteratura</u> / lettura italiana è una delle più apprezzate al mondo, con molti 'tesori' da scoprire.
3. La parte grafica è importante: a volte basta una bella trama / vetrina / <u>copertina</u> / casa editrice per vendere più facilmente un libro.
4. La <u>fuga di cervelli</u> / fuga di notizie / fuga di personale / fuga di gas è un grande problema socioeconomico per l'Italia.
5. I due giovani sono stati arrestati per <u>spaccio</u> / criminalità / pena / carcere e saranno processati subito in tribunale.

4 Completa.

1. Un fenomeno editoriale italiano:
   L'amica geniale/Il commissario Montalbano

2. Da chi è stata scritta l'opera teatrale *Filumena Marturano*?
   Eduardo De Filippo

3. Il participio presente di *passare*:
   passante

4. Il diminutivo di *capitolo*:
   capitoletto

5. Cosa esprime la costruzione *stare per + infinito*?
   un'azione che sta per accadere

Controlla le soluzioni a pagina 194. Sei soddisfatto/a?

Cattedrale di Siena, Toscana

Che cosa hai imparato in *Nuovissimo Progetto italiano 2*?

1 Dove o in quale occasione sentiresti le seguenti espressioni e frasi?

1. "Il tasso d'interesse è molto basso"
   - [x] a. in banca
   - [ ] b. in un annuncio di lavoro
   - [ ] c. in un teatro

2. "Dispone di una cucina abitabile"
   - [ ] a. in un ristorante
   - [ ] b. in banca
   - [x] c. in un'agenzia immobiliare

3. "La frequenza è obbligatoria"
   - [ ] a. in palestra
   - [x] b. all'università
   - [ ] c. in un museo

4. "Animali domestici ammessi"
   - [ ] a. in libreria
   - [ ] b. all'università
   - [x] c. in albergo

5. "Quali erano le sue mansioni?"
   - [x] a. in un colloquio di lavoro
   - [ ] b. in banca
   - [ ] c. in un museo

6. "Il prezzo comprende il volo e il soggiorno"
   - [ ] a. in albergo
   - [x] b. in un'agenzia di viaggi
   - [ ] c. in un'agenzia immobiliare

2 Abbina le due colonne. Attenzione: c'è una risposta in più.

1. Allora, mi hai preso in giro?
2. Questo è un dipinto di Modigliani.
3. Il mio capo non mi ha concesso le ferie.
4. Hai sentito della nuova legge sul lavoro?
5. Mi presteresti il tuo motorino?
6. Paolo farà un mese di vacanze.
7. Luisa si sposa tra un mese.
8. Tu e Mirco dovreste parlare.

- [8] a. E perché mai? Tanto ha sempre ragione lui!
- [3] b. Ma è assurdo, non può non dartele!
- [4] c. Ti assicuro che non verrà votata.
- [x] d. Ma non si può andare avanti così!
- [2] e. Mi scusi, ha detto Modigliani?
- [1] f. Ma no, stavo solo scherzando!
- [6] g. Se avessi abbastanza soldi, lo farei anche io.
- [7] h. E con ciò? Io ormai sto con Maria.
- [5] i. Ma stai scherzando? Me lo hanno rubato.

3 Inserisci le parole date nella categoria giusta. Ogni categoria ha 3 parole.

prenotazione | interessi | racconto | tenore | scultura | doppi servizi | libretto
tesi | monolocale | mezza pensione | corsi | soprano | appunti | angolo cottura
statua | romanzo | sportello | dipinto | giallo | soggiornare | prelevare

1. *banca:* interessi, sportello, prelevare
2. *albergo:* prenotazione, mezza pensione, soggiornare
3. *università:* corsi, tesi, appunti
4. *opera:* tenore, soprano, libretto
5. *museo:* scultura, statua, dipinto
6. *libreria:* racconto, giallo, romanzo
7. *agenzia immobiliare:* doppi servizi, monolocale, angolo cottura

4 Completa le frasi con la parola mancante.

1. Perché non me l'hai riportato? Non ti ho detto che _mi_ serviva per oggi?
2. Secondo me dovresti dir _glielo_, in fondo ha tutto il diritto di sapere come stanno le cose.
3. Ragazzi, domani _chi_ di voi porta il proprio dizionario di inglese per il compito in classe?
4. _Di_ lui non ci possiamo fidare: è un irresponsabile!
5. Mi ha spiegato i motivi per _cui_ non è venuto e non posso dargli tutti i torti.
6. Se rimpiango i tempi dell'università? _Ci_ penso molto spesso!
7. _Ce_ l'abbiamo fatta: siamo in finale!
8. È rimasta un po' di torta: _ne_ vuoi un pezzo?

5 Completa con il tempo e il modo giusto dei verbi dati, non sempre in ordine.

1. Ti _avrei richiamato_ ma non avevo il cellulare con me. Comunque non pensavo _si trattasse_ di una cosa tanto urgente: mi dispiace! (*trattarsi – richiamare*)
2. Quei ladruncoli _sono stati sorpresi_ dall'anziana portiera che è riuscita a farli scappare _minacciando_li con l'ombrello. (*sorprendere – minacciare*)
3. Una volta _arrivati_ all'aeroporto, il mio partner si è accorto di _aver dimenticato_ i biglietti a casa! (*arrivare – dimenticare*)
4. Mio padre mi diceva sempre: "Solo _lavorando_ duramente e onestamente _farai_ strada nella vita!" (*lavorare – fare*)
5. I moduli d'iscrizione _si possono_ inviare all'indirizzo email info@unirm.it oppure _si possono_ consegnare di persona presso i nostri uffici. (*potere – potere*)

6 Unisci le frasi attraverso le congiunzioni giuste.

1. Va bene, ti racconterò tutto   prima che   a. non avessi mangiato. (5)
2. Diglielo tu   purché   b. venga a saperlo da una terza persona. (2)
3. Luisa non ha voluto giocare   a meno che   c. tu mi prometta che rimarrà tra noi! (1)
4. Non l'ho aiutato   nel caso   d. le sue condizioni fisiche fossero buone. (3)
5. Ti ho portato un panino   affinché   e. i tuoi non lo sappiano già. (6)
6. Non prendere certe decisioni   nonostante   f. impari a cavarsela da solo. (4)

7 Completa le frasi con i nomi derivati dalle parole date.

1. Gli _ambientalisti_ hanno promosso un'iniziativa per la salvaguardia del verde cittadino. (*ambiente*)
2. È una persona seria e competente, un vero _professionista_. (*professione*)
3. Preferirei vivere in campagna perché amo la _tranquillità_. (*tranquillo*)
4. La casa che vorremmo comprare ha una camera da letto veramente _spaziosa_. (*spazio*)
5. Si è messo a piovere _improvvisamente_ e ci siamo bagnati dalla testa ai piedi. (*improvvisa*)
6. Sto studiando il tedesco e ho molta _difficoltà_ a memorizzare le parole nuove. (*difficile*)

Vi aspettiamo tutti in Nuovissimo Progetto italiano 3!

Episodio - Com'è andato l'esame?

Per cominciare...

 1 Guardate i primi 25 secondi dell'episodio. Secondo voi, dove sono Lorenzo e Gianna?
Sono all'università.

 2 Cosa succederà ora? In coppia, provate a fare delle ipotesi su come continuerà l'episodio.

Guardiamo

1 Guardate tutto l'episodio e verificate le vostre ipotesi.

2 Guardate di nuovo l'episodio e abbinate le parole seguenti al personaggio che le dice. Poi provate a spiegare cosa significano.

a. *bocciato* ✕ b. *mattone* ✕ c. *appello* ✕ d. *secchiona* ✕ e. *media*

Lorenzo

Gianna

3 Osservate le espressioni in blu e abbinatele al loro significato.

Gianna, non ti ci mettere anche tu!

☒ 1. Non cominciare.
☐ 2. Non ti muovere.

Ma sì, a questo punto fregatene della media, l'importante è finire!

☐ 1. Non devi dimenticare.
☒ 2. Non devi preoccuparti.

Facciamo il punto

Completate i dialoghi tra i due protagonisti con le frasi date. Poi confrontatevi tra voi.

a. *...un 23 lo prendo!* ✕ b. *Indovina? Bocciato...* ✕ c. *...Allora? Com'è andata?*
d. *...tra due mesi l'esame lo passi di sicuro.*

Lorenzo... c

b ...di nuovo!

Sì... la prossima volta... a

Beh dai! Prendi questo nuovo libro e... d

Episodio - Lorenzo cerca lavoro

Per cominciare...

 1 Guardate i primi 35 secondi dell'episodio senza l'audio. Che cosa succede? Descrivete la situazione utilizzando soltanto tre parole tra quelle date, che avete già incontrato a pagina 23.

contanti × assegno × prelevare × cercare × carta di credito × sportello bancomat

 2 Adesso continuate a guardare l'episodio, con l'audio, fino a 2'12''. Cosa succederà? Lorenzo otterrà o no il lavoro? A coppie, lo studente A crea un finale di episodio positivo, mentre lo studente B uno negativo.

Guardiamo

1 Guardate l'intero episodio e verificate le vostre ipotesi.

2 Mettete in ordine cronologico le immagini.

Facciamo il punto

 1 Fate un breve riassunto orale dell'episodio.

2 Cosa dice o chiede il responsabile dell'azienda a Lorenzo durante la chiamata? Immaginate le possibili frasi e scrivetele.

responsabile: .... *Conosce la lingua inglese?* .... (1)

Lorenzo: Beh sì, l'inglese lo so molto bene perché ho fatto una vacanza studio in Scozia...

responsabile: .... *Ha conoscenze informatiche?* .... (2)

Lorenzo: Conoscenze informatiche... sì, ho anche un diploma ECDL...

responsabile: .... *Ha già avuto altre esperienze?* .... (3)

Lorenzo: Esperienza...? Beh no... sinceramente devo ancora finire l'università e...

responsabile: .... *Dunque lei è uno studente?* .... (4)

Lorenzo: Sì sì, sono studente.

responsabile: .... *A quale anno sta?* .... (5)

Lorenzo: Leggermente fuori corso... diciamo così...

Episodio - Finalmente a Roma

Per cominciare...

Leggete alcune frasi di Lorenzo e Gianna e fate delle ipotesi su cosa succederà nell'episodio.

Ma come le stanze non sono pronte?!

Del resto, anche questi dicevano: a due passi dal centro...

Lorenzo

Gianna

Vediamo se c'è un autobus che ci porta fino in centro

Guardiamo

1 Guardate tutto l'episodio e verificate le vostre ipotesi.

2 Osservate i simboli dei servizi alberghieri che avete già visto a pagina 45. Indicate di quale servizio parla Lorenzo e di quale Gianna? Poi completate gli spazi bianchi.

(a) *ristorante*

(b) *wi-fi gratuito*

(c) *navetta aeroporto*

(d) *aria condizionata*

(e) *spa*

(f) *animali domestici*

Facciamo il punto

Leggete le battute e abbinate le parole in blu al loro sinonimo.

3 esattamente 1 problema 4 iniziamo 2 nel frattempo

Arrivederci e scusate per l'inconveniente. **1**

Senta, possiamo almeno lasciare i bagagli qui e andare a fare un giro intanto? **2**

Ce n'è uno che porta proprio in Piazza Venezia **3**

Comunque, godiamoci Roma! Allora, da dove cominciamo? **4**

Episodio - In giro per Roma

Per cominciare...

 1 Che cosa conoscete di Roma? A coppie, fate una lista dei posti e dei monumenti famosi che conoscete e poi immaginate la vostra giornata da turisti a Roma: cosa visitereste e perché.

 2 Guardate l'episodio senza audio da 0'50'' a 1'54''. Cosa succede? Osservate i gesti e le espressioni dei due protagonisti: cosa comunicano secondo voi? Poi confrontatevi e fate ipotesi sul proseguimento dell'episodio.

Guardiamo

1 Adesso guardate l'intero episodio con l'audio e verificate le vostre ipotesi.

2 Abbinate le informazioni storiche alle immagini dei luoghi di Roma corrispondenti.

1 c 2 b 3 d 4 f 5 a 6 e

a. Il leone di San Marco viene dalle mura di Padova.
b. Fu progettata da Michelangelo alla metà del '500.
c. La sua costruzione iniziò nel 72 sotto l'imperatore Vespasiano.
d. In epoca romana era uno stadio.
e. Fu la tomba di Adriano.
f. Si chiama così perché nel '700 c'era l'Ambasciata spagnola.

Facciamo il punto

 50-60 Scrivete un breve riassunto dell'episodio.

Episodio - Facciamo un po' di sport!

Per cominciare...

 Guardate, senza audio, una scena centrale dell'episodio (da 1'19'' a 2'20''). In coppia, lo studente A spiega cosa succede nella scena e fa ipotesi su cosa è successo prima; lo studente B spiega cosa succede nella scena e fa ipotesi su cosa succederà dopo.

Guardiamo

1 Ora guardate l'intero episodio con l'audio e verificate le vostre ipotesi.

 2 Osservate le immagini che sono già in ordine e descrivete cosa succede in ogni scena.

Facciamo il punto

Osservate le immagini, leggete le battute e scegliete la spiegazione corretta delle espressioni in blu.

> **1** Comunque, d'accordo che adesso faccio vita sedentaria...

1. Lorenzo usa l'espressione in blu per dire:
   - [ ] a. è giusto che
   - [ ] b. è strano che
   - [x] c. è vero che

2. Gianna usa l'espressione in blu per dire:
   - [x] a. assolutamente no
   - [ ] b. sicuramente
   - [ ] c. forse

3. Lorenzo usa il verbo in blu per dire:
   - [ ] a. poter respirare
   - [x] b. poter continuare
   - [ ] c. essere capace

> **2** Io mica intendo fermarmi per te, eh!?

> **3** Fai come vuoi, io non credo di farcela...

Episodio - A scuola di canto

Per cominciare...

1 Guardate i primi 30 secondi dell'episodio. Dove sono Gianna e Lorenzo? Indicate quali luoghi e monumenti sono presenti in questa sequenza.

i Navigli   la Basilica di S. Ambrogio   il Teatro alla Scala   il Castello Sforzesco   la Galleria Vittorio Emanuele II   piazza del Duomo

2 Dividetevi in due gruppi. Il gruppo A esce dalla classe, mentre il gruppo B guarda l'episodio dall'inizio fino a 1'28''. Successivamente, il gruppo A rientra, mentre esce il B. Il gruppo A guarda l'episodio da 1'28'' in poi. Alla fine, ogni gruppo può fare massimo 2 domande all'altro e deve cercare di ricostruire tutto l'episodio.

Guardiamo

1 Guardate l'intero episodio e verificate quale gruppo lo ha ricostruito meglio.

2 Mettete in ordine le immagini e scrivete una breve descrizione di ogni scena (massimo 7 parole).

a 2 — _Lorenzo non capisce la passione di Gianna._

b 3 — _Lorenzo osserva una cantante durante le prove._

c 1 — _I protagonisti cercano una scuola di musica._

d 4 — _A Lorenzo piace la cantante._

Facciamo il punto

Rispondete alle domande.

1. Perché Gianna e Lorenzo vanno in una scuola di musica? _Perché Gianna vuole iscriversi a un corso di canto._
2. Cosa pensa Lorenzo della musica lirica? _Crede che sia noiosa e non capisce perché piaccia a G._
3. Cosa fa Lorenzo quando Gianna va in segreteria? _Entra in una stanza e ascolta una cantante._
4. Quale consiglio dà Gianna a Lorenzo per provare a "conquistare" la cantante? _Di iniziare un corso di canto anche lui._

Episodio - Che aria pulita!

Per cominciare...

 1 Il titolo di questo episodio è "Che aria pulita!". Secondo voi cosa succederà durante l'episodio? Cosa faranno e dove saranno Gianna e Lorenzo? Scambiate idee tra di voi.

2 Abbinate le parole date al luogo giusto.

1 *miele*
2 *traffico*
1 *olio*
1 *agriturismo*
2 *centro commerciale*
2 *inquinamento*
1 *cavalli*
1 *aria pulita*

Guardiamo

1 Guardate l'intero episodio e verificate le vostre ipotesi.

2 Rispondete alle seguenti domande:

1. Cosa ha Lorenzo nella valigia? *Creme e pomate per l'allergia.*
2. Nella scena dei cavalli, perché Lorenzo reagisce così? *Per l'odore e per i tanti insetti.*
3. Cosa chiede Lorenzo al proprietario dell'agriturismo? Perché Gianna lo interrompe? *Chiede dove sia la "reception" pensando di essere in un hotel. Gianna lo interrompe per non mettere a disagio l'anziano proprietario.*

Facciamo il punto

 Osservate i fotogrammi e metteteli nell'ordine giusto. Poi con l'aiuto delle immagini, raccontate quello che succede nell'episodio.

a 6

b 1

c 4

d 5

e 2

f 3

Episodio - Lorenzo e la tecnologia

Per cominciare...

 In coppia, provate ad abbinare le frasi ai fotogrammi e cercate di indovinare cosa succede nell'episodio.

a. ...se continua a fare così, prova ad aumentare la memoria.

b. ...l'università dove insegni? Troppo bella!

c. Come è andata la giornata?

d. Cioè io ti sto parlando e tu stai chiacchierando con Massimo! Ma ti rendi conto? Tu e la tua tecnologia!

Ciao Lorenzo, come va? [c]

No, senti, ... [a]

Massimo?! [d]

E quella sarebbe... [b]

Guardiamo

1 Guardate l'episodio e verificate le vostre ipotesi.

2 Indicate se le affermazioni sono vere o false.

	V	F
1. Gianna ha avuto una giornataccia in ufficio.	x	
2. Lorenzo non vuole sentir parlare di Ludovica.		x
3. Ludovica è interessata a Lorenzo.	x	
4. Lorenzo consiglia a Gianna di scaricare un software.		x
5. Gianna è sorpresa del messaggio che riceve al cellulare.	x	
6. Lorenzo mostra a Massimo una foto della sua università.		x

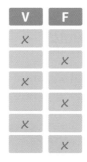 **3** Secondo voi, perché Gianna e Lorenzo si guardano in quel modo verso la fine dell'episodio? Cosa significa, secondo voi, quello sguardo?

Facciamo il punto

 40-60 Scrivete un breve riassunto dell'episodio.

Episodio - Arte, che fatica!

Per cominciare...

1 Conosci le opere d'arte rappresentate?
Abbinate i titoli dati alle foto.
Attenzione: c'è un titolo in più.

a. *La nascita di Venere*, Botticelli.

b. *La primavera*, Botticelli.

c. *Il duca di Urbino*, Piero della Francesca.

d. *Ragazzo con canestro di frutta*, Caravaggio.

 2 Guardate il fotogramma a 0'59''. Dove entrano Lorenzo e Gianna?
A coppie, fate ipotesi su cosa è successo prima e cosa succederà dopo.

Guardiamo

1 Guardate l'episodio e verificate le vostre ipotesi.

2 Abbinate le battute date al personaggio che le pronuncia.

	Gianna	Lorenzo
1. Una copia... quindi, un poster?		X
2. Basta che sia un artista italiano...	X	
3. Beh, il primo è Picasso... e non è italiano...	X	
4. Sì, può andare. Però il tizio ritratto non è certo una bellezza!		X
5. Deve essere sempre una copia o l'originale?		X
6. Ci hanno ripensato, meglio una piccola statua per la sua scrivania.	X	

Facciamo il punto

Completate le frasi (massimo 6 parole).

1. Lorenzo e Gianna sono alla ricerca di un quadro ...*italiano del*... ...*Rinascimento o del Barocco*... .

2. Secondo Lorenzo, la Venere nel quadro di Botticelli ...*è un po' nuda*... ....

3. Del ritratto di Piero della Francesca, Lorenzo pensa che ...*possa andare*... ma la persona ritratta ...*non è molto bella*... .

4. Gianna riceve una telefonata in cui le dicono che ...*hanno cambiato idea*... ...*sul regalo*... .

Episodio - Non sono io il ladro!

Per cominciare...

 1 Guardate una breve scena della fine dell'episodio (da 4'29'' a 4'40''). Secondo voi, cosa è successo prima? Cosa potete capire dal tono di voce di Lorenzo?

 2 Osservate le parole date e, in coppia, usatele per fare ulteriori ipotesi su questo episodio.

portafoglio ✕ questura ✕ ladro ✕ rubato ✕ perso ✕ ritrovato

Guardiamo

1 Guardate l'intero episodio e verificate le vostre ipotesi.

2 Indicate le affermazioni vere.

- [x] 1. Gianna prende in giro Lorenzo per come ha preso il portafoglio.
- [ ] 2. Lorenzo spera di trovare contanti nel portafoglio come ricompensa.
- [ ] 3. Lorenzo non vede l'ora di chiamare la signora.
- [x] 4. Il portafoglio è stato trovato in zona Sempione.
- [x] 5. La signora sostiene che i soldi nel portafoglio fossero di più.
- [ ] 6. Lorenzo fa parlare la polizia con la signora.

Facciamo il punto

1 Leggete le risposte di Lorenzo durante la chiamata e provate a scrivere le frasi della signora Baldini.

1. *Lorenzo:* "Lei non mi conosce, io sono Lorenzo Sorrentino e ho trovato il suo portafoglio per terra. Lei l'ha perso, eh?"
   signora: .... *Sì, l'ho perso!*

2. *signora:* .... *È stato lei a rubarmelo!*
   Lorenzo: "No... non sono stato io a rubarglielo..."

3. *signora:* .... *I soldi erano di più*
   Lorenzo: "Ma come erano di più?... Dice che aveva con sé più di 150 euro..."

4. *signora:* .... *Lei mi ha seguita, spiata e derubata!*
   Lorenzo: "Ma questa poi?! Io spiarla? Ma stiamo scherzando? Dice che l'abbiamo seguita, spiata e poi derubata..."

 2 Fate un riassunto orale della conversazione telefonica tra Lorenzo e la signora Baldini.

Episodio - Un libro introvabile

Per cominciare...

 Guardate le immagini di alcuni momenti dell'episodio e abbinatele alle battute. Poi provate a spiegare cosa succederà.

a. Restando nelle biografie, ci sarebbe questa... questa biografia di Bill Gates.

b. E adesso come faccio?

c. Beh, non è proprio una pubblicazione molto recente...

d. No, come temevo: è esaurito.

Guardiamo

1 Guardate l'episodio e verificate le vostre ipotesi.

2 Leggete le battute del commesso e spiegate cosa significano le espressioni in blu.

Mi dispiace signore, ma è un libro che sta vendendo... molto.

Ho capito! Sì, ci sono!

Facciamo il punto

 1 Dividetevi in piccoli gruppi di massimo 3 persone e fate un riassunto a catena dell'episodio: inizia uno studente e poi continuano gli altri. Ogni studente ha 10'' a disposizione.

 2 Il commesso chiama l'altra libreria del gruppo ma il libro non è disponibile neppure lì. A coppie, immaginando che il libro sia disponibile nell'altra libreria, inventate un seguito dell'episodio.

Unità 1

1. 1. d, 2. a, 3. c, 4. e, 5. b
2. 1. d, 2. e, 3. a, 4. c, 5. b
3. 1. 6 anni, 2. esame di maturità (esame di Stato), 3. ce lo, 4. glieli ha regalati, 5. quale, chi, che cosa
4. **Orizzontale:** appello, corso, ingegneria, materia; **Verticale:** insegnante, laurea, lingue, studente

Unità 2

1. 1. b, 2. d, 3. a, 4. e, 5. c
2. 1. c, 2. d, 3. a, 4. e, 5. b
3. 1. male alloggia; 2. autostrada del Sole; 3. ce ne; 4. che, la quale, per cui; 5. tutti coloro che vogliono...
4. 1. licenziare, 2. assumere, 3. prelevare, 4. risparmiare, 5. disoccupato, 6. colloquio di lavoro, 7. frequentare

Unità 3

1. 1. d, 2. e, 3. a, 4. c, 5. b
2. 1. b, 2. e, 3. a, 4. d, 5. c
3. 1. vicinissimo; 2. i portici; 3. Venezia, Firenze; 4. superiore; 5. Piazza Navona, Piazza Duomo, Piazza San Marco, Piazza del Plebiscito
4. 1. volo, valigie; 2. colloquio, posto; 3. credito, sconto; 4. Piemonte, lombardi; 5. matrimoniale, piscina

Unità 4

1. 1. c, 2. d, 3. e, 4. b, 5. a
2. 1. d, 2. a, 3. e, 4. b, 5. c
3. 1. Sedicesimo; 2. Romolo, Remo; 3. fece; 4. facilmente; 5. anni di piombo
4. **Orizzontale:** bagaglio, impero, infondato, piscina, secolo; **Verticale:** guerra, medioevo, prenotazione, repubblica, vacanze

Unità 5

1. 1. c, 2. e, 3. b, 4. d, 5. a
2. 1. b, 2. a, 3. c, 4. e, 5. d
3. 1. forse; 2. legga, dica; 3. nuoto; 4. Paralimpiadi; 5. Repubblica
4. 1. governo, 2. nuoto, 3. gara, 4. perciò

Unità 6

1. 1. e, 2. a, 3. d, 4. c, 5. b
2. 1. d, 2. c, 3. a, 4. e, 5. b
3. 1. La Traviata; 2. qualche, ogni; 3. me lo dica; 4. ciclismo; 5. prescrizione
4. 1. tenore; 2. pillole, collirio 3. autobus, fermata; 4. spettatori, spettacolo; 5. antibiotici

Unità 7

1. 1. b, 2. e, 3. a, 4. c, 5. d
2. 1. c, 2. e, 3. d, 4. b, 5. a
3. 1. bilocale, 2. desertificazione, 3. risorse, 4. raccolta differenziata, 5. problemi ambientali
4. **Orizzontale:** applausi, paziente, alluvione, palcoscenico **Verticale:** incendi, siccità, sottosuolo, tenore

Unità 8

1. 1. d, 2. b, 3. e, 4. c, 5. a
2. 1. d, 2. e, 3. a, 4. b, 6. c
3. 1. Etna; 2. Guglielmo Marconi; 3. riflessivo, diretto, indiretto; 4. noi fossimo stati; 5. cartella
4. 1. installare, 2. connessione, 3. stampante, 4. riciclare, 5. sprecare, 6. invenzione, 7. salvaguardia

Unità 9

1. 1. e, 2. d, 3. f, 4. b, 5. c
2. 1. d, 2. e, 3. a, 4. c, 5. b
3. 1. riesca; 2. sono stati arrestati; 3. avesse avuto, avrebbe brevettato; 4. sono/vengono richieste; 5. sono state ritrovate
4. 1. denaro, 2. calore, 3. si alzano, 4. Picasso

Unità 10

1. 1. c, 2. b, 3. d, 4. e, 5. a
2. 1. c, 2. e, 3. a, 4. b, 5. d
3. 1. il giorno dopo/seguente, 2. Sacra Corona unita, 3. andare via dal proprio Paese, 4. Roma, 5. vendere droga
4. 1. affresco, 2. calo demografico, 3. abuso, 4. clientelismo, 5. femminicidio, 6. disobbedire, 7. stupefacente

Unità 11

1. 1. e, 2. d, 3. a, 4. b, 5. c
2. 1. d, 2. e, 3. a, 4. b, 5. c
3. 1. scrittori; 2. letteratura; 3. copertina; 4. fuga di cervelli; 5. spaccio
4. 1. L'amica geniale/Il commissario Montalbano, 2. Eduardo De Filippo, 3. passante, 4. capitoletto, 5. un'azione che sta per accadere

Autovalutazione generale

1. 1. a, 2. c, 3. b, 4. c, 5. a, 6. b
2. 1. f, 2. e, 3. b, 4. c, 5. i, 6. g, 7. h, 8. a
3. 1. *banca*: interessi, sportello, prelevare; 2. *albergo*: prenotazione, mezza pensione, soggiornare; 3. *università*: corsi, tesi, appunti; 4. *opera*: tenore, soprano, libretto; 5. *museo*: scultura, statua, dipinto; 6. *libreria*: racconto, romanzo, giallo; 7. *agenzia immobiliare*: doppi servizi, monolocale, angolo cottura
4. 1. mi, 2. glielo, 3. chi, 4. di, 5. cui, 6. ci, 7. ce, 8. ne
5. 1. avrei richiamato, si trattasse; 2. sono stati sorpresi, minacciandoli; 3. arrivati, aver dimenticato; 4. lavorando, farai; 5. si possono, si possono
6. 1. purché, c; 2. prima che, b; 3. nonostante, d; 4. affinché, f; 5. nel caso, a; 6. a meno che, e
7. 1. ambientalisti, 2. professionista, 3. tranquillità, 4. spaziosa, 5. improvvisamente, 6. difficoltà

Materiale per A

Unità 1

pagina 19

A deve formulare delle domande per ottenere informazioni su:

❯ tipi di corsi estivi
❯ escursioni nei fine settimana
❯ alloggio in famiglia o in appartamento
❯ costi per i corsi e l'alloggio

Unità 2

pagina 35

Domande per A (*tracce*):

❯ Vorrei sapere qualcosa di più sul trattamento economico.
❯ Qual è l'orario di lavoro?
❯ Se tutto va bene, quando avreste bisogno di me?

Curriculum Vitae

Informazioni personali

Cognome/Nome	**Mossini Gennaro**
Indirizzo	⦿ Via G. Bruno 156, 50136 Firenze, Italia
Telefono	☎ 055 2397123 ▢ Mobile +39338128549
E-mail	✉ genmos@tiscali.it
Cittadinanza	Italiana
Data e luogo di nascita	18 maggio 1995 a Pisa
Sesso	Maschile

Occupazione desiderata Gestione risorse umane

Esperienza professionale
09/2018-11/2020

Lavoro o posizione ricoperti	Addetto alle vendite nel reparto vendite
Nome e indirizzo del datore di lavoro	Soft System, Via Di Parione 27, 50123 Firenze
Tipo di attività o settore	Vendita di programmi informatici

Istruzione e formazione

09/2011-06/2018 Laurea magistrale in Economia e Commercio
Università degli Studi di Firenze, Scuola di Economia e Management
Votazione 104/110
09/2013-09/2014 Borsa di studio presso la Statson University di Londra
06/2012-12/2012 Diploma europeo ECDL, Centro di Formazione Professionale Guglielmo Marconi, Firenze

Capacità e competenze personali

Madrelingua Italiano

Altra(e) lingua(e)
Livello europeo (∗)

	Comprensione		Parlato		Scritto
	Ascolto	Lettura	Interazione orale	Produzione orale	
Inglese	C1	C2	C1	C1	C1
Francese	B1	C1	B1	B2	A2

(∗) *Quadro comune europeo di riferimento per le lingue*

Capacità e competenze sociali	Possiedo buone competenze comunicative acquisite durante la mia esperienza nel reparto vendite.
Capacità e competenze organizzative	Capacità di lavorare in gruppo maturata sia durante gli studi sia nei vari sport che ho praticato (calcio, pallacanestro, pallavolo, tennis).
Capacità e competenze informatiche	Buona conoscenza del sistema operativo Windows e di Office (Excel, Word, Access) e Internet Explorer. Sono in grado anche di creare pagine web.
Patente	B
Ulteriori informazioni	Autorizzo il trattamento dei dati personali contenuti nel mio curriculum vitae in base all'art. 13 del D. Lgs. 196/2003 e all'art. 13 del Regolamento UE 2016/679 relativo alla protezione delle persone fisiche con riguardo al trattamento dei dati personali.

Unità 3

pagina 50

Domande per **A** (*tracce*):

❯ Vorrei avere delle informazioni su un viaggio in Italia di 4-5 giorni, economico e interessante.

❯ Mi piacerebbe visitare Roma e le città più importanti d'Italia.

❯ Gli alberghi di che categoria sono?

❯ Cosa significa "mezza pensione"?

❯ Con quale compagnia aerea voleremo?

❯ Che cosa è compreso nel prezzo e cosa non lo è?

❯ Se succede qualcosa di imprevisto, è possibile cancellare o rimandare il viaggio?

Unità 5

pagina 79

Lista, elaborata da un gruppo di psicologi, delle maggiori cause che provocano stress:

STRESS
5   Difficoltà economiche
10   Figlio/a che lascia la casa
9   Fine di una storia d'amore
1   Problemi in famiglia
11   Cambiare scuola
14   Scelta del percorso universitario
13   Esame importante all'università
15   Lite con un amico o un familiare
12   Cambio di casa / Trasloco
8   Arrivo di un/una figlio/a
3   Perdita del lavoro
7   Ricerca del lavoro
4   Problemi al lavoro / a scuola
6   Cambiare abitudini quotidiane
2   Matrimonio

Unità 7

pagina 113

Via di Colle Pizzuto
Frascati, RM

250 mq   **4** camere da letto   **€ 300.000**

CONDIZIONI: abitabile

Nel centro abitato, villetta bifamiliare di mq. 250 circa su due livelli, immediatamente abitabile. Al secondo livello 4 camere, 2 bagni, soggiorno, cucina, terrazzo, al primo livello soggiorno, cucina rustica, garage, depositi vari, termoautonoma, allarme.

Via Cesare Crescenzi
Frascati, RM

160 mq   **4** camere da letto   **€ 270.000**

CONDIZIONI: da ristrutturare

Bella proprietà con casolare, da ristrutturare, mq. 160 circa su due piani, garage per 2 posti auto, doppio ingresso. Divisibile in 2 appartamenti con ingressi indipendenti. Ideale come agriturismo, come rifugio dallo stress della città o per chi vuole rilassarsi immergendosi nella natura.

Via Catone
Frascati, RM

180 mq   **5** camere da letto   **€ 310.000**

CONDIZIONI: abitabile

Villetta su due livelli più sottotetto, composta da 2 camere, salone, angolo cottura e bagno al primo piano, e da 3 camere, salone, angolo cottura e bagno al piano terra. Cantina, giardino, vicina a tutti i negozi di prima necessità e ad altre case abitate. Ideale anche per due nuclei familiari.

❱ Opzione 1:

Sara, tua sorella, è appassionata di romanzi polizieschi e romanzi storici. È a capo di una grande azienda e, nonostante le piaccia la lettura, non ha molto tempo per leggere, se non un'oretta al giorno mentre va al lavoro in metropolitana.

❱ Opzione 2:

Giovanni, il tuo migliore amico, è un grande amante dei classici della letteratura italiana. È una guida turistica e viaggia spesso. Nel tempo libero gli piace fare trekking e stare a contatto con la natura, magari ascoltando o leggendo un buon libro.

Materiale per B

Unità 1

pagina 19

CORSI ESTIVI

classico	intensivo	super-intensivo	lingua e cultura
2 ore al giorno	4 ore al giorno	6 ore al giorno	**lingua**: 4 ore al giorno
per 4 settimane	per 4 settimane	per 4 settimane	**cultura**: 5 ore a settimana
(40 ore)	(80 ore)	(120 ore)	per 4 settimane (100 ore)
€ 350	**€ 520**	**€ 730**	**€ 800**

Corsi supplementari

	settimane	ore	prezzo
Cucina italiana	3	12	**€ 150**
Arte italiana	3	12	**€ 170**

Periodi dei corsi

1 giugno - 1 luglio
2 luglio - 2 agosto
3 settembre - 3 ottobre

prezzi indicativi (a persona)

Alloggio

In famiglia con colazione	Stanza singola	**€ 400-480**
	Stanza doppia	**€ 300-350**

Appartamento con altri studenti (con uso cucina)	Stanza singola	**€ 330-370**
	Stanza doppia	**€ 270-330**

* Sono inoltre previste due escursioni:
1. Visita di Firenze e dei suoi monumenti più importanti (seconda settimana)
2. Gita nei dintorni di Firenze: S. Gimignano, Siena e Pisa (terza settimana)

Curriculum Vitae

Informazioni personali

Cognome/Nome	**Mossini Gennaro**
Indirizzo	Via G. Bruno 156, 50136 Firenze, Italia
Telefono	055 2397123 Mobile +39338128549
E-mail	genmos@tiscali.it
Cittadinanza	Italiana
Data e luogo di nascita	18 maggio 1995 a Pisa
Sesso	Maschile

Occupazione desiderata

Gestione risorse umane

Esperienza professionale

09/2018-11/2020

Lavoro o posizione ricoperti	Addetto alle vendite nel reparto vendite
Nome e indirizzo del datore di lavoro	Soft System, Via Di Parione 27, 50123 Firenze
Tipo di attività o settore	Vendita di programmi informatici

Istruzione e formazione

09/2011-06/2018

Laurea magistrale in Economia e Commercio
Università degli Studi di Firenze, Scuola di Economia e Management
Votazione 104/110

09/2013-09/2014 Borsa di studio presso la Statson University di Londra
06/2012-12/2012 Diploma europeo ECDL, Centro di Formazione Professionale
Guglielmo Marconi, Firenze

Capacità e competenze personali

Madrelingua Italiano

Altra(e) lingua(e)
Livello europeo (*)

	Comprensione		Parlato		Scritto
	Ascolto	Lettura	Interazione orale	Produzione orale	
Inglese	C1	C2	C1	C1	C1
Francese	B1	C1	B1	B2	A2

(*) Quadro comune europeo di riferimento per le lingue

Capacità e competenze sociali — Possiedo buone competenze comunicative acquisite durante la mia esperienza nel reparto vendite.

Capacità e competenze organizzative — Capacità di lavorare in gruppo maturata sia durante gli studi sia nei vari sport che ho praticato (calcio, pallacanestro, pallavolo, tennis).

Capacità e competenze informatiche — Buona conoscenza del sistema operativo Windows e di Office (Excel, Word, Access) e Internet Explorer. Sono in grado anche di creare pagine web.

Patente — B

Ulteriori informazioni — Autorizzo il trattamento dei dati personali contenuti nel mio curriculum vitae in base all'art. 13 del D. Lgs. 196/2003 e all'art. 13 del Regolamento UE 2016/679 relativo alla protezione delle persone fisiche con riguardo al trattamento dei dati personali.

Domande per **B** (*tracce*):

❭ Sarebbe disposto a fare viaggi di lavoro all'estero almeno una volta al mese?

❭ Secondo lei, quali sono le sue qualità più grandi, nel lavoro?

❭ Che cosa sa della nostra azienda?

❭ Sarebbe disposto a un periodo di prova di un mese prima di cominciare?

Unità 3

pagina 50

LE CITTÀ DEI SOGNI

Robintur

presenta la sua offerta del mese:

cinque giorni a Roma-Firenze-Venezia

Durata:	**5 giorni-4 notti**
Sistemazione:	**mezza pensione in alberghi di 2 e 3 stelle**
Volo:	**Alitalia o Air France**
Lingue disponibili:	**inglese, francese, italiano, spagnolo, tedesco, giapponese**
Tappe:	**Roma, Firenze, Venezia**
Prezzo:	**990 euro a persona**

1° giorno: Roma

Arrivo all'aeroporto di Fiumicino e accoglienza.

Visita ai Fori Imperiali e al Colosseo. Aperitivo in Piazza Navona. Cena e pernottamento in albergo.

2° giorno: Roma e Firenze

S. Pietro e i Musei Vaticani, piazza di Spagna, Trinità dei Monti, Campidoglio.

Pomeriggio: partenza per Firenze.

3° giorno: Firenze

Visita guidata al Museo dell'Accademia (*David* di Michelangelo) e passeggiata nel centro storico con guida bilingue.

4° giorno: Firenze

Ponte Vecchio, Galleria degli Uffizi, Giardini di Boboli.
Pomeriggio: partenza per Venezia.

5° giorno: Venezia

Visita guidata della Cattedrale di San Marco, Ponte dei Sospiri e Palazzo dei Dogi.
Sight-seeing in vaporetto per il Canal Grande.

Alle 15 imbarco per il volo di ritorno.

• *Sono inclusi nel prezzo: biglietti per l'entrata nei musei e la visita a monumenti, spostamenti in pullman da una città all'altra.*

Tracce per **B**:

❱ In Italia, con "mezza pensione" si intende un trattamento che comprende pernottamento, prima colazione e pranzo o cena, a scelta.

❱ Il prezzo non comprende: i pranzi o le cene al di fuori della mezza pensione, le bevande e i cibi consumati durante il resto della giornata e... il volo!

❱ Non è possibile cancellare il viaggio. In caso di impossibilità l'agenzia non restituirà alcuna parte dell'importo pagato dal cliente.

Unità 6

pagina 97

Qui di seguito troverai la pianta del teatro con i posti ancora disponibili, indicati in grigio, e relativi prezzi che *A* può scegliere. Posti disponibili in platea, in galleria (zona 2, 3, 5) e sui palchi (zona 1, 2, 3).

ACCADEMIA
TEATRO ALLA SCALA

– *Il Trovatore* –
Musica di *Giuseppe Verdi*

Platea	250,00 Euro
Palchi zona 1	250,00 Euro
Palchi zona 2	200,00 Euro
Palchi zona 3	130,00 Euro
Palchi zona 4	80,00 Euro
Palchi zona 5	63,00 Euro
Galleria zona 1	100,00 Euro
Galleria zona 2	79,00 Euro
Galleria zona 3	50,00 Euro
Galleria zona 4 Visibilità ridotta	29,00 Euro
Galleria zona 5 Visibilità ridotta	15,00 Euro

6 febbraio

Durata spettacolo: 2 ore e 55 minuti incluso intervallo
Coro e Orchestra del Teatro alla Scala
Nuova Produzione Teatro alla Scala in coproduzione con Salzburger Festspiele

PRIMO e SECONDO ATTO 75 minuti / Intervallo 25 minuti / TERZO e QUARTO ATTO 75 minuti

Portare in scena Verdi non è sempre facile, ma in questo caso la scenografia è curatissima, come anche i costumi. Bravo il regista e gli interpreti, soprattutto il giovane soprano.

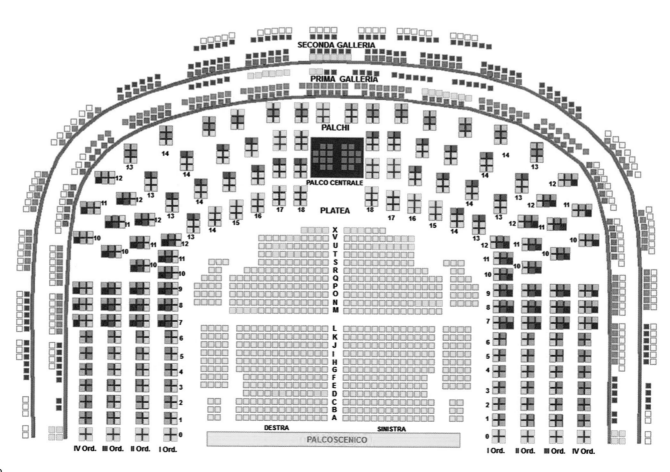

Unità 9

pagina 145

La Cattedrale di Palermo

Ingresso libero per la Cattedrale

ORARI

- lunedì-sabato ore 7:00/19:00
- domenica e festivi ore 8:00/13:00 e 16:00/19:00

Area monumentale (Tombe reali, Tesoro, Cripta, Sotteranei, Absidi e Tetti)

ORARI

- lunedì-sabato ore 9:00/18:00
- domenica e festivi ore 8:00/13:00 e 16:00/19:00

BIGLIETTO

Adulti **7,00 €**

Ragazzi (11-17 anni) **5,00 €**

Palazzo dei Normanni

ORARI

- lunedì-sabato ore 8.15/17.40 (ultimo biglietto ore 17.00)
- domenica e festivi ore 8.15/13.00 (ultimo biglietto ore 12.15)

BIGLIETTO
(Cappella Palatina, Appartamenti Reali)

Intero **12,00 €**

Ridotto **10,00 €**

Valle dei templi - Agrigento

ORARI

Aperto tutti i giorni dalle ore 8.30 alle 20.00
La biglietteria del Teatro ellenistico chiude alle 19.30

BIGLIETTI

Intero **12,00 €**

Ridotto* **7,00 €**

* Il biglietto ridotto è valido per i cittadini di età compresa tra i 18 e i 25 anni della Comunità Europea

INGRESSO GRATUITO

Prima domenica del mese.
La prima domenica di ogni mese ingresso gratuito per tutti i visitatori secondo gli orari ordinari di apertura. L'ingresso è gratuito per:

- i visitatori sotto i 18 anni della Comunità Europea ed extracomunitari; i visitatori che abbiano meno di dodici anni devono essere accompagnati da un maggiorenne;
- i portatori di handicap e un loro familiare o altro accompagnatore;
- i gruppi di studenti delle scuole pubbliche e private dell'Unione Europea.

COME ARRIVARE

Da Palermo (130 km) prendere la SS121 e l'uscita Agrigento/SS189. Dopo Aragona seguire le indicazioni per il centro di Agrigento o se si vuole arrivare direttamente alla Valle dei Templi, seguire le indicazioni per Caltanissetta.

Da Palermo: Dalla stazione ferroviaria centrale di Palermo ci sono 13 treni al giorno dal lunedì al venerdì, 10 il sabato, 6 la domenica. Tempo di percorrenza: circa 2 ore. La stazione ferroviaria centrale di Agrigento si trova in Piazza Marconi, nel centro della città.

Unità 11

pagina 177

Testimone inconsapevole
di Gianrico Carofiglio

Romanzo poliziesco
pp. 336

Un ambulante del Senegal viene accusato dell'omicidio di un bambino di nove anni, trovato morto in un pozzo. Un avvocato in crisi proverà a difenderlo dai pregiudizi e da una condanna sicura. *Testimone inconsapevole* è il primo legal thriller veramente italiano, scritto da un magistrato che racconta di avvocati e di giudici italiani in vere aule di giustizia italiane.

La luna e i falò
di Cesare Pavese

Romanzo
pp. 246

È la storia del ritorno a casa del protagonista Anguilla, che era emigrato in America per fare fortuna. Dei suoi vecchi amici ritrova solo Nuto, ormai padre di famiglia, mentre tutti gli altri abitanti dei luoghi della sua infanzia non ci sono più, ognuno scomparso per un triste e ingiusto destino.

L'amore molesto
di Elena Ferrante

Romanzo
pp. 176

Il romanzo inizia con la protagonista Delia che torna a Napoli dopo la morte della madre, e cerca di scoprire cos'è davvero accaduto ad Amalia e chi c'era con lei la notte in cui è morta. L'indagine di Delia si snoda in una grigia Napoli che non dà tregua, trasformando una vicenda di problemi familiari in un thriller domestico davvero avvincente.

La lunga vita di Marianna Ucrìa
di Dacia Maraini

Romanzo storico
pp. 265

Il romanzo narra la storia di Marianna, una giovane che vive nella Sicilia del '700 ed è sordomuta dall'età di 5 anni. Nonostante il suo problema, la protagonista riuscirà comunque a vivere la sua vita e a diventare una donna forte, madre e capofamiglia, alla morte dell'odiato marito.

La casa delle voci
di Donato Carrisi

Giallo noir, Thriller
pp. 400

Pietro Gerber è uno psicologo specializzato nell'ipnosi e i suoi pazienti sono tutti bambini. Quando riceve una telefonata da parte di una collega australiana che gli raccomanda una paziente, Pietro reagisce con perplessità e diffidenza. Perché Hanna Hall è un'adulta, tormentata da un ricordo vivido, ma che potrebbe non essere reale: un omicidio. Hanna è un'adulta oggi, ma quel ricordo risale alla sua infanzia e Pietro dovrà aiutarla a far riemergere la bambina che è ancora dentro di lei.

Unità 1

I pronomi combinati

In una frase, i pronomi personali che sostituiscono un oggetto si chiamano diretti e indiretti, hanno una forma tonica e una atona e hanno funzione di complemento: *Questo libro lo leggerei volentieri. A te piace?*

forme toniche				forme atone	
pronomi soggetto	pronomi diretti	pronomi indiretti		pronomi diretti	pronomi indiretti
io	me	a me		mi	mi
tu	te	a te		ti	ti
lui	lui	a lui		lo	gli
lei	lei	a lei		la	le
Lei	Lei	a Lei		La	Le
noi	noi	a noi		ci	ci
voi	voi	a voi		vi	vi
loro	loro	a loro		li	gli
				le	

Quando i pronomi indiretti atoni (*mi, ti, gli, le, Le, ci, vi, gli*), il pronome riflessivo *si* e la particella *ci* sono seguiti dai pronomi diretti atoni (*lo, la, La, li, le*) o dalla particella *ne* abbiamo i pronomi combinati.

+	lo	la	l'	li	le	ne
mi	me lo	me la	me l'	me li	me le	me ne
ti	te lo	te la	te l'	te li	te le	te ne
gli/le/Le	glielo	gliela	gliel'	glieli	gliele	gliene
ci	ce lo	ce la	ce l'	ce li	ce le	ce ne
vi	ve lo	ve la	ve l'	ve li	ve le	ve ne
gli	glielo	gliela	gliel'	glieli	gliele	gliene
si	se lo	se la	se l'	se li	se le	se ne
ci	ce lo	ce la	ce l'	ce li	ce le	ce ne

Nei pronomi combinati:

- i pronomi indiretti *mi, ti, ci, vi* diventano me, te, ce, ve: *Gli appunti te li porto domani.*

- i pronomi indiretti alla 3ª persona singolare (*gli, le, Le*) e plurale (*gli*) diventano gli, formano una sola parola con i pronomi diretti e il *ne* e aggiungono una -e- tra *gli* e il pronome: glielo, gliela, gliel', glieli, gliele, gliene (– *Quanti esami hanno ancora i tuoi amici?* – *Gliene restano solo due.*).

- i pronomi indiretti, il pronome riflessivo *si* e la particella *ci* precedono sempre il pronome diretto o il *ne*.

I pronomi combinati:

- precedono sempre il verbo: – *Porti tu i libri a Paolo?* – *Sì, glieli porto io.*

- con i verbi *potere, volere, dovere* e *sapere*, seguiti da un infinito, possono precedere o seguire il verbo (in questo caso, l'infinito perde la -e e si unisce al pronome): *Glielo posso dire. / Posso dirglielo.*

- possono precedere o seguire il verbo quando si ha l'imperativo negativo. *Non comprarmelo.* / *Non me lo comprare.*

- seguono un verbo al gerundio, al participio passato, all'infinito o all'imperativo: *Scrivendocelo tu, ci hai aiutato!* / *Il mio biglietto? Prenditelo tu!*
  Osservate: con l'imperativo di 3ª persona singolare e plurale i pronomi combinati precedono il verbo: *Glielo dica lei, io non me la sento.*

- seguono le forme tronche dell'imperativo (*da', di', fa', sta', va'*) e la consonante iniziale del pronome atono raddoppia: *Dimmelo subito!* / *Vacci tu!*
  Osservate: questo raddoppiamento non c'è con il pronome *gli* e i suoi derivati. *Digli che arriviamo.*

I pronomi combinati nei tempi composti

Quando usiamo i pronomi combinati con i tempi composti, il participio passato concorda:

- sempre con i pronomi diretti *lo, la, li, le*: *Ti piacciono i miei occhiali? Me li ha regalati Cecilia.*

- quando c'è *ne*, sempre con il genere e il numero del complemento oggetto che esprime il *ne*:
  – *Quante pagine di appunti ti ho dato?* – *Me ne hai date dieci.*

I pronomi *glielo* e *gliela* prendono l'apostrofo davanti all'ausiliare *avere* nei tempi composti o davanti a un verbo che inizia per vocale: *Ho dato la mia chitarra a Dario perché gliel'avevo promessa.*

Aggettivi e pronomi interrogativi

I pronomi o aggettivi interrogativi servono per introdurre domande dirette o indirette (domande senza il punto interrogativo) relative all'identità, alla qualità e alla quantità.

invariabili	variabili
Chi? **Che? / Che cosa? / Cosa?**	**Quale/i?** **Quanto/a/i/e?**
• usiamo *chi* quando ci riferiamo a persone e ha solo funzione di pronome. Può essere preceduto anche da una preposizione: *Chi è al telefono?* / *Di chi è il telefono?* • usiamo *che* quando ci riferiamo alle cose e può essere pronome o aggettivo: *Che farai oggi?* / *Che giorno è domani?* • *che cosa* o *cosa* sono pronomi e possono essere preceduti da preposizione: *Che cosa* mangiamo a cena? / *Ti chiedo cosa mangiamo a cena.*	• *quale/i* può essere un pronome o un aggettivo ed è variabile solo rispetto al singolare e al plurale: *Quale esame hai fatto?* / *Quali prove non hai superato?* • *quanto/a/i/e* può essere un pronome o un aggettivo ed è variabile sia nel numero sia nel genere: *Mi chiedo quante città tu abbia visto.* / *Quanto gliene hai dato?* • entrambi possono essere preceduti da una preposizione.

Avverbi interrogativi

Tra gli avverbi interrogativi ricordiamo:

come?	→	*Come andiamo al mare?*
dove?*	→	*Dove vi siete conosciute?*
quando?*	→	*Quando ci vediamo?*
quanto?*	→	*Quanto hai preso all'esame?*
Perché? / Come mai?	→	*Perché non mi ascolti quando parlo?* / *Come mai leggi questo libro?*

Sono tutti invariabili e introducono una domanda diretta.

Quando e *perché* possono essere rafforzati con *mai*: *Quando mai abbiamo detto questo?* / *Perché mai sono qui?*

*Locuzioni avverbiali: *da dove?* / *da quando?* / *da quanto?*

Unità 2

I pronomi relativi

I pronomi relativi, che si riferiscono sia a persone che a cose, sono:

che	È invariabile, non è mai preceduto da una preposizione e nella frase può sostituire il soggetto (*L'operatrice, che mi ha servito, si chiamava Silvana.*) o il complemento oggetto (*Ho scelto la banca che mi hai consigliato.*).
cui	È invariabile ed è sempre preceduto da una preposizione semplice: *È questo il libro di cui ti parlavo. / La bimba a* cui vogliamo regalare il libro si chiama Eva.* A volte, cui può essere preceduto da un articolo determinativo (il cui, la cui, i cui, le cui) e sostituisce del quale, della quale, dei quali, delle quali, quindi esprime possesso: *Gianni Rodari, le cui favole sono state tradotte in molte lingue, è morto nel 1980.*
quale / i	È variabile nel genere (il quale, la quale) e nel numero (i quali, le quali), concorda sempre con il nome a cui si riferisce e può essere preceduto da una preposizione o da un articolo: *Ecco un bancomat dal quale posso prelevare soldi.* Possiamo usarlo al posto di cui e di che (quando quest'ultimo sostituisce il soggetto) in contesti più formali o per evitare ambiguità e incomprensioni: *Ho incontrato la ragazza di Michele che lavora in banca.* → Chi lavora in banca? Michele o la ragazza? → *Ho incontrato la ragazza di Michele, il quale [Michele] lavora in banca. / Ho incontrato la ragazza di Michele, la quale [la ragazza] lavora in banca.*

*Quando usiamo la preposizione *a*, possiamo anche scegliere di non metterla.

Osservate: anche l'avverbio dove ha valore di pronome relativo quando collega due frasi: *Andiamo in un ristorante dove (in cui / nel quale) preparano un risotto ottimo.*

I pronomi doppi

Tra i pronomi relativi, ci sono anche i pronomi doppi:

chi	È invariabile e sostituisce le espressioni quello che / quella che / la persona che, quindi lo usiamo solo in riferimento a persone: *Conosco chi ci darà una mano.*
quanto	È invariabile e sostituisce le espressioni (tutto) quello che / ciò che, quindi lo usiamo solo per le cose: *La ringrazio per quanto ha fatto per noi.*
quanti / quante	Sostituiscono le espressioni (tutti/e) quelli/e che / coloro che e li usiamo solo in riferimento a persone: *Quanti desiderano parlare con il direttore, prendano appuntamento.*

Osservate:

- possiamo usare chiunque al posto di quanti / quante ed è un pronome invariabile, quindi il verbo deve essere coniugato alla 3ª persona singolare: *Chiunque desideri parlare con il direttore, prenda appuntamento.*

- il pronome relativo che può essere preceduto dall'articolo *il* (il che), lo usiamo per sostituire un'intera frase e ha il significato di ciò, cosa che: *In questo periodo sono rilassata, il che è un bene.* Inoltre può essere preceduto da una preposizione semplice o articolata: *Ho perso il lavoro, al che ho deciso di partire per un lungo viaggio.*

Costruzioni *stare* + gerundio e *stare per* + infinito

Sono due costruzioni che usiamo per esprimere un aspetto specifico dell'azione in relazione al tempo di svolgimento di questa azione:

stare (tempo e modo desiderato) ⊕ gerundio presente	→	serve per esprimere un'azione che è in corso ⊖ azione progressiva: *Chiamami più tardi, adesso sto mangiando.*
stare per (tempo e modo desiderato) ⊕ infinito presente	→	serve per esprimere un'azione che sta per succedere, iniziare tra poco ⊖ azione imminente: *Sbrigatevi! Sta per iniziare il film!*

Unità 3

I verbi *farcela, prendersela* e *cavarsela*

Farcela, prendersela e *cavarsela* sono tre verbi pronominali.

Farcela ha il significato di riuscire a fare qualcosa, essere in grado di fare qualcosa: *Ho tanto da lavorare, ma spero di farcela a venire alla tua festa domani sera.*

Prendersela ha il significato di offendersi, mostrarsi offeso per qualcosa (*Sara se l'è presa con me, perché ho criticato il suo articolo.*) o arrabbiarsi (*Non prendertela sempre con lui! È solo un bambino!*).

Cavarsela ha il significato di riuscire abbastanza bene nel fare qualcosa (*Con la lingua italiana, me la cavo abbastanza bene, con lo spagnolo non molto.*) e di uscire da una situazione di pericolo (*Elena ha subito un'operazione difficile, ma per fortuna se l'è cavata.*)

	farcela	**prendersela**	**cavarsela**
io	ce la faccio	me la prendo	me la cavo
tu	ce la fai	te la prendi	te la cavi
lui, lei, Lei	ce la fa	se la prende	se la cava
noi	ce la facciamo	ce la prendiamo	ce la caviamo
voi	ce la fate	ve la prendete	ve la cavate
loro	ce la fanno	se la prendono	se la cavano

Comparazione tra nomi o pronomi

Per fare un confronto tra due nomi o pronomi o tra un nome e un pronome usiamo il:

- comparativo di maggioranza ➜ Mettiamo "più" prima dell'aggettivo e la preposizione "di" semplice o articolata davanti al secondo nome o pronome:
  Firenze è più fredda di Roma. / La mia casa è più grande della tua.

- comparativo di minoranza ➜ Mettiamo "meno" prima dell'aggettivo e la preposizione "di" semplice o articolata davanti al secondo nome o pronome:
  Bologna è meno grande di Roma. / Tiziana è meno aggressiva di me.

- comparativo di uguaglianza ➜ Mettiamo "tanto/così" prima dell'aggettivo e "quanto/come" davanti al secondo nome o pronome: *Venezia è tanto bella quanto Roma.*
  Oppure possiamo mettere "tanto quanto" dopo il verbo e davanti al secondo nome o pronome: *Venezia è bella tanto quanto Roma.*
  Oppure possiamo mettere solo "quanto" dopo l'aggettivo e davanti al secondo nome o pronome: *Venezia è bella quanto Roma.*

Comparazione tra aggettivi, verbi, quantità o nomi preceduti da preposizione

Per fare un confronto tra:

- **due aggettivi riferiti alla stessa persona o cosa**, mettiamo "più/meno" prima del primo aggettivo e "che" prima del secondo aggettivo: *Il viaggio che vogliamo fare è più/meno culturale che divertente.*

- **due verbi all'infinito**, mettiamo "più/meno" prima dell'aggettivo e "che" prima del secondo verbo: *Per molti studenti è più difficile parlare una lingua che scriverla.*

- **due nomi**, seguiamo le stesse regole dei casi precedenti: *Nella mia classe ci sono meno ragazzi che ragazze.*

- **due nomi o pronomi preceduti da una preposizione**, anche in questo caso seguiamo le stesse regole: *Nel mio conto in banca ci sono meno soldi che sul tuo. / In estate siamo più positivi che in inverno.*

Osservate: Il comparativo di uguaglianza segue in tutti i casi le regole descritte nel paragrafo precedente. *Maria è tanto simpatica quanto intelligente. / Nella mia classe ci sono tante ragazze quanti ragazzi.*

Superlativo relativo

Il superlativo relativo esprime la qualità, al suo massimo o minimo grado, di qualcuno o di qualcosa in rapporto a un gruppo di persone o di cose. Si forma:

articolo determinativo + nome + *più/meno* + aggettivo	*Roma è la città più grande d'Italia. / È l'uomo più ricco del paese.*
il/la/i/le + *più/meno* + aggettivo	*Giorgio è il meno simpatico tra loro. / Il mio cane è il più bello tra questi.*

Il nome o pronome che rappresenta il gruppo (quando è espresso) è sempre preceduto da di o tra.

Superlativo assoluto

Il superlativo assoluto esprime una qualità al suo massimo grado e, di solito, si forma aggiungendo il suffisso -issimo/a/i/e all'aggettivo: *Gabriele è simpaticissimo. / Questi lavori sono faticosissimi.*

Ci sono, però, anche altri modi per formare il superlativo assoluto:

* mettendo un avverbio di quantità (molto, assai, tanto, parecchio ecc.) o di qualità (particolarmente, notevolmente ecc.) prima dell'aggettivo: *Si tratta di una persona molto intelligente. / Questo libro è particolarmente interessante.*
* ripetendo due volte l'aggettivo: *Questo cagnolino è tenero tenero.*
* mettendo un altro aggettivo prima dell'aggettivo: *Ieri Maria era stanca morta.*
* molto raramente, usando i prefissi arci-, super-, stra-, iper-, extra-, ultra-: *Martina è stracontenta.*

Forme particolari di comparativi e superlativi

Alcuni **aggettivi** hanno la forma regolare del comparativo e del superlativo ma anche una forma particolare. I più comuni sono:

aggettivo	comparativo di maggioranza		superlativo assoluto	
buono	più buono	migliore	buonissimo	ottimo
cattivo	più cattivo	peggiore	cattivissimo	pessimo
grande	più grande	maggiore	grandissimo	massimo
piccolo	più piccolo	minore	piccolissimo	minimo

Osservate: anteriore, posteriore, esteriore, interiore, inferiore, superiore e ulteriore hanno l'aspetto di comparativi ma hanno perso il loro significato di comparativi. Si usano come aggettivi e vogliono la preposizione *a* e **non** *di*: *L'appartamento del piano inferiore è di proprietà della sua famiglia. / Vorrei guadagnare uno stipendio superiore ai mille euro.*

Ci sono alcuni **avverbi** che possono avere il comparativo e il superlativo e li costruiamo come con gli aggettivi:

* aggiungendo "più/meno" prima dell'avverbio: *Vengo qui più spesso. / Ti sento più lontana.*
* aggiungendo il suffisso -issimo agli avverbi semplici: *Questo gelato mi piace moltissimo.*

I comparativi e i superlativi di molto, poco, bene e male sono:

avverbi	comparativo di maggioranza	superlativo assoluto
molto	più	moltissimo
poco	meno	pochissimo
bene	meglio	benissimo
male	peggio	malissimo

Unità 4

Passato remoto

Il passato remoto indica un'azione nel passato, lontana nel tempo e senza conseguenze dirette sul presente: *Roma divenne capitale d'Italia nel 1871.*

	1ª coniugazione (-are)	2ª coniugazione (-ere)	3ª coniugazione (-ire)
	andare	**credere**	**capire**
io	andai	credei (credetti)	capii
tu	andasti	credesti	capisti
lui, lei, Lei	andò	credè (credette)	capì
noi	andammo	credemmo	capimmo
voi	andaste	credeste	capiste
loro	andarono	crederono (credettero)	capirono

Il passato remoto:

- è ancora usato nella lingua scritta, soprattutto nelle biografie, nei testi storici ma anche nelle favole, nei romanzi storici-letterari e nella scrittura giornalistica: *E vissero tutti felici e contenti. / Dante Alighieri nacque nel 1265 a Firenze.*

- nella lingua parlata non è molto diffuso nell'Italia del Nord, mentre è ancora usato nel Sud e in parte del Centro Italia.

- è usato per esprimere un'azione passata, anche recente, dalla quale prendiamo le distanze, anche psicologicamente: *Sabato scorso non andai a cena da Roberto perché non mi è molto simpatico.* [*Sabato scorso non sono andata a cena da Roberto perché ho finito di lavorare molto tardi.*]

Verbi irregolari al passato remoto

accorgersi: *mi accorsi, ti accorgesti, si accorse, ci accorgemmo, vi accorgeste, si accorsero*

assumere: *assunsi, assumesti, assunse, assumemmo, assumeste, assunsero*

avere: *ebbi, avesti, ebbe, avemmo, aveste, ebbero*

bere: *bevvi, bevesti, bevve, bevemmo, beveste, bevvero*

cadere: *caddi, cadesti, cadde, cademmo, cadeste, caddero*

chiedere: *chiesi, chiedesti, chiese, chiedemmo, chiedeste, chiesero* / **chiudere:** *chiusi, chiudesti,... /* **decidere:** *decisi, decidesti,... /***escludere:** *esclusi, escludesti,.../* **perdere:** *persi, perdesti,... /* **succedere:** *successi (succedetti), succedesti,...*

cogliere: *colsi, cogliesti, colse, cogliemmo, coglieste, colsero* / **scegliere:** *scelsi, scegliesti,.. /* **togliere:** *tolsi, togliesti,...*

condurre: *condussi, conducesti, condusse, conducemmo, conduceste, condussero*

conoscere: *conobbi, conoscesti, conobbe, conoscemmo, conosceste, conobbero*

convincere: *convinsi, convincesti, convinse, convincemmo, convinceste, convinsero* / **vincere:** *vinsi, vincesti,...*

correre: *corsi, corresti, corse, corremmo, correste, corsero*

dare: *diedi (detti), desti, diede (dette), demmo, deste, diedero (dettero)*

difendere: *difesi, difendesti, difese, difendemmo, difendeste, difesero* / **nascondere**: *nascosi, nascondesti,...* / **prendere**: *presi, prendesti,...* / **rendere**: *resi, rendesti,...* / **rispondere**: *risposi, rispondesti,...* / **scendere**: *scesi, scendesti,...* / **spendere**: *spesi, spendesti,...*

decidere: *decisi, decidesti, decise, decidemmo, decideste, decisero* / **ridere**: *risi, ridesti,...*

dirigere: *diressi, dirigesti, diresse, dirigemmo, dirigeste, diressero*

dire: *dissi, dicesti, disse, dicemmo, diceste, dissero*

discutere: *discussi, discutesti, discusse, discutemmo, discuteste, discussero*

distruggere: *distrussi, distruggesti, distrusse, distruggemmo, distruggeste, distrussero* / **leggere**: *lessi, leggesti,...* / **proteggere**: *protessi, proteggesti,...*

esprimere: *espressi, esprimesti, espresse, esprimemmo, esprimeste, espressero*

essere: *fui, fosti, fu, fummo, foste, furono*

fare: *feci, facesti, fece, facemmo, faceste, fecero*

giungere: *giunsi, giungesti, giunse, giungemmo, giungeste, giunsero* / **piangere**: *piansi, piangesti,...*

mettere: *misi, mettesti, mise, mettemmo, metteste, misero*

muovere: *mossi, muovesti (movesti), mosse, muovemmo (movemmo), muoveste (moveste), mossero*

nascere: *nacqui, nascesti, nacque, nascemmo, nasceste, nacquero* / **piacere**: *piacqui, piacesti,...* / **tacere**: *tacqui, tacesti,...*

porre: *posi, ponesti, pose, ponemmo, poneste, posero*

rimanere: *rimasi, rimanesti, rimase, rimanemmo, rimaneste, rimasero*

risolvere: *risolsi, risolvesti, risolse, risolvemmo, risolveste, risolsero*

rompere: *ruppi, rompesti, ruppe, rompemmo, rompeste, ruppero*

sapere: *seppi, sapesti, seppe, sapemmo, sapeste, seppero*

scrivere: *scrissi, scrivesti, scrisse, scrivemmo, scriveste, scrissero*

stare: *stetti, stesti, stette, stettimo, steste, stettero*

tenere: *tenni, tenesti, tenne, tenemmo, teneste, tennero*

trarre: *trassi, traesti, trasse, traemmo, traeste, trassero*

vedere: *vidi, vedesti, vide, vedemmo, vedeste, videro*

venire: *venni, venisti, venne, venimmo, veniste, vennero*

vivere: *vissi, vivesti, visse, vivemmo, viveste, vissero*

volere: *volli, volesti, volle, volemmo, voleste, vollero*

Numeri romani

I numeri romani si formano grazie a sette caratteri che si ripetono e si combinano tra loro in vari modi:

| I= 1 | V= 5 | X= 10 | L= 50 | C= 100 | D= 500 | M= 1000 |

Caratteristiche:

* non esiste lo zero (0) e non è possibile rappresentare quantità negative (-10) o numeri decimali (1,5);
* i caratteri sono posti da sinistra verso destra e dal più grande al più piccolo (MDLVI= 1556);
* il numero è il risultato della somma (LXV > 50 (L) + 10 (X) + 5 (V) = 65) o della somma e sottrazione dei caratteri (XLV > 50 (L) - 10 (X) + 5 (V) = 45). È possibile sottrarre solo i caratteri I, X e C;

- solo i simboli I, X, C e M possono essere ripetuti ma massimo tre volte (XXX= 30);
- i simboli V, L, D non si ripetono mai (XLIX= 49).

In Italiano, usiamo i numeri romani per esprimere la numerazione ordinale (I= primo, II= secondo, V= quinto ecc.) e per indicare soprattutto:

- i secoli (*L'unità d'Italia è avvenuta nel XIX secolo.*);
- i re, i papi ecc. (*Papa Giovanni Paolo II era polacco. / L'ultimo re d'Italia è stato Umberto II di Savoia.*);
- le classi scolastiche (*Il prossimo anno faremo la IV elementare.*);
- i capitoli dei libri o le scene di un'opera teatrale (Sono arrivato al VI capitolo del romanzo.);
- le informazioni bibliografiche o i paragrafi di una legge: *il volume XVI, art. 17, c. 2, V* ecc.

Trapassato remoto

> ausiliare essere o avere al passato remoto + **participio passato** del verbo

Il trapassato remoto è usato molto raramente nella lingua italiana contemporanea ed esprime un'azione conclusa prima di un'altra nel passato. È possibile usare il trapassato remoto solo in frasi precedute da un passato remoto e introdotte da *quando, dopo che, appena* e *non appena*: *Si accorsero che avevano dimenticato una valigia nel parcheggio dopo che furono già partiti.*)

Gli avverbi di modo

Gli avverbi di modo indicano il modo in cui avviene un'azione (*Con il motorino mi sposto velocemente in città.*) oppure aiutano a descrivere meglio l'azione (Parla chiaro!). Rispondono alle domande **come?** / **in che modo?**

Formiamo gli avverbi di modo:

- aggiungendo il suffisso -mente agli aggettivi femminili singolari che terminano in -a* (libera ➔ liberamente) o che terminano in -e* (semplice ➔ semplicemente). Ma, se l'aggettivo termina in -le o in -re, scompare la –e e viene aggiunto -lmente (facile ➔ facilmente) o -rmente (particolare ➔ particolarmente);
- con il maschile singolare degli aggettivi: *Parla chiaro! / Vieni presto. / Faccia piano.*
- con alcuni avverbi di orgine latina (bene, male, volentieri, insieme ecc.): *Michele si è comportato bene a scuola oggi. / Abiterei volentieri in questa città.*
- con alcuni gruppi di parole (per scherzo, per fortuna, di corsa, di sicuro ecc.): *Alberto lo ha detto per scherzo, non voleva offenderti. / Vai di corsa dalla mamma! / Di sicuro questa sera andremo al cinema.*

*Eccezioni: leggera ➔ leggermente, violenta ➔ violentemente.

Unità 5

Congiuntivo presente

	1ª coniugazione (-are) parlare	2ª coniugazione (-ere) prendere	3ª coniugazione (-ire) partire	finire
io	parli	prenda	parta	finisca
tu	parli	prenda	parta	finisca
lui/lei/Lei	parli	prenda	parta	finisca
noi	parliamo	prendiamo	partiamo	finiamo
voi	parliate	prendiate	partiate	finiate
loro	parlino	prendano	partano	finiscano

Osservate:

- le prime tre persone (*io, tu, lui/lei/Lei*) sono uguali, quindi è meglio usare i pronomi personali soggetto per essere più chiari: *Credo che tu capisca quanto sono felice in questo momento.*

- i verbi in -*are* che finiscono in -*care* e -*gare* aggiungono una -*h*- tra la radice e la desinenza; quelli che finiscono in -*ciare* e -*giare* non raddoppiano la vocale -*i*-: *Credo che lui paghi anche per noi. / Penso che la lezione cominci alle 10.*

- la coniugazione dei verbi in -*ere* e -*ire* è identica, mentre cambia per i verbi che hanno la caratteristica -*isc*-.

Congiuntivo presente di *essere* e *avere*

	essere	avere
io	sia	abbia
tu	sia	abbia
lui, lei, Lei	sia	abbia
noi	siamo	abbiamo
voi	siate	abbiate
loro	siano	abbiano

Verbi irregolari al congiuntivo presente

Infinito	Congiuntivo presente			
andare	vada	andiamo	andiate	vadano
bere	beva	beviamo	beviate	bevano
dare	dia	diamo	diate	diano
dire	dica	diciamo	diciate	dicano
dovere	debba	dobbiamo	dobbiate	debbano
fare	faccia	facciamo	facciate	facciano
morire	muoia	moriamo	moriate	muoiano
piacere	piaccia	piacciamo	piacciate	piacciano
porre	ponga	poniamo	poniate	pongano
potere	possa	possiamo	possiate	possano
rimanere	rimanga	rimaniamo	rimaniate	rimangano
salire	salga	saliamo	saliate	salgano
sapere	sappia	sappiamo	sappiate	sappiano
scegliere	scelga	scegliamo	scegliate	scelgano
sedere	sieda	sediamo	sediate	siedano
stare	stia	stiamo	stiate	stiano
tenere	tenga	teniamo	teniate	tengano
togliere	tolga	togliamo	togliate	tolgano
tradurre	traduca	traduciamo	traduciate	traducano
udire	oda	udiamo	udiate	odano
uscire	esca	usciamo	usciate	escano
venire	venga	veniamo	veniate	vengano
volere	voglia	vogliamo	vogliate	vogliano

Uso del congiuntivo presente e passato (I)

Usiamo il congiuntivo per esprimere un dubbio, un'incertezza, un'opinione, mentre l'indicativo è il modo della realtà e della certezza.

Usiamo il congiuntivo semplice e passato soprattutto nelle **frasi secondarie**, dipendenti da una frase principale (cioè due parti della frase che hanno due soggetti e due verbi), quando:

- il verbo della principale* esprime un'**opinione soggettiva** (*credere, dubitare, giudicare, immaginare, negare, pensare, prevedere, ritenere, sembrare, supporre* ecc.): *Credo/ Penso/ Ritengo che Elena non sia venuta perché non le sono simpatica. / Sembra che lo yoga aiuti a mantenersi giovani.*
  *Nella frase principale possiamo trovare anche espressioni come: *avere l'impressione che, avere il dubbio che, avere il sospetto che, l'opinione è che, l'ipotesi è che* ecc.: *Hanno il dubbio che tu non dica la verità. / L'ipotesi è che si parta venerdì e si torni domenica sera.*

- il verbo della principale* esprime una **volontà**, come una preghiera, una richiesta, un ordine ecc. (*chiedere, decidere, domandare, impedire, lasciare, ordinare, pregare, preoccuparsi, proporre, suggerire* ecc.): *Luisa chiede all'insegnante che le spieghi il congiuntivo un'altra volta. / Lascia che siano loro a decidere.*
  *Nella frase principale possiamo trovare anche espressioni come: *avere bisogno che, c'è bisogno che, il consiglio è che, il desiderio è che, la regola è che, lo scopo è che* ecc.: *C'è bisogno che qualcuno resti con la nonna. / Lo scopo è che voi vinciate.*

- il verbo della principale* esprime uno **stato d'animo** (*aspettare, augurare, augurarsi, desiderare, dispiacere, dispiacersi, preferire, sperare, temere, volere* ecc.): *Mi auguro che tu guarisca presto. / Sono le 18, temo che abbiate perso il treno.*
  *Nella proposizione principale possiamo trovare anche espressioni *come: avere voglia che, avere il desiderio che, avere paura che, fare finta che, avere speranza che, c'è speranza che* ecc.: *Facciamo finta che tutto questo sia un sogno. / Abbiamo paura che il regalo non le sia piaciuto.*

- abbiamo un **verbo impersonale** nella frase principale (*bisogna/occorre che, può darsi che, si dice che, dicono che, pare/sembra che*): *Occorre che si riduca lo stress per stare in salute.*

- abbiamo un'**espressione impersonale** (verbo *essere* + aggettivo/nome + *che*) nella frase principale (*è necessario/importante che, è opportuno/giusto che, è meglio che, è normale/naturale/logico che, è strano/incredibile che, è possibile/impossibile che, è probabile/improbabile che, è facile/difficile che, è preferibile che, è un peccato che, è ora che, è bene che*): *È probabile che Ugo e Giulia partano ad agosto per le vacanze. / Meglio che scegliate un albergo vicino al mare. / È un peccato che te ne vada così presto.*

Congiuntivo passato

> ausiliare essere o avere al congiuntivo presente + **participio passato** del verbo

Il congiuntivo passato esprime un'azione anteriore rispetto al momento espresso dalla frase principale: *È facile che Gabriele e Chiara abbiano parlato prima di parlare con noi. / Penso che Giulia si sia comportata bene.*

La concordanza dei tempi del congiuntivo

frase principale	frase secondaria	
verbo presente *Credo che...*	congiuntivo presente o futuro semplice ...*Giulia torni/tornerà domani.*	→ posteriorità
	congiuntivo presente ...*Giulia torni oggi.*	→ contemporaneità
	congiuntivo passato ...*Giulia sia tornata ieri.*	→ anteriorità

Uso del congiuntivo presente e passato (II)

Usiamo il congiuntivo semplice e composto anche quando:

- la frase secondaria è legata alla frase principale da una di queste congiunzioni:
  - ❭ *benché, sebbene, nonostante, malgrado*: *Mi sento riposato, sebbene/nonostante/benché abbia dormito poco.*
  - ❭ *purché, a patto che, a condizione che, basta che*: *Andiamo in vacanza in montagna a patto che/a condizione che/purché ci sia la spa.*
  - ❭ *senza che*: *È stato arrestato senza che abbia fatto nulla.*
  - ❭ *nel caso in cui*: *Nel caso in cui non funzioni bene, chiamate l'assistenza.*
  - ❭ *affinché, perché*: *Ho comprato una nuova TV, affiché si possano vedere le partite di calcio.*
  - ❭ *prima che*: *Andiamo via prima che finisca il film.*
  - ❭ *a meno che, fuorché, tranne che, salvo che*: *Posso credere a tutto, tranne che/fuorché/salvo che tu abbia trovato lavoro.*

- la frase secondaria è introdotta da *che* e prima di questo pronome relativo c'è un superlativo relativo: *Sono le persone più buone che abbia mai incontrato*; oppure è una frase relativa che esprime scopo (*Cerco un lavoro che mi permetta di vivere.*) o conseguenza (*Questo non è un film che tu possa vedere.*)

- la frase secondaria è legata alla principale attraverso un aggettivo o pronome indefinito: *chiunque, qualsiasi, qualunque, (d)ovunque, comunque, l'unico/il solo che, nessuno che*: *A casa mia, il solo che faccia sport è mio fratello.* / *Comunque vada, è stato un successo.*

- la frase secondaria è una domanda indiretta (interrogativa indiretta): *Mi chiedo sempre chi lasci tutto in disordine.*

- abbiamo una frase principale con i verbi *dire* e *sapere* e una frase secondaria introdotta da *che* e vogliamo dare enfasi a questa seconda frase: *Che il fumo faccia male, lo sanno tutti.* / *Che loro siano belli, lo dicono tutti.*

Ma usiamo il congiuntivo semplice e passato raramente anche in **frasi indipendenti**, quando:

- ❱ abbiamo una domanda che esprime un dubbio o una supposizione, introdotta da *che* e spesso dal verbo *essere*: *Che sia Marta? / Non arriva nessuno. Che si siano persi?*

- ❱ abbiamo un ordine diretto, un invito, una preghiera: *Prego signora, si accomodi. / Alla rotonda, prenda la prima a destra.*

- ❱ abbiamo una frase che esprime un desiderio, un augurio o una maledizione ed è introdotta dalle espressioni *che, almeno, se, voglia il cielo che*: *Voglia il cielo che tu guarisca.* / *Che vada al diavolo!*

Quando non usare il congiuntivo

Non usiamo il congiuntivo quando:

- il soggetto della frase principale e della frase secondaria sono identici: *Sono felice di venire in Italia* (Io sono felice – io vengo in Italia); usiamo la forma di + infinito;

- i verbi (a.) o le espressioni (b.) impersonali non sono seguiti dalla congiunzione *che*; usiamo l'infinito: a. *Bisogna prendere una decisione!* – *Bisogna che tu prenda una decisione!* b. *È importante capire bene.* – *È importante che tu capisca bene.*

- usiamo espressioni come *secondo me, forse, probabilmente*: *Secondo me abbiamo bisogno di una vacanza.* / *Probabilmente vado al mare domani.*

- la frase secondaria è introdotta dalle congiunzioni *anche se, poiché, dopo che*: *Anche se piove, andiamo al lago lo stesso.*

Unità 6

Imperativo diretto

Usiamo l'imperativo per dare un ordine o un consiglio e si chiama imperativo diretto quando parliamo dell'imperativo della 2ª persona singolare (*tu*) e della 1ª e 2ª persona plurale (*noi* e *voi*).

	1ª coniugazione (-are) parlare	2ª coniugazione (-ere) prendere	3ª coniugazione (-ire) aprire	finire
tu	parla!	prendi!	apri!	finisci!
noi	parliamo!	prendiamo!	apriamo!	finiamo!
voi	parlate!	prendete!	aprite!	finite!

Osservate: le forme della coniugazione dell'imperativo diretto sono uguali a quelle del presente indicativo, tranne che per la 2ª persona singolare dei verbi in *-are* che non termina in *-i* ma in *-a*: *Alice, mangia la mela!* / *Non ti sento, parla più forte!*

Imperativo indiretto

In italiano usiamo la 3ª persona singolare o plurale del congiuntivo presente per esprimere l'imperativo della 3ª persona singolare (Lei) e, anche se raramente, della 3ª persona plurale (Loro).

Questo si chiama imperativo indiretto o imperativo di cortesia.

	parlare	prendere	aprire
Lei	parli!	prenda!	apra!
Loro	parlino!	prendano!	aprano!

Le forme dell'imperativo indiretto sono uguali alla 3ª persona singolare e plurale (lui/lei e loro) del congiuntivo presente.

Imperativo dei verbi *essere* e *avere*

	essere		avere	
	forma affermativa	forma negativa	forma affermativa	forma negativa
tu	sii!	non essere!	abbi!	non avere!
lui, lei, Lei	sia!	non sia!	abbia!	non abbia!
noi	siamo!	non siamo!	abbiamo!	non abbiamo
voi	siate!	non siate!	abbiate!	non abbiate!
loro	siano!	non siano!	abbiano!	non abbiano!

Imperativo diretto e indiretto negativo

La forma negativa dell'imperativo diretto:

- di 2ª persona singolare (*tu*) si esprime con non + infinito: *Non scrivere altri sms! / Non urlare!*
- di 1ª e 2ª persona plurale (*noi* e *voi*) si esprime con le forme dell'imperativo diretto precedute dal non: *Non dimentichiamo di comprare il pane! / Non urlate!*

	1ª coniugazione (-are)	2ª coniugazione (-ere)	3ª coniugazione (-ire)	
	parlare	prendere	aprire	finire
tu	non parlare!	non prendere!	non aprire!	non finire!
noi	non parliamo!	non prendiamo!	non apriamo!	non finiamo!
voi	non parlate!	non prendete!	non aprite!	non finite!

Per fare la forma negativa dell'imperativo indiretto, basta mettere il non davanti al verbo all'imperativo indiretto: *Non tocchi i quadri! / Non si avvicinino troppo i signori! Grazie.*

Imperativo con i pronomi

Quando usiamo i pronomi (*diretti, indiretti, combinati, ci e ne*):

- con un imperativo diretto, i pronomi seguono il verbo e formano un'unica parola: *Scrivila subito! / Consegnagliela ora!*
- con un imperativo diretto negativo, i pronomi possono andare o prima o dopo il verbo e in quest'ultimo caso formano un'unica parola: *Non le telefonare! / Non telefonarle!*
- con le forme irregolari dell'imperativo di 2ª persona singolare (va', da', fa', sta', di') i pronomi si uniscono al verbo e raddoppiano la consonante: *Va' a Roma!* ➜ *Vacci! / Di' a me!* ➜ *Dimmi! / Sta' accanto a lei!* ➜ *Stalle accanto!* Fa eccezione il pronome gli: *Da' i biglietti a lui!* ➜ *Dagli i biglietti!*

Quando usiamo i pronomi con l'imperativo indiretto:

- precedono sempre l'imperativo indiretto, anche nella forma negativa: *Glielo dica lei! / Ne parli a tutti! / Non glielo dica! / Non ne parli a nessuno!*

Aggettivi indefiniti

Gli aggettivi indefiniti esprimono in modo indeterminato la quantità o la qualità del nome che accompagnano:

Aggettivi indefiniti che indicano quantità:		
alcuno/a/i/e	molto/a/i/e	qualche
alquanto/a/i/e	nessuno/a	tanto/a/i/e
altrettanto/a/i/e	ogni	troppo/a/i /e
ciascuno/a	parecchio/a/chi/chie	tutto/a/i/e
diverso/a/i/e	poco/a/chi/che	vario/a/i/e

Aggettivi indefiniti che indicano qualità:	
altro/a/i/e	qualunque
certo/a/i/e	qualsiasi
tale/i	

- Gli aggettivi ogni, qualche, qualsiasi e qualunque sono invariabili e li usiamo solo al singolare: *Abbiamo dato ad ogni studente due libri da leggere per l'estate. / Chiamami a qualsiasi ora! / Qualunque decisione tu prenda, io sarò d'accordo.*

- L'aggettivo alquanto/a è poco usato e spesso sostituito con parecchio: *Ho avuto alquanta/parecchia paura.*

- Gli aggettivi nessuno/a e ciascuno/a variano nel genere ma non nel numero (*Nessuna scrittrice è brava come lei.*). Nessuno ha un significato negativo, quindi quando precede il verbo non è accompagnato da un'altra negazione (*Nessun albero dev'essere tagliato!*); mentre quando segue il verbo è accompagnato da un'altra negazione e può essere sostituito da alcuno (*Non ho trovato nessun/alcun portafoglio in macchina, chissà dove lo hai perso.*). Nelle frasi interrogative può avere un significato affermativo e ha il significato di qualche: *È arrivata nessuna/qualche email per me?*

- Tale/i varia nel numero ma non nel genere e spesso è preceduto da un articolo indeterminativo (*un, una, dei, delle*) per indicare una o più persone sconosciute: *Questa mattina è venuto un tale Signor Fiorello che ti cercava.*

- Quando è preceduto dall'articolo determinativo (*il, la, i, le*) o dal pronome dimostrativo (*quel, quella, quei, quelle*) indica una persona ben precisa (*Questa mattina è venuta quella tale Barbara che ti cercava.*). In alcune espressioni, l'aggettivo tale può avere il significato di tanto/a: *Ho provato una tale paura che sarei voluto sparire.*

- Altro/a/i/e può avere diversi significati in base al contesto: esprime la differenza in qualcosa o in qualcuno (*Quella che stai raccontando è un'altra storia [una storia diversa].*); esprime una quantità aggiunta o una seconda cosa percepita come nuova (*Ho bisogno di altri soldi [più soldi]. / Lo hanno considerato come un altro Cesare [un nuovo cesare].*); esprime qualcosa di passato (*L'altra settimana sono stato a Milano [la settimana scorsa].*).

- Certo/a/i/e può avere diversi significati: quando è usato al singolare ed è preceduto da un articolo indeterminativo, ha lo stesso significato di tale (*Ti saluta un certo [un tale] Alberto che ho incontrato ieri al cinema.*), oppure esprime una quantità indefinita (*Vedere queste foto mi crea sempre una certa emozione. [un po' di emozione]*); quando è usato al plurale ha lo stesso significato di alcuni/e e di qualche (*Certi [alcuni] film non posso proprio vederli.*), oppure esprime una sfumatura di disprezzo: *Certe persone preferisco non averle come amiche.*

- Diverso e vario quando precedono un nome collettivo (*classe, clientela, folla*, gente ecc.) o un nome plurale hanno lo stesso significato di alquanto, parecchio, molto: *C'era diversa gente al mare.*

Pronomi indefiniti

I pronomi indefiniti esprimono in modo generico la quantità o l'identità del nome che sostituiscono:

I pronomi indefiniti sono:						
alcunché	niente, nulla	qualcosa	uno/a	chiunque	ognuno	qualcuno

- Alcunché è ormai poco diffuso ed è usato solo in ambito letterario: *Di Stefano non si può dire alcunché.*

- Chiunque è invariabile e lo usiamo solo al singolare riferito a persone (*Non faccio amicizia con chiunque.*) Può avere anche il significato di qualunque persona che: *Chiunque [Qualunque persona che] abbia la bicicletta può venire in gita domani.*

- Niente e nulla significano nessuna cosa. Se seguono il verbo, dobbiamo mettere non prima del verbo (*Non è cambiato nulla/niente da quando sei andato via.*); se precedono il verbo, non dobbiamo mettere un'altra negazione: *Nulla/Niente è cambiato da quando sei andato via.*

- Ognuno lo usiamo solo al singolare ed è sinonimo di ciascuno: *Ognuno ha le sue responsabilità in questa storia. / Ciascuno faccia le proprie scelte.*

- Qualcuno lo usiamo al singolare e, di solito, indica una sola persona (*Qualcuno ci aspetta.*) o indica una quantità non precisa (*Ieri c'erano tanti vecchi amici, potevi salutare qualcuno!*).

- Qualcosa/Qualche cosa è invariabile e si usa con le cose (*Vuoi qualcosa da mangiare?*). Quando è seguito dall'avverbio *come* ha il significato di più o meno, all'incirca: *Per ristrutturare casa abbiamo speso qualcosa come ventimila euro.*

- Uno/a: *Uno di voi potrebbe aiutarmi, per favore?*

Aggettivi e pronomi indefiniti

Tra gli indefiniti come pronomi e aggettivi ricordiamo:

alcuno/a/i/e	diverso/a/i/e	tale/i
altro/a/i/e	molto/a/i/e	tanto/a/i/e
altrettanto/a/i/e	nessuno/a	troppo/a/i/e
certo/a/i/e	parecchio/a/chi/chie	tutto/a/i/e
ciascuno/a	poco/a/chi/che	vario/a/i/e

- Alcuno/a/i/e lo usiamo al plurale come aggettivo con il significato di qualche: *Sono stati fatti alcuni errori.*

  Al singolare lo usiamo soprattutto in frasi negative e, nella lingua parlata, sostituisce spesso nessuno/a: *Mi dispiace, ma non sei stato di alcun/nessun aiuto.*

- Altro/a/i/e, se preceduto dall'articolo, ha il significato di *un altra persona* (*Carlo non sta più con Paola, si è innamorato di un'altra.*). Oppure ha il significato di *un'altra cosa* (Signora Fiore, ha bisogno di altro?).

  Spesso lo usiamo insieme al pronome indefinito *uno* nelle espressioni *l'uno/a… l'altro/a, gli/le uni… gli/le altri/e*: *Per le vacanze? Gli uni sono d'accordo, gli altri no.*

- Altrettanto significa *della stessa quantità*: *Tu hai tanti CD, ma io ne ho altrettanti.*

- Certi/e come pronome lo usiamo solo al plurale e ha il significato di alcuni: *I miei amici lavorano, ma certi/alcuni hanno trovato lavoro all'estero.*

- Ciascuno/a come pronome lo usiamo solo al singolare e ha il significato di ognuno (*Se ciascuno/ognuno fa quello che vuole senza pensare agli altri, le cose andranno male.*

  Quando il verbo segue il pronome, il verbo è al singolare; ma quando lo precede, il verbo deve essere al plurale: *Se fanno ciascuno/ognuno quello che vogliono senza pensare agli altri, le cose andranno male.*

- Tale/i varia nel numero, ma non nel genere. Come per l'aggettivo, anche il pronome è spesso preceduto dall'articolo indeterminativo (*un, una, dei, delle*) per indicare una persona sconosciuta (*Riccardo mi ricorda un tale che ho visto oggi in metro.*), oppure è preceduto da un articolo determinativo (*il, la, i, le*) o da un pronome dimostrativo (*quel, quella, quei, quelle*) e indica una persona ben precisa: *Ti aspetta quel tale della banca.*

- Tanto/a/i/e se lo usiamo in relazione a quanto/a/i/e indica che la quantità è identica (*Ho comprato tanti gelati quanti sono i bambini.*). Se tanto è preceduto da un significa una certa cifra/una certa quantità: *I soldi che mi hai prestato, te li restituirò un tanto al mese.*

Unità 7

Congiuntivo imperfetto

	1ª coniugazione (-are)	2ª coniugazione (-ere)	3ª coniugazione (-ire)
	parlare	**avere**	**finire**
io	parlassi	avessi	finissi
tu	parlassi	avessi	finissi
lui, lei, Lei	parlasse	avesse	finisse
noi	parlassimo	avessimo	finissimo
voi	parlaste	aveste	finiste
loro	parlassero	avessero	finissero

L'imperfetto congiuntivo	Nelle **frasi indipendenti**: esprime qualcosa, un evento o un desiderio, che non crediamo sia facile realizzare nel presente o nel futuro: *Potessi partire con te! / Ah! Se non fossi da solo ora!*
	Esprime anche il dubbio: *Lea non ha giocato con gli altri bambini: che avesse la febbre?*
	Nelle **frasi secondarie** esprime: a. **contemporaneità** rispetto ad una frase principale al passato: *Credevo che tu fossi stanco.* b. **anteriorità** rispetto ad una frase principale al presente: *Tante persone pensano che cinquant'anni fa si vivesse meglio.*
	Quando nella frase principale abbiamo un verbo al condizionale che esprime desiderio o speranza (*desiderare*, *preferire*, *volere* ecc.), nella frase secondaria usiamo il congiuntivo imperfetto: *Vorrei che tu mi aiutassi di più.*

La concordanza dei tempi al congiuntivo

frase principale	frase secondaria	
verbo presente *Credo che...*	congiuntivo presente/indicativo futuro ...*Giulia torni/tornerà domani.*	→ posteriorità
	congiuntivo presente ...*Giulia torni oggi.*	→ contemporaneità
	congiuntivo passato *Credo che Giulia sia tornata ieri.*	→ anteriorità
verbo passato *Credevo che...*	congiuntivo imperfetto/condizionale passato ...*Giulia andasse/sarebbe andata con Paola.*	→ posteriorità
	congiuntivo imperfetto ...*Giulia andasse con Paola.*	→ contemporaneità
	congiuntivo trapassato ...*Giulia fosse andata con Paola.*	→ anteriorità

Congiuntivo trapassato

Il congiuntivo trapassato si forma:

> ausiliare essere o avere al congiuntivo imperfetto + **participio passato** del verbo

Il congiuntivo trapassato	Nelle **frasi indipendenti**: esprime un evento, un'ipotesi, un augurio, riferito al passato, che non si è realizzato: *Magari ti avessi ascoltato!*
	Nelle **frasi secondarie (dipendenti)** esprime: a. **anteriorità** rispetto ad una frase principale al passato: *Speravo che tu fossi arrivata. / Accettò di aiutarmi, nonostante avesse lavorato tutto il giorno.* b. una **condizione** che non si è realizzata nel passato (periodo ipotetico dell'irrealta): *Se fossimo andati in vacanza a settembre, avremmo trovato meno gente e più tranquillità.*
	Quando abbiamo una frase secondaria introdotta da *come se*, dobbiamo usare sempre o l'imperfetto o il trapassato congiuntivo indipendentemente dal verbo della frase principale: *Si comporta come se fosse lui il direttore. / Urlava come se avesse visto un fantasma.* Anche dopo *magari*, usiamo l'imperfetto o il congiuntivo: *Magari avessi la sua età! / Magari fossi venuto prima.*

Uso del congiuntivo imperfetto e trapassato

Usiamo il congiuntivo imperfetto o trapassato nelle frasi secondarie dopo una frase principale con il verbo al passato, secondo gli stessi criteri visti con il congiuntivo presente o passato nell'unità 5:

- dopo un verbo o un'espressione che esprimono un'**opinione soggettiva**: *Credevo/Immaginavo/Pensavo che Elena non volesse venire perché non le sono simpatica. / Avevo l'impressione che lei non mi stesse dicendo la verità.*

- dopo un verbo o un'espressione che esprime **volontà**: *Luisa voleva che l'insegnante le spiegasse il congiuntivo un'altra volta. / Il mio unico desiderio era che tu venissi a vivere qui.*

- dopo un verbo o un'espressione che esprime uno **stato d'animo**: *Quando ho visto l'ora, temevo che aveste perso il treno. / Avevo paura che il regalo non gli fosse piaciuto.*

- dopo un **verbo** o un'**espressione impersonale**: *Era meglio che avessero scelto un albergo vicino al mare. / Sembrava che questo appartamento fosse il più economico.*

- dopo una di queste congiunzioni:

  - *benché, sebbene, nonostante, malgrado*: *Mi sentivo riposato, sebbene/nonostante/benché avessi dormito poco.*

  - *purché, a patto che, a condizione che, basta che*: *Ti avevo prestato i soldi a patto che/a condizione che/purché tu me li restituissi.*

  - *senza che*: *Lo arrestarono senza che avesse fatto nulla.*

  - *nel caso in cui*: *Ho mandato te, nel caso in cui non fossi stato puntuale.*

  - *affinché, perché*: *Ho comprato i biglietti, affiché andassimo al concerto.*

  - *prima che*: *Andammo via prima che fosse finito il film.*

  - *a meno che, fuorché, tranne che, salvo che*: *Ho creduto a tutto, tranne che/fuorché/salvo che tu avessi trovato lavoro.*

- in una frase secondaria, dopo un pronome relativo preceduto da un superlativo relativo: *Era la persona più sincera che io avessi conosciuto.*
- in una frase secondaria relativa che esprime uno scopo (*Il direttore cercava un collaboratore che conoscesse bene le lingue.*) o una conseguenza (*Non c'era un solo appartamento che potessi comprare.*).
- in una frase secondaria introdotta da un aggettivo o pronome indefinito: *A casa mia, il solo che facesse sport era mio fratello.*
- in una frase secondaria che è una domanda indiretta: *Mi sono sempre chiesto chi facesse i graffiti sui muri.*
- in una frase a cui vogliamo dare una certa enfasi: *Che il fumo facesse male, lo sapevano tutti.*

Unità 8

Periodo ipotetico

Il periodo ipotetico è formato da due frasi: una frase secondaria, introdotta dal *se*, che esprime la condizione, e una frase principale che esprime la conseguenza: *Se avrò tempo* (condizione), *passerò da casa tua* (conseguenza).

I tipi di periodo ipotetico sono 3:

- il **periodo ipotetico della realtà (del 1° tipo)** che esprime un evento certo o che si realizzerà sicuramente:
  se + indicativo presente/futuro semplice − indicativo presente/futuro semplice/imperativo
  Se finisco prima, verrò da te. / *Se avrò tempo, andrò a fare spese.* / *Se vai all'edicola, comprami il giornale.*

- il **periodo ipotetico della possibilità (del 2° tipo)** che esprime un evento ritenuto possibile ma non certo:
  se + congiuntivo imperfetto − condizionale semplice
  Se avessi tempo libero, andrei in palestra. / *Se fosse un vero amico, mi farebbe un favore.*

- il **periodo ipotetico dell'irrealtà o dell'impossibilità (del 3° tipo)** che esprime un evento irrealizzabile perché impossibile nella realtà o perché riferito al passato e che quindi non si può cambiare:

  ❯ se + congiuntivo imperfetto − condizionale semplice ⊜ l'ipotesi è al presente
  Se tutti fossero come te, il mondo andrebbe sicuramente meglio.

  ❯ se + congiuntivo trapassato − condizionale passato ⊜ l'ipotesi è al passato
  Se me l'avessi chiesto, te l'avrei dato.

  ❯ se + congiuntivo trapassato − condizionale semplice ⊜ l'ipotesi è al passato con conseguenza nel presente
  Se avessi comprato un computer migliore, ora non avresti tutti questi problemi.

  ❯ se + indicativo imperfetto − indicativo imperfetto ⊜ usato nella lingua parlata
  Se mi telefonavi (avessi telefonato), venivo (sarei venuto) subito.

Alcune volte, il verbo della frase che esprime la condizione non c'è, è sottinteso; altre volte può essere sottintesa l'intera condizione: [Se io fossi al posto tuo] *Al posto tuo, comprerei un appartamento in centro.*

Nella lingua parlata, alcune volte la congiunzione *se* è sottintesa: [Se] *Avessi i tuoi soldi, comprerei un appartamento in centro.*

Il periodo ipotetico in sintesi

1° tipo	**presente o futuro indicativo** + presente o futuro indicativo *Se leggi di più, imparerai più cose.* Esprime un'ipotesi che si realizzerà sicuramente.
2° tipo	**imperfetto congiuntivo** + condizionale presente *Se leggessi di più, impareresti più cose.* Esprime un'ipotesi che è possibile ma non immediatamente realizzabile.
3° tipo	**trapassato congiuntivo** + condizionale passato *Se avessi letto di più, avresti imparato più cose.* Esprime un'ipotesi che è impossibile da realizzare perché legata al passato.

Usi di *ci*

pronome riflessivo (1ª persona plurale)	*Noi, di solito, ci svegliamo presto.*
forma impersonale di un verbo riflessivo	*Con il tempo ci si abitua a vivere in città.*
pronome diretto (*noi*)	*Luca ci ha invitato a casa sua stasera.*
pronome indiretto (*a noi*)	*Daniela ha detto che ci telefonerà domani.*

ci + essere = esserci	*Al concerto di Mengoni c'erano più di ventimila persone.*
ci + entrare = trovare posto	*In questo armadio non c'entrano tutti i nostri vestiti.*
ci + entrare = avere relazione con qualcosa	*Cosa c'entra che non è italiano? È un bravissimo ragazzo.*

ci pleonastico	*Il tablet ce l'ho io perché sto lavorando. / Mio nonno ormai ci sente poco, devi gridare più forte.*
pronome che sostituisce: *ad una persona/ cosa*	*Non ci credo perché in te non ho fiducia! / Ci ho pensato tante volte: vado a lavorare all'estero.*
pronome che sostituisce: *con qualcosa/ qualcuno*	*– Come va con Gloria? – Ci sto benissimo. / Non ci giocare troppo, la PlayStation fa male agli occhi.*
pronome che sostituisce: *su una cosa/ persona*	*Speriamo che non ci salga sopra, è una sedia antica. / Ci ho riflettuto a lungo, non vengo con te.*
pronome che sostituisce: *in una cosa/ persona*	*Non è stato un buon affare, ci ho perso molti soldi. / In Antonio? Ci credo molto!*
pronome che sostituisce: *di una cosa*	*Parli sempre di teatro ma io non ci capisco niente.*
pronome che sostituisce: *da una cosa/ persona*	*Da quanto tempo non vai da Micol? Ci sono andata ieri. / Abbiamo discusso tutta la sera ma non ci abbiamo ricavato nulla.*
ci di luogo = sostituisce in un luogo	*Il fine settimana andiamo a Roma, ci vieni anche tu?*
nei verbi pronominali (farcela, metterci, volerci)	*Per Firenze di solito ci vogliono tre ore, ma io ce ne metto due!/ Ho bisogno di qualche giorno di ferie, non ce la faccio più!*

Usi di *ne*

ne partitivo	*– Quanti anni ha Giorgio? – Ne ha trenta. / Di email ne ricevo parecchie.*
pronome che sostituisce: *di qualcosa/ di qualcuno*	*Sandra è partita ieri e io ne sento già la mancanza. / Hai sentito cosa è successo con il nuovo governo? Cosa ne pensi? / Ragazzi, oggi studiamo Leopardi. Ne avete già sentito parlare?*
pronome che sostituisce: *da qualcosa/ da qualcuno*	*Non credo sia un buon affare: ne guadagnerà solo la banca. / Ti ho detto di non frequentare quei ragazzi: devi starne lontano! / Si tratta di una situazione così difficile che non so come uscirne.*
avverbio *ne* che sostituisce: *da un luogo*	*Sì, prima ero a casa. Ne sono uscito circa un'ora fa. / È tardi ed io me ne vado. / Fino a ieri eravamo a Capri, ne siamo partiti con gran dispiacere.*
espressioni particolari: *dimenticarsene, ricordarsene*	*Che Paolo ha il compleanno me ne sono ricordato.*
starsene	*Questa sera me ne sto tranquillo a casa.*
valerne la pena	*Non stare a sentire Claudio, non ne vale la pena [merita di essere ascoltato].*
averne abbastanza	*Scusami, ma ne ho abbastanza [sono stufo] di ascoltare sempre le stesse cose.*
non poterne più	*Non ne posso più [non sopporto più la] della tua stupida gelosia.*
farne di cotte e di crude	*Quando Micol era piccola, ne ha fatte di cotte e di crude [ha causato danni].*
combinarne di tutti i colori	*Da piccolo, ne ho combinate di tutti i colori [ho combinato molti guai].*
farsene una ragione	*Ormai me ne sono fatto una ragione.*

Unità 9

La forma passiva

Alessandro scrive un nuovo libro.	→	FORMA ATTIVA
Un nuovo libro è scritto da Alessandro.	→	FORMA PASSIVA

I verbi italiani possono avere una forma attiva (sia i verbi transitivi sia i verbi intransitivi) o una forma passiva (solo i verbi transitivi):

• in una frase in forma attiva, chi compie l'azione (l'agente) è sempre il soggetto della frase (nell'esempio: *Alessandro*);

• in una frase in forma passiva, l'oggetto diretto (nell'esempio: *un nuovo libro*) diventa il soggetto, il quale non è un soggetto che compie l'azione ma che la subisce; invece l'azione è compiuta dall'agente (nell'esempio: *Alessandro*).

Usiamo, quindi, la forma passiva quando vogliamo sottolineare l'azione e non chi la compie.

Per la costruzione della forma passiva usiamo il verbo essere + il participio passato del verbo che concorda in genere e numero con il soggetto della frase passiva, il verbo *essere* deve essere coniugato al tempo del verbo della forma attiva e la preposizione da deve precedere il nome di chi compie l'azione.

Tutti hanno letto il giornale.	➔ FORMA ATTIVA
Il giornale è stato letto da tutti.	➔ FORMA PASSIVA

Osservate: nella costruzione della forma passiva, con i tempi semplici, possiamo usare sia il verbo *essere* sia il verbo *venire* (*Il nonno legge il giornale.* ➔ *Il giornale è/viene letto dal nonno.*); nelle frasi con i tempi composti invece usiamo solo il verbo *essere* (*Il giornale è stato letto dal nonno.*)

I pronomi alla forma passiva

Nel passaggio dalla forma attiva alla forma passiva:

> - **i pronomi diretti** spariscono e il participio passato del verbo alla forma passiva concorda con il numero e il genere che esprimeva il pronome nella forma attiva:
>
> | FORMA ATTIVA | ➔ | *Il direttore li ha chiamati.* |
> |---|---|---|
> | FORMA PASSIVA | ➔ | *Sono stati chiamati dal direttore.* |

> - **i pronomi indiretti**, che compongono un pronome combinato, rimangono e il participio del verbo alla forma passiva concorda con il numero e il genere che esprimeva il pronome diretto nella forma attiva, ma che ora è scomparso:
>
> | FORMA ATTIVA | ➔ | *Queste rose gliele ha date suo marito.* |
> |---|---|---|
> | FORMA PASSIVA | ➔ | *Queste rose le sono state date da suo marito.* |

La forma passiva con *dovere* e *potere*

La forma passiva dei verbi modali *dovere* e *potere* si forma:

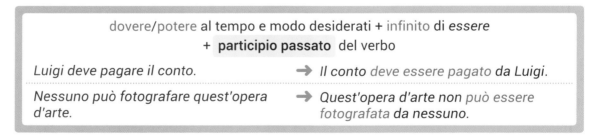

dovere/potere al tempo e modo desiderati + infinito di *essere* + **participio passato** del verbo	
Luigi deve pagare il conto.	➔ *Il conto deve essere pagato da Luigi.*
Nessuno può fotografare quest'opera d'arte.	➔ *Quest'opera d'arte non può essere fotografata da nessuno.*

La forma passiva con *andare*

Solo con i tempi semplici, possiamo fare la forma passiva anche con il verbo andare:

andare al tempo e modo desiderati + **participio passato** del verbo

Questa costruzione esprime **un'idea di necessità** e di **obbligo**:

• *Entro domani bisogna/dobbiamo pagare la bolletta del telefono.*	• *La bolletta del telefono va pagata/deve essere pagata entro domani.*
• *Prima dei pasti bisogna/dobbiamo prendere la medicina.*	• *La medicina va/deve esser presa prima dei pasti.*

Il *si* passivante

È possibile costruire la forma passiva anche con il si passivante:

> si + 3ª persona singolare o plurale
> del verbo alla forma attiva

Caratteristiche:

* in questa costruzione non è espresso l'agente, cioè chi compie l'azione, perché **il si passivante dà alla frase un senso impersonale**;

* possiamo usare questa costruzione anche con i verbi modali: si + 3ª persona singolare o plurale di *dovere, potere* o *volere* + verbo all'infinito e la frase assume una sfumatura impersonale: *Il conto del ristorante deve essere pagato da Luigi. / Il conto del ristorante si deve pagare.*

Per capire e distinguere se abbiamo un **si passivante** o un **si impersonale** dobbiamo ricordare che:

* il si passivante ha sempre il verbo che concorda con il soggetto che lo segue: *In quel ristorante si mangia un'ottima pizza. / In quel ristorante si mangiano delle ottime pizze.*

* il si impersonale ha sempre il verbo senza un complemento oggetto che lo segue: *In quel ristorante si mangia molto bene.*

Il *si* passivante nei tempi composti

Quando abbiamo una frase che richiede un tempo composto, la costruzione con il *si passivante* da seguire è: si + ausiliare *essere* (al tempo e al modo desiderati) + participio passato del verbo concordato con il soggetto della frase.

Il Governo ha costruito un nuovo stadio per le Olimpiadi.	➔ *Un nuovo stadio per le Olimpiadi è stato costruito dal Governo.*
	➔ *Si è costruito un nuovo stadio per le Olimpiadi.*

Unità 10

Discorso diretto e discorso indiretto

Nel passaggio dal discorso diretto al discorso indiretto, abbiamo una frase principale espressa da verbi come *dire, affermare, domandare, rispondere, chiedere, osservare* ecc. e una o più frasi secondarie introdotte dal *che*: *Luigi dice ad Elena: «Domani andrò a Roma.»* ➔ *Luigi dice ad Elena che domani andrà a Roma.*

Nel passaggio dal discorso diretto a quello indiretto:

• quando il verbo della frase principale è al passato, i verbi della frase secondaria si trasformano seguendo queste regole:

indicativo presente* ➔ indicativo imperfetto	*Elisa disse: «Gianni ha un bel cane.»* ❱ *Elisa disse che Gianni aveva un bel cane.*
indicativo presente ➔ congiuntivo imperfetto	*Elisa ha chiesto a Gianni: «Cosa hai?»* ❱ *Elisa ha chiesto a Gianni cosa avesse.*
indicativo presente o futuro ➔ condizionale composto	*Elisa ci ha promesso: «Non lo faccio/farò più.»* ❱ *Elisa ci ha promesso che non lo avrebbe fatto più.*
indicativo passato prossimo ➔ indicativo trapassato prossimo	*Elisa disse: «Ho comprato un nuovo libro.»* ❱ *Elisa disse che aveva comprato un nuovo libro.*
indicativo passato remoto ➔ indicativo trapassato prossimo	*Elisa ha detto: «Feci tutto da sola.»* ❱ *Elisa ha detto che aveva fatto tutto da sola.*
indicativo imperfetto ➔ indicativo imperfetto	*Elisa disse: «Da bambina ero molto timida.»* ❱ *Elisa disse che da bambina era molto timida.*
indicativo trapassato prossimo ➔ indicativo trapassato prossimo	*Elisa mi disse: «Avevo preparato dei panini per il pic nic.»* ❱ *Elisa mi disse che aveva preparato dei panini per il pic nic.*
indicativo futuro semplice ➔ condizionale composto	*Elisa rispose: «Non mi sposerò mai.»* ❱ *Elisa rispose che non si sarebbe mai sposata.*
condizionale semplice ➔ condizionale composto	*Elisa disse: «Andrei io, ma non posso.»* ❱ *Elisa disse che sarebbe andata lei ma non poteva.*
condizionale composto ➔ condizionale composto	*Elisa disse: «Sarei andata, ma non potevo.»* ❱ *Elisa disse che sarebbe andata, ma non poteva.*
congiuntivo presente ➔ congiuntivo imperfetto	*Elisa ha detto: «Credo che lui non stia bene.»* ❱ *Elisa ha detto che credeva che lui non stesse bene.*
congiuntivo imperfetto ➔ congiuntivo imperfetto	*Elisa ha detto: «Credevo che Ugo fosse italiano.»* ❱ *Elisa ha detto che credeva che Ugo fosse italiano.*
congiuntivo passato ➔ congiuntivo trapassato	*Elisa rispose: «Credo che Alice sia andata in ufficio.»* ❱ *Elisa rispose che credeva che Alice fosse andata in ufficio.*

*Quando gli effetti dell'azione rimangono anche nel presente, l'indicativo presente non cambia, anche se nella frase principale c'è un verbo al passato: *Elisa ha detto: «Giovanni è felice.»* ➔ *Elisa ha detto che Giovanni è felice.*

- i pronomi personali e gli aggettivi e i pronomi possessivi di 1ª e 2ª persona singolare e plurale si trasformano nella 3ª persona singolare o plurale:

io, tu ➔ lui/lei	*Elisa ha detto: «Io non vengo.»* ❱ *Elisa ha detto che lei non viene.*
noi, voi ➔ loro	*I ragazzi dicono: «Noi ce ne andiamo.»* ❱ *I ragazzi dicono che loro se ne vanno.*
mio/a/ei/e, tuo/a/oi/e ➔ suo/a/i/e	*Elisa dice a Maria: «Ti regalo il mio libro.»* ❱ *Elisa dice a Maria che le regala il suo libro.*
nostro, vostro ➔ loro	*Le ragazze hanno detto: «Ci vediamo a casa nostra.»* ❱ *Le ragazze hanno detto che ci vediamo a casa loro.*

- possono cambiare anche gli aggettivi e i pronomi dimostrativi:

questo ➔ quello	*Elisa dice: «Voglio questa camicetta.»* ❱ *Elisa dice che vuole quella camicetta.*

- quando il verbo della frase principale è al passato, possono cambiare anche gli avverbi di tempo e di luogo:

ora (adesso, in questo momento) ➔ allora (in quel momento)	*Elisa ha detto: «Ora non posso telefonarti.»* ❱ *Elisa ha detto che in quel momento non poteva telefonargli.*
ieri ➔ il giorno prima / il giorno precedente	*Elisa ha detto: «Ci siamo visti ieri.»* ❱ *Elisa ha detto che si erano visti il giorno prima.*
oggi ➔ quel giorno	*Elisa ha detto: «Partirò oggi.»* ❱ *Elisa ha detto che sarebbe partita quel giorno.*
domani ➔ il giorno dopo / il giorno seguente	*Elisa disse: «Arriverò domani.»* ❱ *Elisa disse che sarebbe arrivata il giorno seguente.*
qui, qua ➔ lì, là	*Elisa ha detto: «Vi aspetto qui.»* ❱ *Elisa ha detto che li aspettava lì.*
...fa ➔ ...prima	*Elisa ha detto: «Sono arrivata due ore fa.»* ❱ *Elisa ha detto che era arrivata due ore prima.*
fra... ➔ ... dopo...	*Elisa disse: «Me ne vado fra un paio d'ore.»* ❱ *Elisa disse che se ne andava dopo un paio d'ore.*

• altre trasformazioni nel passaggio dal discorso diretto a quello indiretto:

venire ➡ andare	*Elisa ha detto: «I ragazzi vengono al mare con me.»* ❱ *Elisa ha detto che i ragazzi andavano al mare con lei.»*
imperativo ➡ congiuntivo imperfetto / di + infinito	*Elisa disse a Carla: «Va' dalla mamma!»* ❱ *Elisa disse a Carla che andasse dalla mamma. / Elisa disse a Carla di andare dalla mamma.*
domanda al passato ➡ se + congiuntivo o indicativo	*Le chiese: «Hai visto Marco?»* ❱ *Le chiese se avesse / aveva visto Marco.*
domanda al futuro ➡ se + condizionale composto	*Mi ha chiesto: «A che ora tornerai?»* ❱ *Mi ha chiesto a che ora sarei tornata.*

Nel passaggio dal discorso diretto a quello indiretto, ciò che non si trasforma è: l'*indicativo imperfetto* e *trapassato prossimo*, il *congiuntivo imperfetto* e *trapassato*, ma anche l'*infinito*, il *gerundio* e il *participio*. «*Andando a casa ho visto Alfredo.*» ➡ *Elisa disse che andando a casa aveva visto Alfredo.*

Il periodo ipotetico nel discorso indiretto

Nel passaggio dal discorso diretto a quello indiretto:

verbo della frase principale al passato + periodo ipotetico del 1° tipo, 2° tipo e 3° tipo	➡	verbo della frase principale al passato + periodo ipotetico del 3° tipo
Elisa disse: «Se vado in città cambierò lavoro.» *Elisa disse: «Se andassi in città cambierei lavoro.»* *Elisa disse: «Se fossi andata in città avrei cambiato lavoro.»*		*Elisa disse che se fosse andata in città avrebbe cambiato lavoro.*

Se invece il verbo della frase principale è al presente, i tre tipi di periodo ipotetico non variano.

Unità 11

I modi indefiniti

Il gerundio, l'infinito e il participio sono modi indefiniti, cioè non indicano la persona che compie l'azione. Non hanno solo funzione verbale ma, a volte, anche di aggettivo o sostantivo.

Il gerundio presente

1ª coniugazione (-are)	2ª coniugazione (-ere)	3ª coniugazione (-ire)
guardare	**legg**ere	**part**ire
guardando	leggendo	partendo

Il gerundio non varia ed esprime un'azione contemporanea a quella espressa della frase principale: *Uscendo dal cinema, ho incontrato Filippo.*
Alcuni verbi hanno il gerundio irregolare: bere – bevendo, dire – dicendo, fare – facendo.

Il gerundio passato

verbo *avere* al gerundio semplice + **participio passato** del verbo	verbo *essere* al gerundio semplice + **participio passato** del verbo
avendo guardato	essendo partito/a/i/e

Il gerundio composto esprime un'azione anteriore a quella della frase principale: *Essendo uscito prima dall'ufficio, sono andato in centro a fare spese.*

Uso del gerundio

Il gerundio lo usiamo sempre all'interno di frasi secondarie ed esprime sempre un'azione che è in relazione con la frase principale. Il soggetto delle due frasi deve essere lo stesso. Le principali funzioni del gerundio sono:

gerundio presente	• **modale**: indica come ci si comporta quando si compie un'azione. *È arrivato puntuale all'appuntamento, correndo* [= di corsa]. • **strumentale**: indica lo strumento, il mezzo con cui si compie l'azione. *Luisa è dimagrita, seguendo* [= con il seguire] *una dieta.* • **condizionale**: indica la condizione necessaria per permettere all'azione della frase principale di compiersi. *Continuando* [= se continueranno] *così, finiranno presto in carcere.*
gerundio presente e passato	• **causale**: indica il motivo, la causa per cui si compie l'azione espressa dalla principale. *Conoscendo la persona, ho evitato di incontrarla. / Essendo stanco, decisi di non andare a teatro.* • **concessiva**: il gerundio deve essere sempre introdotto da pur ed indica l'evento nonostante il quale si compie l'azione espressa dalla frase principale. *Pur essendo milanese, Fabio tifa per la Roma. / Pur avendo mangiato tanto, ho ancora fame.*

Quando il soggetto della frase con il gerundio è diverso da quello della frase principale, dobbiamo esprimere il soggetto (è una costruzione poco frequente): *Avendo i ragazzi gli esami, abbiamo rimandato il viaggio.*

Inoltre, usiamo il gerundio nelle costruzioni:

• *stare* + gerundio: esprime l'aspetto progressivo di un'azione in corso. *Ora sto mangiando, ci vediamo tra un po'.*

• *andare* + gerundio: esprime sempre un'azione progressiva ma soprattutto il suo sviluppo. *Il paziente va migliorando.*

I *pronomi diretti, indiretti, combinati, riflessivi* e le particelle *ci* e *ne* seguono e si uniscono al gerundio: *Leggendolo capì perché tutti gli consigliavano quel libro. / Essendosi svegliata prima, ha preparato la colazione.*

Infinito presente e passato

Infinito presente

1ª coniugazione (-are)	2ª coniugazione (-ere)	3ª coniugazione (-ire)
guardare	leggere	partire

Infinito passato

infinito di *essere* o *avere* + **participio passato** del verbo

avere guardato	avere letto	essere partito

Uso dell'infinito

Usiamo l'infinito presente per esprimere un'azione contemporanea o posteriore all'azione espressa nella frase principale: *Sono contento di partire.* / *Spero di partire la prossima settimana.*

Possiamo usare l'**infinito presente**:

come un sostantivo	→	l'infinito assume il ruolo di soggetto della frase: *Camminare* [il camminare] *fa bene.* / *Spesso sperare* [lo sperare, la speranza] *aiuta a vivere meglio.*
in frasi esclamative / interrogative	→	*Parlare così a me?! / E ora, che fare? / Che dire?*
in istruzioni e divieti	→	*Compilare il modulo in tutte le sue parti. / Non fumare.*
in frasi secondarie (di, a, da + infinito)	→	quando la frase principale e la frase secondaria hanno lo stesso soggetto, possiamo usare l'infinito nella frase secondaria: *Penso di invitare tutti i colleghi. / Giulio non è qui, è andato a comprare il latte.*
in frasi finali (per + infinito)	→	in frasi che hanno lo stesso soggetto della principale: *Sono andato via per non vederla.* [= Sono andato via al fine di non vederla.]
in frasi relative	→	*Se non sbaglio è stato Dario a parlarmene.* [= Se non sbaglio è stato Dario che me ne ha parlato.] / *Sono sicuro: sei una persona di cui potermi fidare.* [= Sono sicuro: sei una persona della quale mi posso fidare.]
in frasi condizionali (a + infinito)	→	in frasi che hanno lo stesso soggetto della principale: *A giudicare dall'apparenza, si sbaglia.* [= Se si giudica dall'apparenza, si sbaglia.] / *A saperlo, sarei venuto anch'io con voi.* [= Se lo avessi saputo, sarei venuto anch'io con voi.]
nelle costruzioni fare + infinito / lasciare + infinito	→	in queste costruzioni, si spinge qualcuno a fare qualcosa: *Ho fatto fare la torta a mia madre perché sapevo che sarebbe stata più buona. / Per la prima volta, ho lasciato andare i ragazzi da soli in vacanza.*
nella costruzione stare per + infinito	→	che esprime un'azione che sta per accadere: *Finalmente, le pizze stanno per arrivare.*

Usiamo l'**infinito passato** per esprimere un'azione anteriore rispetto all'azione della frase principale. Possiamo usare l'infinito passato:

in frasi temporali (dopo + infinito passato)	→	in frasi che hanno lo stesso soggetto: *Dopo aver mangiato, mi sono messo in viaggio.* / *Dopo aver finito l'università, ho trovato subito lavoro.*
in frasi causali (per + infinito passato)	→	in frasi che hanno lo stesso soggetto: *Abbiamo perso il treno per essere usciti tardi di casa.* [Abbiamo perso il treno perché siamo usciti tardi di casa.] / *Eravamo tanto stanchi per aver camminato tutto il giorno.* [Eravamo tanto stanchi perché avevamo camminato tutto il giorno.]

I *pronomi diretti* e *indiretti atoni*, come pure le particelle *ci* e *ne* e i *pronomi riflessivi* seguono e si uniscono sempre all'infinito, che perde la -e finale: *Hai visto Andrea? Devo parlargli.* / *Non sono venuto alla tua festa perché c'era Elisabetta e non volevo incontrarla.*

Participio presente e passato

Participio presente

1ª coniugazione (-are) **cantare**	**2ª coniugazione (-ere)** **credere**	**3ª coniugazione (-ire)** **uscire**
cantante/i	credente/i	uscente/i

Participio passato		
cantato	creduto	uscito

Uso del participio

Il participio presente può essere usato in funzione di:

aggettivo	→	quando concorda in genere e numero con il nome: *In questa biblioteca ci sono tanti libri interessanti.*
sostantivo	→	*È veramente una brava cantante.*
verbo	→	raramente usato nel linguaggio letterario o burocratico, esprime un'azione contemporanea all'azione espressa dalla frase principale: *Una squadra vincente (che vince).* / *Il pezzo mancante (che manca).*

Il participio passato può avere un valore:

causale	→	*Bloccato nel traffico* [= poiché sono rimasto bloccato nel traffico], *sono arrivato in ritardo in ufficio.*
relativo	→	*L'appartamento acquistato in centro* [= che è stato acquistato in centro], *è stato un buon investimento.*
temporale	→	*(Una volta/appena) Raccontatagli tutta la verità, me ne andrò* [Me ne andrò solo dopo che gli avrò raccontato tutta la verità.].
di aggettivo	→	*La lettura è il mio passatempo preferito. / È un bellissimo libro illustrato.*
di sostantivo	→	*Io vorrei un fritto di pesce. / Tutti i partiti hanno votato questa legge ingiusta.*

Caratteristiche:

Il participio passato di un verbo transitivo ha un valore passivo: *I ladri, sorpresi dalla polizia, si sono dati alla fuga* [= Appena i ladri sono stati sorpresi dalla polizia, si sono dati alla fuga.]. / *Alla riunione convocata per domani, parteciperanno quasi tutti i condomini* [= Alla riunione che è stata convocata per domani, parteciperanno quasi tutti i condomini.].

Nei tempi composti dei verbi che richiedono l'ausiliare avere, di solito il participio passato non si accorda con il soggetto e rimane invariato: *Silvia ha scritto questa canzone per te. Ti piace?*

Ma quando il complemento oggetto della frase è rappresentato dai pronomi diretti atoni di 3ª persona (*lo, la, li* e *le*) o dalla particella *ne,* l'accordo tra i pronomi e il participio passato è obbligatorio: *I libri che avevo preso in vacanza li ho letti tutti.*

Infine, quando il complemento oggetto della frase è rappresentato dai prodomi diretti atoni (*mi, ti, ci, vi*), l'accordo del participio passato è facoltativo: *Beatrice vi ha incontrato / incontrati?*

Nomi alterati

I suffissi usati per alterare un nome non cambiano il suo significato in senso stretto, ma modificano la dimensione (piccolo – diminutivo, grande – accrescitivo) e il valore (positivo – vezzeggiativo, negativo – peggiorativo / dispregiativo). Spesso, lo stesso nome alterato può assumere diversi significati in base al contesto e al valore affettivo che gli attribuisce chi parla. Ad esempio, gli accrescitivi possono essere usati anche in senso peggiorativo, i diminutivi in senso vezzeggiativo (manina, casetta) o dispregiativo (romanzetto).

Vediamo i suffissi più frequenti usati per alterare i nomi:

Diminutivi

-ino/a	→ formica - formichina	-ello/a	→ albero - alberello
-etto/a	→ camera - cameretta	-icello/a	→ vento - venticello
-icci(u)olo/a	→ porto - porticciolo	-olino/a	→ sasso - sassolino
-olo/a	→ montagna - montagnola		

Accrescitivi

-one/a	→ mano - manona	-acchione/a	→ furbo - furbacchione

Peggiorativi

-accio/a	→ cappello - cappellaccio	-astro/a	→ dolce - dolciastro
-aglia	→ gente - gentaglia	-ucolo/a	→ poeta - poetucolo
-uncolo/a	→ ladro - ladruncolo	-iciattolo/a	→ fiume - fiumiciattolo
-uccio/a	→ avvocato - avvocatuccio		

Vezzeggiativi

-uccio/a	→ caldo - calduccio	-uzzo/a	→ pietra – pietruzza
-otto/a	→ passero - passerotto	-acchiotto/a	→ lupo - lupacchiotto

Particolarità dei nomi alterati

- Nomi alterati con più suffissi: borsa → bors-ett-ina, tavolo → tavol-in-etto, fiore → fior-ell-ino, uomo → om-acci-one.
- I nomi che terminano in -one, con il diminutivo -ino, prendono una -c- tra la radice e il suffisso: leone → leoncino, cannone → cannoncino, padrone → padroncino.
- I nomi che terminano in -cio (con la i non accentata), con il diminutivo -etto, perdono la i: bacio – bacetto.
- A volte con il suffisso accrescitivo -one, il nome alterato cambia genere: la febbre → il febbrone, la barca → il barcone.
- A volte il suffisso peggiorativo -aglia può trasformare il nome in un nome collettivo: ferro - ferraglia.
- Alcuni nomi, quando si alterano, cambiano in parte la radice: uomo → omone, cane → cagnone / cagnolino.
- A volte, il suffisso -ello non si lega direttamente al nome ma viene preceduto da -(i)c- e -er- o -ar-: fuoco → fuoch-er-ello, campo → camp-ic-ello, pazza → pazz-er-ella.
- A volte, il suffisso -ino non si lega direttamente al nome ma viene preceduto da -(i)c(c)- o -ol-: bastone → baston-c-ino, libro → libr-ic(c)-ino, topo → top-ol-ino.

Ci sono nomi che sembrano nomi alterati ma in realtà non lo sono, sono dei falsi alterati come ad esempio: *collina, focaccia, burrone, lampone, fumetto, lupino, limone, mulino, forchetta, rubinetto, rapina, tacchino, bottone.*

Unità 3
In viaggio per l'Italia   Pg.39

A È bella quanto Roma!	• Fare paragoni • Descrivere una città	• Comparazione tra due nomi o pronomi • Verbi pronominali (*prendersela, cavarsela, farcela*)
B Più italiana che torinese!	• Operare confronti ed esprimere preferenze su cose e persone • Sostantivi e aggettivi geografici	• Comparazione tra due qualità (espresse da due aggettivi, verbi, nomi) riferite allo stesso nome e tra due nomi e pronomi (preceduti da preposizione)
C Gli animali domestici sono ammessi?	• Chiedere e dare informazioni sui servizi offerti da un albergo per prenotare una camera	
D La città più bella	• Recensione di un albergo • Firenze e i suoi monumenti più importanti	• Superlativo relativo • Superlativo assoluto • Forme particolari di comparativo e di superlativo
E Vocabolario e abilità	• Lessico relativo all'albergo e ai viaggi • Espansione dei contenuti attraverso alcune abilità (ascoltare, parlare, scrivere): chiedere e dare informazioni turistiche, lettera di reclamo	

Conosciamo l'Italia:
Città italiane: Roma, Milano, Venezia, Napoli, Palermo
Utili informazioni e curiosità su queste città.

 Episodio video:
Finalmente a Roma!
Attività video   Pg.185

Materiale autentico:
Testo *Le differenze che ci uniscono* da *Donna moderna* (B2)
Pubblicità radiofonica dell'Holiday Inn (C2)
Testi informativi su due alberghi di Roma da www.booking.com/hotel/it (C6)
Locandina pubblicitaria da *Pubblicità responsabile* (D1)
Testo *Il periodo migliore dell'anno per visitare Firenze* da www.visitarefirenzein3giorni.com (D5)
Ascolto di un'intervista ad un albergatore (E3)

Unità 5
Stare bene   Pg.69

A Posso venire a correre con te?	• Dare consigli per mantenersi in forma e stare bene • Fare ipotesi	• Congiuntivo presente: verbi regolari • Congiuntivo presente: *essere* e *avere*
B Fa' come vuoi!	• Espressioni utili per dare il permesso di fare qualcosa	• Congiuntivo presente: verbi irregolari
C Come mantenersi giovani	• Parlare delle proprie abitudini in relazione al viver sano	• Uso del congiuntivo (I)
D Viva la salute!	• Esprimere le proprie preferenze nel praticare attività fisica	• Congiuntivo passato • Concordanza dei tempi al congiuntivo
E Attenti allo stress!	• Parlare dello stress e delle cause che lo provocano	• Uso del congiuntivo (II) • Quando non usare il congiuntivo
F Vocabolario e abilità	• Alcune discipline sportive	

Conosciamo l'Italia:
Lo sport e gli italiani: non solo calcio e divano
Gli sport più amati e praticati dagli italiani.
Le Paralimpiadi

 Episodio video:
Facciamo un po' di sport!
Attività video   Pg.187

Materiale autentico:
Ascolto di una intervisa ad una ragazza in palestra (D2)
Testo *Come non parlare di calcio* da *Il secondo diario minimo* di Umberto Eco (D4)
Ascolto di un'intervista alla campionessa paralimpica Bebe Vio (F2)

Unità 7
Andiamo a vivere in campagna   Pg.101

	Elementi comunicativi e lessicali	Elementi grammaticali
A Vivere fuori città	• Raccontare al passato	• Congiuntivo imperfetto: verbi regolari e irregolari
B Cercare casa	• Lessico relativo alle caratteristiche più importanti e ai materiali usati in una casa • Leggere e scrivere un annuncio immobiliare • Acquistare, vendere o prendere in affitto una casa	
C Nessun problema...	• Presentare un fatto come facile • Parlare dell'impatto che possono avere iniziative ecologiche nella nostra vita e sulle nostra città	• Concordanza dei tempi al congiuntivo • Uso del congiuntivo (I)
D Vivere in città	• Parlare della vivibilità di una città, dei suoi problemi ambientali, del riciclaggio	• Congiuntivo trapassato
E Salviamo la Terra!	• Parlare del futuro del pianeta: i principali problemi ambientali • Coscienza ecologica: individuale e collettiva	• Uso del congiuntivo (II)
F Vocabolario e abilità	• Tutela e impatto ambientale	

Conosciamo l'Italia:
Le meraviglie naturali d'Italia
Informazioni e curiosità su alcune bellezze naturali dell'Italia.
Quanto sono "verdi" gli italiani?
Gli italiani sempre più sensibili alle tematiche ambientali.

▶ **Episodio video:**
Che aria pulita!
Attività video   Pg.189

Materiale autentico:
Articolo *Mobilità sostenibile a Milano?* da www.mentelocale.it (C6)
Ascolto della notizia *Le città più ecologiche d'Italia* da *Il Sole 24 Ore* (D2)
Testo *L'aria buona* da *Marcovaldo, Le stagioni in città* di Italo Calvino (D3)
Copertina di *La nuova ecologia* (Allarme clima) (E1)
Ascolto sulla presentazione del *WWF Italia* (F4)

Unità Sezione	Elementi comunicativi e lessicali	Elementi grammaticali

Unità 9
L'arte... è di tutti!   Pg.133

Materiale autentico:
Ascolto su alcune importanti fontane di Roma (C1)
Ascolto sull'opera *Apollo e Dafne* da www.beniculturali.it (C5)
Locandine mostre (D1)
Testo *Una notte con la Gioconda* di Gianni Clerici (E1)
Ascolto dell'intervista al referente dell'archivio storico dei *Musei Civici di arte antica* di Bologna

Unità Sezione	Elementi comunicativi e lessicali	Elementi grammaticali

Conosciamo l'Italia:
I problemi dell'Italia
La disoccupazione, il precariato, l'immigrazione irregolare, il calo demografico.
La mafia nel cinema e nella realtà
La criminalità organizzata in TV e al cinema e i suoi effetti.

▶ **Episodio video:**
Non sono io il ladro!
Attività video   Pg.192

Materiale autentico:
Pubblicità Progresso *Io dico no* da www.comune.milano.it (C1)
Testo canzone *I cento passi* dei Modena City Ramblers (D1)
Testo 1, articolo *La mafia al Nord e al Sud* da www.antimafiaduemila.com (D5)
Testo 2, articolo *L'ecomafia e lo smaltimento illegale di rifiuti* da www.snpambiente.it (D5)
Testo sulla fuga di cervelli da www.agenziagiovani.it (E2)
Testo recensione del libro *Ferite a morte* di Serena Dandini da www.donnecontroviolenza.it (F1)

Unità Sezione	Elementi comunicativi e lessicali	Elementi grammaticali

Conosciamo l'Italia:
Classici della letteratura italiana
Gli italiani e la letteratura

▶ **Episodio video:**
Un libro introvabile
Attività video   Pg.193

Materiale autentico:

Testo A, recensione di *La storia* di Elsa Morante da www.italialibri.net (C1)

Testo B, recensione di *Ragazzi di vita* di Pier Paolo Pasolini da www.centrostudipierpaolopasolinicasarsa.it (C1)

Testo intervista di Enzo Biagi a Eduardo De Filippo (D3)

Ascolto di un'intervista a un libraio (E2)

Testo *L'avventura di un lettore* da *Gli amori difficili* di Italo Calvino (E4)

Ascolto di un'intervista a Gianrico Carofiglio da *TGR3 Notte* (F2)

[41']

 [65']

Prima di... cominciare	
01	Comprensione 1a, 1b

Unità 1		
	02	Per cominciare 3, A1
	03	B1, 2
	04	D1, 2
	05	Quaderno degli esercizi

Unità 2		
	06	Per cominciare 3, A1
	07	B2, 3
	08	C5
	09	E2, 3
	10	Quaderno degli esercizi

Unità 3		
	11	Per cominciare 3, 4, A1
	12	C2
	13	C3, 4
	14	Quaderno degli esercizi

Unità 4		
	15	Per cominciare 4, A1
	16	B1
	17	Quaderno degli esercizi

Unità 5		
	18	Per cominciare 3
	19	B1, 2
	20	D2
	21	E3
	22	Quaderno degli esercizi

Unità 6		
	01	Per cominciare 2
	02	Per cominciare 3
	03	A7
	04	C1, 2
	05	D2a, 2b
	06	D6a, 6b
	07	Quaderno degli esercizi

Unità 7		
	08	Per cominciare 3, 4
	09	C1, 2
	10	C4
	11	D2
	12	Quaderno degli esercizi

Unità 8		
	13	Per cominciare 2
	14	Per cominciare 3, A1
	15	B1, 2
	16	C6
	17	Quaderno degli esercizi

Unità 9		
	18	Per cominciare 2, 3
	19	B1, 2
	20	C1, 2
	21	C5, 6
	22	D4
	23	Quaderno degli esercizi

Unità 10		
	24	Per cominciare 2
	25	Per cominciare 3
	26	B1, 2
	27	C4
	28	Quaderno degli esercizi

Unità 11		
	29	Per cominciare 3, A1
	30	D2
	31	E2, 3
	32	Quaderno degli esercizi

Puoi ascoltare il CD audio
anche su i-d-e-e.it.

Pg.6: www.guideroma.com (*in alto a sinistra*), https://i.ytimg.com.it (*in basso a sinistra*); Pg.7: https://viaggi-nel-tempo.com (*2*), https://cdn.craispesaonline.it (*5*), https://i.pinimg.com (*6*), https://1.bp.blogspot.com (*7*), www.mitshopping.it (*9*), https://programma.sorrisi.com (*11*); Pg.8: www.repstatic.it (*in alto a sinistra*), www.viagginews.com (*in alto a destra*), https://immagini.quotidiano.net (*in basso a sinistra*), www.bartolinibaldelli.it (*in basso a destra*); Pg.16: https://img.over-blog-kiwi.com (*come stai?*), https://kbimages1-a.akamaihd.net (*che cosa...?*), http://i.cdn-vita.it (*cosa vuoi...?*), www.sololibri.net (*perché?*), https://i.pinimg.com (*quanti...?*), www.momarte.com (*quali...?*), www.bellacanzone.it (*chi...?*); Pg.17: https://mr.comingsoon.it (*a*), www.theromanpost.com (*b*), www.superguidatv.it (*c*), https://cc-media-foxit.fichub.com (*d*); Pg.27: https://scoprilavoro.it (*4*); Pg.36: www.webuildvalue.com (*in alto*). www.corriere.it (*in basso*); Pg.37: https://scontent.fath3-4.fna.fbcdn.net (*benetton*), www.agoraplus.com (*candy*), https://pngimage.net (*vespa*), https://logo-logos.com (*barilla*), https://upload.wikimedia.org (*illy*), https://upload.wikimedia.org (*ferrari*), https://cdn.shopify.com (*gucci*), https://lh3.googleusercontent.com (*generali*), https://d3hjzzsa8cr26l.cloudfront.net (*nutella*), https://logos-download.com (*luxottica*), www.adnkronos.com (*Venezia*); Pg.40: www.gaetataxiservice.it (*Napoli*); Pg.43: www.vocedinapoli.it (*Napoli*); Pg.46: www.puntarellarossa.it (*in alto a sinistra*), https://pbs.twimg.com (*in basso*); Pg.48: https://upload.wikimedia.org (*David*), https://cdn.freebiesupply.com/logos (*istituto superiore di sanità*); Pg.49: https://cdn.gelestatic.it (*R. Migliaccio*), https://cdn-img-a.facciabuco.com (*vignetta*), www.quantomanca.com (*family hotel*), https://notizieaffidabili.it (*maggiore età*), www.touringclub.it (*in basso a sinistra*), www.affittivacanzecrosina.com (*in basso a destra*); Pg.53: www.ilmattino.it (*Cristo velato*); Pg.55: www.frontierarieti.com (*a*), https://upload.wikimedia.org (*b*), www.oggi.it (*c*), www.segmentidistoria.com (*d*), https://upload.wikimedia.org (*e*); Pg.57: https://pbs.twimg.com; Pg.58: https://i.pinimg.com; Pg.59: https://i1.wp.com; Pg.60: www.visittuscany.com; Pg.61: https://images-na.ssl-images-amazon.com (*in alto*), https://upload.wikimedia.org (*in basso*); Pg.63: https://oltrelalinea.news (*in alto*), https://upload.wikimedia.org (*in basso*); Pg.64: https://i.pinimg.com (*a sinistra*), https://milano.biblioteche.it (*a destra*); Pg.66: www.connessioniprecarie.org (*in alto*), https://lh3.googleusercontent.com (*in basso a sinistra*), https://incronaca.unibo.it (*in basso a destra*); Pg.67: https://img.ilfoglio.it (*a sinistra*), http://i.cdn-vita.it (*a destra*); Pg.72: www.sportchianti.it (*b*), www.sicilymag.it (*d*), https://s3.amazonaws.com (*e*); Pg.73: https://immagini.quotidiano.net; Pg.75: http://mangiarebuono.it; Pg.76: https://lh3.googleusercontent.com (*in alto*), www.lapalestra.it (*in centro a sinistra*), www.asdpicchisangiacomofemminile.it (*in centro a destra*); Pg.77: www.google.com; Pg.81: https://germignagasport.com (*casco*), https://ilnuotatore.com (*occhialini*); Pg.83: www.sport24h.it (*1*), https://staticr1.blastingcdn.com (*4*); Pg.85: https://restaurars.altervista.org (*fascia*), https://hotel manzoni.com (*in centro*), www.cosenzaduepuntozero.it (*in centro*), https://simonparrismaninchair.files.wordpress.com (*in basso*); Pg.87: https://static2-blog.corriereobjects.it (*in basso*); Pg.88: www.centy.it; Pg.90: www.farmaciagiovannoligovernolo.com (*c*), https://ilsalvagente.it (*h*); Pg.92: Milan citymap; Pg.94: https://cultura.biografieonline.it (*in alto*), www.repubblica.it (*in basso*); Pg.96: www.festivaldelgiornalismo.com; Pg.97: www.meteoweb.eu (*a*), www.lasicilia.it (*g*); Pg.98: https://movieplayer.net-cdn.it (*A*), www.tgtourism.tv (*B*), www.toledoblade.com (*C*); Pg.99: www.lesalonmusical.it (*in alto*), https://swissgart.com (*in basso*); Pg.101: https://odis.homeaway.com (*a sinistra*), ©T. Marin (*a destra*); Pg.102: ©T. Marin (*in centro*); Pg.105: www.google.it (*a*), www.casa.it (*b*), https://lh3.googleusercontent.com (*c*), www.alfamarmi.it (*4*); Pg.106: www.tempostretto.it (*in basso*); Pg.107: https://upload.wikimedia.org; Pg.109: https://pictures.abebooks.com; Pg.110: www.arezzo24.net (*in alto a sinistra*), https://legambientecalabria.it (*in centro*), https://static.wixstatic.com (*a*), https://primabrescia.it (*b*), www.ambientesicurezzaweb.it (*c*), www.lifegate.it (*d*), www.open.online/wp-content (*e*); Pg.111: http://pazzoperrepubblica.blogspot.com; Pg.112: www.radiolombardia.it; Pg.114: www.gliscritti.it (*in basso a sinistra*); Pg.121: https://wfprwpnressa01.blob.core.windows.net (*in alto a destra*), www.reviewbox.it (*cellulare*), https://immagini.quotidiano.net (*sciopero*), www.vaitaormina.com (*calcetto*), www.strettoweb.com (*università*), www.oggi.it (*televisore*), www.total-photoshop.com (*Instagram*); Pg.125: www.tecnoandroid.it (*a sinistra*), www.hwupgrade.it (*in alto a destra*), https://monkeyadvisor.com (*in basso a destra*); Pg.127: www.smartworld.it; Pg.130: upload.wikimedia.org (*Leonardo da Vinci, Galileo Galilei, Alessandro Volta, Antonio Meucci*); Pg.131: www.radiomontecarlo.net (*Guglielmo Marconi*), www.biography.com (*Enrico Fermi*), www.mairetecnimont.com (*Giulio Natta*), www.giffonifilmfestival.it (*Rita Levi Montalcini*), www.arte.it (*a*), www.lacomunicazione.it (*b*), www.interris.it (*c*), www.elettronews.com (*d*); Pg.133: https://i.pinimg.com (*a*), https://i1.wp.com/amiraditransilvania.it (*b*), https://upload.wikimedia.org (*c*); Pg.136: www.finestresullarte.info; Pg.137: archivio Edlingua (*2, 3, 4*); Pg.141: http://informa.comune.bologna.it (*etruschi*), www.artwave.it (*Mantegna*), www.themammothreflex.com (*mostra fotografica*), www.greenme.it (*Raffaello*); Pg.142: https://3.bp.blogspot.com; Pg.143: www.clponline.it (*in basso*); Pg.144: https://live.staticflickr.com (*in alto*); Pg.146: https://mywowo.net (*Botticelli*), www.museivaticani.va (*Caravaggio*), https://images.uffizi.it (*Michelangelo*), .it (*Botticelli*), .it (*Botticelli*), .it (*Botticelli*),; Pg.147: https://upload.wikimedia.org (*Pelizza da Volpedo*), https://upload.wikimedia.org (*Modigliani*); Pg.153: http://i.cdn-vita.it, www.interris.it, www.vocealta.it, www.molisetabloid.it (*fascia*), www.ilsicilia.it (*b*), www.africarivista.it (*c*), https://static.italiaoggi.it (*in basso a sinistra*), www.espansionetv.it (*in basso in centro*), https://milano.corriere.it (*in basso a destra*); Pg.154: www.radiolombardia.it; Pg.156: www.umbriaon.it (*in basso*), www.ilcompagno.it (*in centro*); Pg.157: http://i.cdn-vita.it (*in alto*), www.gelestatic.it (*in basso*); Pg.158: www.allacciatilestorie.it (*in alto a sinistra*); Pg.159: www.avvenire.it; Pg.160: https://images-na.ssl-images-amazon.com; Pg.161: www.educationtrainingnetwork.com; Pg.162: https://gdsit.cdn-immedia.net/ (*in alto*), https://staticr1.blastingcdn.com (*in centro*), www.habitante.it (*in basso*); Pg.163: https://upload.wikimedia.org (*in basso*); Pg.165: https://pictures.abebooks.com (*a*), https://images-na.ssl-images-amazon.com (*b*), https://lh3.googleusercontent.com (*c*), https://lh3.googleusercontent.com (*d*), https://images-na.ssl-images-amazon.com (*e*), www.einaudi.it (*f*); Pg.168: www.ilfoglio.it; Pg.171: https://images-na.ssl-images-amazon.com (*A*), https://images-na.ssl-images-amazon.com (*B*); Pg.173: https://tiritere72663953.files.wordpress.com; Pg.174: https://upload.wikimedia.org; Pg.175: https://trale righeinlibreria.it; Pg.178: www.seprian.it (*La Divina Commedia*), https://images-na.ssl-images-amazon.com (*L'Orlando furioso, I promessi sposi, Il fu Mattia Pascal*); Pg.179: www.dimanoinmano.it (*Il nome della rosa*), https://image.anobii.com (*Gli indifferenti*), https://images-na.ssl-images-amazon.com (*La storia, Se questo è un uomo*), https://wips.plug.it (*in basso*); Pg.191: www.artesvelata.it (*1*), https://upload.wikimedia.org (*2*), https://upload.wikimedia.org (*3*); Pg.204: https://images-na.ssl-images-amazon.com (*Testimone inconsapevole, La luna e i falò, L'amore molesto, La lunga vita di Marianna Ucrìa, La casa delle voci*).